를 위한 과거로의 산책

세상을
움직이는 책

에게 드립니다

Le Mythe de Sisyphe

A. 카뮈 지음 | 민희식 옮김

시지프 신화

개정판

육문사
Yukmoonsa

Albert Camus-Le Mythe de Sisyphe

세상을 움직이는 책

시지프 신화 개정판

초판 1쇄 | 2019년 8월 15일 발행

지은이 | A. 카뮈
옮긴이 | 민희식
교　정 | 이정민
디자인 | 인지숙
펴낸이 | 이경자
펴낸곳 | 육문사

주소 | 경기도 고양시 일산동구 산두로 128. 909동 202호
전화 | 031-902-9948
팩시밀리 | 031-903-4315
출판등록 | 제313-2011-2호 (1974. 5. 29)

ISBN 978-89-8203-141-0 04080
ISBN 978-89-8203-000-0 (세트)

이 도서의 국립중앙도서관 출판예정도서목록(CIP)은 서지정보유통지원시스템 홈페이지(http://seoji.nl.go.kr)와 국가자료종합목록 구축시스템(http://kolis-net.nl.go.kr)에서 이용하실 수 있습니다. (CIP제어번호 : CIP2019027877)

시지프 신화

〈일러두기〉

■ 도서출판 육문사 발행 세상을 움직이는 책 《시지프 신화》는 1995년 5월 10일 교양사상신서로 발행된 중판본을 현대에 맞게 어휘, 문법을 수정하여 재개정 3판으로 재출간을 하였다.

■ 본문 하단의 각주는 역자가 독자들의 이해를 돕기 위해 붙인 역주이다.

■ 본문에 나오는 인명과 지명은 외래어 표기법을 따르며 관행상 굳어진 표기는 그대로 표기하였다.

파스칼 피아에게 바친다

카뮈의 부조리 사상과 《시지프 신화》

《시지프 신화(Le Mythe de Sisyphe)》는 카뮈가 인간 부조리의 문제를 분석해 가며 파 들어간 철학 에세이집이다.

이 작품은 그가 27세 되던 해인 1940년 9월에 그 전반부가 완성되고, 그 이듬해인 1941년 2월에 후반부가 탈고되었으며, 1943년에 책으로 발간되었다.

이 작품에는 카뮈가 자신의 사상의 이론을 정립하고 윤리의 기초를 세우기 위한 노력이 들어 있다. 앞서 출간되었던 그의 작품들에서 암시되어 있던 인간 부조리의 감정이 이 작품에서는 냉철하게 분석되면서, 일종의 부조리의 형이상학 내지는 부조리의 모럴을 드러내 보이고 있다. 그는 이 작품에서 부조리 사상을 중심 삼는 세계관의 입장에서, 자살은 불가피한 것인가, 아니면 살아가는 일은 가능한 것인가, 의미 없는 삶이 살 만한 가치가 있는가, 인간은 삶 속에서 행복과 위대한 업적을 달성할 수 있는가 등의 문제를 솔직하게 제기하고 있다.

시지프(Sisyphe)의 이야기는 그리스 신화에 들어 있는 것으로, 카뮈는 그의 부조리 사상을 이 신화에 비유하여 그려 내고 있다.

시지프는 인간 중에서 가장 지혜롭고 사려 깊은 사람이었다. 어느 날 모든 신들의 왕인 제우스(Zeus)는 아소포스(Asopos) 강의

딸인 아이기나(Aegina)를 유괴해 갔다. 아소포스는 자기 딸이 누구에 의해 어디로 끌려갔는지조차 알지 못하고 비탄에 잠겨있다. 그때 마침 그 일에 대해 알고 있던 시지프는 코린트(Corinth) 성에 물을 대 준다면 그 비밀을 알려 주겠다고 제안한다. 자기의 계획이 탄로 난 것에 화가 난 전능한 신 제우스는, 모든 신들을 모아 회의를 열어 시지프를 처벌하기로 했다. 그의 형벌은 큰 바위를 산꼭대기까지 밀어올리는 것이었다. 그러나 그가 바위를 산꼭대기까지 밀어올려가면 바위는 다시 굴러 원점으로 되돌아오는 것이다. 번번이 결과는 마찬가지지만, 시지프는 그 일을 그만둘 수가 없는 것이다.

이것이 곧 인간의 운명이요 인간의 부조리인 것이다. 시지프가, 그리고 모든 인간이 선택할 수 있는 것은 두 가지 길뿐이다. 자기가 산꼭대기까지 밀어올린 바위가 다시 원점으로 굴러떨어질 걸 뻔히 알면서도 계속 그 행위를 반복할 것이냐, 아니면 자살을 해버림으로써 시지프의 운명에서 벗어날 것이냐. 여기서 '인생은 살 만한 가치가 있는가?'라는 절박한 문제가 제기된다. 그래서 《시지프 신화》의 첫머리에서 카뮈는, '진정으로 중요한 철학적 문제는 오직 하나가 있는데 그것은 곧 자살이다'라고 한 것이다. 그런데

이에 대해 카뮈는 확고부동한 논리를 가지고 있다. 그는 자살을 부정한다. 부조리는 인간의 근원적 사고와 삶의 바탕인 동시에 최후의 논리적 · 미학적 의미를 가능케 하는 도달점이기 때문이다. 그에게 있어 자살은, 사는 것에 대한 이유의 부재와 인간이 겪는 고통의 무익함을 본능적으로나마 인정하는 것이 된다. 다시 말해 자살은, 삶에 패배했음을 자백하는 행위이며, 의식을 눈뜨게 하는 부조리며, 인간에게 삶의 근거를 주는 가장 명백한 진리인 부조리 자체를 스스로 허물어 버리는 것에 불과하다. 자살은 비겁한 도피 행위이며, '나'와 '세계'의 대립에서 '나'를 말살함으로써 '세계'와의 대립을 포기하는 행위이다. 반면에 사는 것은 부조리를 살아 있게 만드는 것이다. 그런데 앞서 말한 것처럼, 부조리는 인간의 근원적 사고와 삶의 바탕이므로, 우리는 살아가야만 한다.

심각한 사상은 어떤 초월성과 절대성을 상정(想定)하지 않고는 구축될 수가 없는 것이다. 이것은 정말로 묘한 역설이다. 카뮈의 사상에서 이 역할을 하는 것이 바로 부조리이다. 그는 우주의 본질이 부조리하다고는 말하지 않는다. 더구나 인간의 정신 속에 부조리가 깃들어 있다고는 말하지 않는다. 그는 다만 인간의 사유(思惟)가 눈뜰 때에 그 사유가 부조리를 발견하는 것이라고 말할 뿐이다. 그는 철학이나 윤리도 부조리로부터 그 첫발을 내딛고 확립되어야 한다고 말한다.

"나는 나의 명징한 정신을 부정하는 것들 속에서 나의 명징한 정신을 고무한다. 나는 인간을 짓누르는 것들 앞에서 인간을 고무한다. 그리하여 나의 자유 · 나의 반항 · 나의 정열은 이 긴장과 통찰과 끝없는 반복 속에서 한 덩어리가 된다."

그는 이 확고부동한 자기 신앙을 출발점으로 하여 부조리의 문제들을 하나하나 파헤쳐 들어간다. 그는 부조리한 인간을 세 부류로 제시한다. 첫째, 후회나 희망 따위를 거부하는 돈 후안과 같은 부류의 인간이다. 둘째, 한 인간이 그렇게 되고자 하는 것과 실제로 그렇게 되는 것 사이에는 아무런 차이가 없다고 하는 지극히 바람직한 진실을 구체적으로 보여 주는 배우요, 셋째, 향수도 회한도 없는 행동을 택하는 정복자이다. 그러나 이들은 모두가 부조리를 통하여 당당한 힘을 얻는다. 그런데 이 세 부류의 부조리한 인간들을 초월하는 다른 한 부류의 인간이 있으니, 그것은 바로 전형적인 부조리의 존재인 창조자이다. 실제로 창조자는 온갖 부조리를 범하고 있다. 그는 자기의 창조물이 영속될 수 없음을 알면서도 열심히 헛수고(?)를 한다. —자기의 창조물에 미래가 없음을 알면서도.

'이성과 정념이 한데 어우러져 서로를 고무하는 일상적인 노력 속에서, 부조리한 인간은 하나의 규율을 발견하게 되며, 그 규율이야말로 그의 힘의 원천인 것이다.'

이 노력의 구체적인 모습을 보여 주기 위하여, 카뮈는 시지프의 이야기를 동원한다. 시지프가 신들로부터 용서받지 못할 죄는, 근본적으로 그가 세상사에 지나치게 집착한다는 것이다. 그 죄에 대한 형벌은 너무도 가혹한 것이지만, 그 죄인은 자신의 노력이 아무런 희망도 안겨 줄 수 없음을 알면서도 그 형벌을 참고 견딘다. 시지프는 두 손바닥과 뺨을 그 큰 바위에 굳게 붙여 산꼭대기로 밀어올리면서, 자기에게 형벌을 내린 그 신들은 경험해 본 적도 없는 어떤 기쁨을 맛보는 것이다.

카뮈에게 있어 부조리는 하나의 출발점에 불과하다. 그에게 있어 부조리는 자기 시대의 오솔길에서 주운 하나의 관념일 뿐이다. 그러나 그는 다만 인간의 존재 이유에 대해 보다 확실한 내기를 걸기 위하여 부조리의 세계를 파고든다. 모든 싸움의 결말이 어떤 것이든, 승리는 반드시 명징한 정신을 지닌 인간이며, 희망도 공포도 알지 못하는 인간에게로 돌아갈 것이다. —전쟁의 승리도, 부조리와의 싸움에서의 승리도, 모든 신들과의 싸움에서의 승리까지도.

신의 섭리가 배제된 세계에서 숙명에 결박당한 의식을 지닌 존재, 자신의 인간 조건을 그대로 받아들이면서 인간으로서 해야 할 바를 수행하는 가운데 행복을 찾는 의식적인 존재—이것이 부조리한 인간인 것이다. 카뮈에 따르면, 부조리한 인간은 자신의 내부 깊숙한 곳에 비장한 항거의 응어리를 지니고 있다. 부조리한 인간은, 자기에게 주어진 삶을 그대로 받아들이면서 삶의 수레바퀴를 굴리고, 현재의 순간에 도취되어 미래에의 무관심을 키워 간다. "부조리는 인간이 그것에 동의하지 않을 때에만 비로소 의미를 지닌다."

카뮈의 부조리 사상에는 적극적인 휴머니즘과 상대적인 낙관론이 내재되어 있다. 부조리 위에 어떤 휴머니즘을 건설하려는 것이 그의 의도였다. '육체 · 애정 · 창조 · 활동 · 인간적 숭고함 등이 언젠가는 이 무질서한 세계 속에서 각기 제 자리를 잡게 될 것이다. 그때가 되면, 이 부조리한 세계에서 인간은 자기의 위대함을 양육해 줄 부조리의 술과 무관심의 빵을 발견해 낼 것이다.'

저자 서문

내게 있어 《시지프 신화》는 《반항인》에서 추구할 예정이었던 한 생각의 시작을 나타낸다. 《시지프 신화》가 자살의 문제를 풀고자 하듯 《반항인》은 살해의 문제를 풀고자 하는데, 이 두 경우에 모두 문제를—어쩌면 일시적인 것이겠지만—현대 유럽에 부재(不在)하는, 혹은 왜곡되어 있는 '영원한 가치'라는 것들의 도움 없이 풀고자 하는 것이다. 《시지프 신화》의 근본적인 주제는 이러하다. 즉 삶이 대체 의미를 갖고 있을까 하는 의문을 갖는 것은 정당하고 필연적이다. 따라서 자살의 문제에 정면으로 부딪치는 것도 정당하다는 것이다. 이 문제에 대한 대답은 여러 가지 패러독스(逆說)들 밑에 깔려 있다. 그리하여 그것을 덮고 있는 그 역설들을 통해 나타나는데, 그것은 이러하다. 즉 인간이 신을 믿지 않는다 하더라도 자살은 정당하지 않다는 것이다. 15년 전인 1940년 프랑스와 유럽에 닥친 재난의 한가운데에서 씌었던 이 책이 선언하는 것은, 니힐리즘의 한계 내에서도, 그 니힐리즘을 넘어 나아갈 수 있는 방법들을 찾을 수 있다는 것이다. 그 뒤에 써 온 모든 책들 속에서, 나는 그러한 방향을 따르고자 시도해 왔다. 《시지프 신화》는 죽음의 문제들을 제시하긴 하지만, 내겐 결국 사막 바로 한가운데에서 살고 창조하라는 하나의 분명한 권유가 된다.

그러므로 이 철학적 논고(論考)에다가 그간 내가 그치지 않고 써 왔던 일련의 에세이들을 덧붙일 수도 있겠다고 생각했는데, 그러한 에세이들은 나의 다른 작품들에 붙이기엔 좀 군더더기 같기 때문이다. 보다 서정적인 형태를 띤 이 에세이들 모두가 동의(同意)와 거부(拒否) 사이를 오락가락하는 그 본질적인 진동을 보여준다. 내가 보기에는 그것이야말로 예술가와 예술가의 힘든 소명(召命)을 규정해 주는 것이다. 이 책의 한결같은 점은, 예술가라면 살고 창조하기 위한 자신의 이유들과 관련하여 빠질 수 있는, 냉철해졌다가 다시 열렬해지기도 하는 그 사색에 있다. 15년이 지났으니, 나는 이 책에 씌어 있는 입장들 중 서너 가지를 넘어섰지만, 그러한 입장들을 불러일으켰던 절박한 상황에 대해서는 계속 충실히 해온 것 같다. 이 책이 영어로 출판했던 나의 모든 책들 중에서 가장 개인적인 것도 어떤 의미에서는 그 때문일 것이다. 따라서 이 책은 다른 어느 책보다도 더 독자의 너그러움과 이해를 필요로 하고 있다.

1955년 3월, 파리에서, 알베르 카뮈.

차 례 / 시지프 신화(Le Mythe de Sisyphe)

제1장

부조리한 추론(推論)

1. 부조리(不條理)와 자살(自殺)
2. 부조리의 벽
3. 철학적 자살
4. 부조리한 자유

다음의 페이지들이 다루는 것은, 이 시대에 만연되어 있음을 볼 수 있는 부조리의 감정이다. 바로 말해서 우리 시대가 알지 못했던 어떤 부조리의 철학은 아니다. 그러므로 이 글들이 몇몇 현대 사상가들에게 빚지고 있는 바를 처음부터 밝히는 것이 올바른 도리일 것이다. 그러한 점을 숨기는 것은 나의 의도와는 거리가 멀기 때문에, 이 작품 곳곳에서 그들의 말을 인용하고 논평하는 것을 볼 수 있을 것이다.

그러나 동시에, 이제까지는 하나의 결론으로 여겨져 온 부조리를 이 에세이에서는 하나의 출발점으로 삼고 있음을 유의하는 것이 좋을 것이다. 그런 의미에서 나의 논평에는 다소 잠정적인 면이 있다고도 말할 수 있다. 말하자면 나의 논평에 수반되는 태도를 속단해서는 안 된다는 것이다. 이 글에서는 다만 어떤 지적(知的)인 혼란에 대한 순수한 상태에서의 묘사만이 보일 것이다. 지금으로선 여기에는 어떠한 형이상학도 어떠한 신념도 포함되어 있지 않다. 그러한 것들이 이 책의 한계점들이며 또한 유일한 방향이다. 나의 어떤 개인적인 체험에서 어쩔 수 없이 이 점을 분명히 밝히는 바이다.

1. 부조리(不條理)와 자살(自殺)

단 한 가지 참으로 중대한 철학적 문제가 있는데, 그것은 자살이다. 인생이 살 만한 가치가 있는가 없는가를 판단하는 것은, 그러한 근본적인 철학적 질문에 답하는 것이 된다. 그 밖의 모든 문제, 즉 세계가 3차원인가 아닌가, 정신은 여덟 개의 범주를 갖고 있는가 열두 개의 범주를 갖고 있는가 하는 것은 그다음 문제이다. 이러한 것들은 게임에 불과하다. 먼저 근본 문제부터 풀어야 하는 것이다. 그리고 니체가 주장하듯, 존경받을 만한 철학자라면 실례(實例)로써 설교해야 한다는 게 사실이라면, 그러한 대답의 중요성을 이해할 수 있을 것이다. 그 대답에 따라 확고한 행동이 이어질 것이기 때문이다. 이러한 것들은 마음으로 느낄 수 있는 사실들이다. 그렇긴 하지만 지성(知性)으로 분명히 알기까지는 자세한 연구가 필요하다.

전자의 문제가 후자의 문제보다 더 절박하다는 것을 어떻게 판단할 수 있는가를 내게 묻는다면, 나는 그러한 문제에 따르기 마련인 행동들로써 판단하는 것이라고 대답한다. 존재론적인 토론을 위해 죽은 사람을 나는 아직 본 일이 없다. 대단히 중대한 과학적 진리를 주장했던 갈릴레이는, 그 진리의 주장으로 자신의 목숨이 위태로워지자, 곧 그것을 아주 쉽게 버렸다. 어떤 의미에서는 그가 현명했다.[1] 그 과학적 진리는 화형(火刑)을 당할 만한 가치가 있는 게 아니었다. 지구가 태양의 주위를 도는 것이냐 아니면 태양이 지구의 주위를 도는 것이냐는 지극히 하찮은 문제이다. 사실을 말하자면, 그것은 쓸데없는 문제이다. 그와는 반대로, 스스로 인생은 살 만한 가치가 없다고 판단하는 까닭에 많은 사람들이 죽는 것을 나는 본다. 자신들에게 살아야 할 이유를 주는 사상 혹은 환상을 위해 역설적으로도 죽음을 당하는 또 다른 사람들을 본다(소위 살아야 할 이유란 또한 죽어야 할 훌륭한 이유가 되기도 한다). 따라서 나는 삶의 의미야말로 모든 문제들 중에서 가장 절박한 문제라고 결론짓는다. 그 문제에 어떻게 대답해야 할 것인가? 모든 본질적인 문제들—내가 말하는 것은 죽음에 이르게 할 위험이 있는 문제들, 혹은 삶의 열정을 강화시켜 주는 문제들을 뜻한다—과 관련해서는 아마도 두 가지 사고방식밖에 없을 것이다. 그것은 라 파리스 방식과 돈키호테 방식이다. 사실적인 증거와 감정적 정서 간의 균형만이 우리로 하여금 감동과 명료한 의식을 동시에 얻을 수 있게 해 주는 것이다. 아주 보잘것없으면서도 심각한 주제에서는, 학구적이고 고전적인 변증법은 그제도 이제도 상식과 공감에서 비롯되는 좀 더 겸허한 정신 자세에 따라야 한다는 것을 알 수 있다.

지금까지 자살은 하나의 사회적 현상으로만 다루어져 왔다. 그

1) 진실의 상대적 가치라는 관점에서 볼 때 그러하다. 반면에 남자다운 행동의 관점에서 볼 때에는, 이 학자의 허약함은 우리에게 쓴웃음을 짓게 만드는 것도 당연하다.

와 반대로 자살의 문제를 파헤치려는 이 시점(始點)에서 우리가 관심을 갖고 있는 것은 개인적 사고(思考)와 자살 간의 관계이다. 자살행위는 위대한 예술 작품이 그러하듯, 마음의 침묵 속에서 준비된다. 그런데 그 사람 자신은 이 사실을 알지 못하고 있는 것이다. 그리하여 어느 날 밤, 그는 방아쇠를 당기거나 뛰어내린다. 자살을 한 어느 아파트 건물 관리인에 대해서, 나는 그가 5년 전에 딸을 잃었으며, 그 이후로 그가 크게 변했고, 그 체험이 그를 '파먹어' 들어간 것이라는 얘기를 들었다. 그보다 정확한 말을 생각할 수 없을 것이다. 생각하기 시작한다는 것은 파 먹히기 시작한다는 것이다. 사회는 이러한 시작들에 대해서 별로 관심이 없다. 파먹는 벌레는 인간의 마음속에 있다. 벌레를 찾아야 할 곳은 바로 인간의 마음속인 것이다. 체험과 마주한 명징한 의식에서부터 빛으로부터의 도피에 이르는 이 죽음의 게임을 기어이 따라가 이해해야만 한다.

자살에는 많은 이유들이 있는데, 일반적으로 가장 분명해 보이는 이유들이 가장 유력한 이유인 것은 아니었다. 심사숙고를 거쳐서 자살이 행해지는 일은 드물다(그렇다고 해서 예외가 없다는 것은 아니지만). 그러한 위기를 폭발시키는 것은 거의 언제나 확인할 수 없는 것들이다. 신문들은 흔히 '개인적인 불행'이나 '불치의 병'을 내세운다. 이러한 설명들은 설득력이 있다. 그러나 그 절망한 사람의 한 친구가 바로 그날 그를 향해 무관심하게 말한 게 아닌지 알아봐야 할 것이다. 그랬다면 그 친구가 죄인이다. 그것만으로도 아직 어중간한 상태인 그 모든 원한과 그 모든 지겨움을

응결시키기에 충분하기 때문이다.[2)]

그러나 마음이 죽음 쪽을 택하는 그 정확한 순간, 그 미묘한 단계를 포착하기는 어렵다고 해도, 자살이라는 그 행위 자체로부터 그것이 함축하고 있는 결론을 끌어내기는 보다 쉽다. 어떤 의미에서는 멜로드라마에서처럼 자살을 한다는 것은 하나의 고백인 것이다. 삶이 자신에게는 너무 힘들다는 것, 삶을 도저히 이해하지 못하겠다는 것에 대한 고백인 것이다. 그러나 이러한 유추에 너무 깊이 빠져들지 말고 일상적인 말로 되돌아가자. 자살은 다만 삶이 '고통을 무릅쓸 만한 가치가 없음'을 고백하는 것일 뿐이다. 산다는 것은 물론 결코 쉽지 않다. 많은 이유들로 해서 우리는 생존이 명령하는 활동을 계속하게 된다. 그 이유들 중 첫 번째가 습관이다. 스스로 원하여 죽는다는 것은, 그 습관의 우스꽝스러운 특질을, 살아야 할 그 어떤 심오한 이유도 없음을, 그 나날의 소란의 어처구니없는 특질을, 그리고 고통을 견디어 사는 것의 무익함을 본능적으로나마 인식해 왔음을 암시한다.

그렇다면 삶에 필요한 잠을 정신에게서 앗아 가는 그 헤아릴 길 없는 감정이란 무엇인가? 잘못된 이유로라도 설명될 수 있는 세계는 낯익은 세계이다. 그러나 반대로 느닷없이 환상과 빛을 박탈당한 세계에서는, 인간은 소외된 사람 또는 이방인 같은 기분이 된다. 그는 잃어버린 고향의 기억도 혹은 약속된 땅의 희망도 빼

---

2) 이 기회를 놓치지 말고, 이 에세이의 상대적 성격을 지적해 두기로 하자. 자살은 물론 훨씬 더 명예로운 동기들과 관련되어 있을 수 있는데, 예를 들어 중국 혁명 중에 있었던 소위 정치적 항거로 인한 자살들이 그것이다.

앗긴 까닭에, 그의 유형(流刑)에는 구제 방법이 없다. 인간과 그의 삶, 배우와 그 무대 장치 간의 이러한 괴리가 바로 부조리의 감정이다. 스스로 자살을 생각해 본 적이 있는 모든 건전한 사람들은, 이러한 감정과 죽음에의 갈망 사이에 어떤 직접적인 연관이 있다는 것을 더 이상의 설명 없이도 알 수 있을 것이다.

이 에세이의 주제는 다름 아닌 이러한 부조리와 자살 간의 관계, 즉 자살이 정확히 어느 만큼이나 부조리에 대한 해답이 되는가 하는 것이다. 속임 없는 사람이라면, 자기가 진리라고 믿는 바에 따라 그 자신의 행동이 결정되어야만 한다는 원칙을 세울 수 있다. 그렇다면 존재의 부조리에 대한 믿음이 그의 행위를 명령해야만 한다. 이러한 중대성을 갖는 결론이 이해할 수 없는 어떤 상태를 되도록 빨리 저버릴 것을 요구하는 것일까를 분명하게 그리고 거짓된 감상(感傷) 없이 생각해 보는 것은 정당한 일이다. 물론 내가 말하고 있는 것은, 자기 자신의 생각과 하나가 되고자 하는 마음이 있는 사람들에 관해서이다.

분명하게 얘기하자면, 이 문제는 단순하면서도 동시에 해결할 수 없는 것처럼 보일지도 모른다. 그러나 단순한 질문에는 그 못지않게 단순한 대답이 따르며 명백함에는 명백함이 따른다고 잘못 생각되고 있다. 연역적으로 볼 때, 그리고 그 문제를 이루고 있는 항목들을 뒤바꿔 놓는다면, 사람들이 자살을 하거나 혹은 하지 않는 것처럼, 여기엔 긍정이냐 부정이냐의 오직 두 가지 철학적 해답밖에 없는 것처럼 보인다. 그렇다면 그것은 지극히 쉬운 일일 것이다. 그러나 결론을 내리지 않은 채 질문을 계속하는 사람들도 고려해야만 한다. 아니 이렇게 말하면 내 말에 좀 어폐가 있는 것 같다. 대다수가 그러하기 때문이다. 또한 대답은 '아니다'라고 하는 사람들이 '그렇다'고 생각하는 것처럼 행동하고 있음을 나는 본다. 내가 니체의 기준을 받아들인다면, 사실상 그들은 어쨌든 간에 '그렇다'고 생각하고 있는 셈이다. 반면에 자살을 행하는 사람이 삶의 의미를 확신하고 있었던 경우도 종종 있다. 이러한 모순들은 항상 있다. 가장 논리적이어야 오히려 바람직할 듯한 이러한 문제에 대해서 모순이 가장 심했다고까지 말할 수 있다. 철학적 이론과 그것을 주장하는 사람의 행동을 비교하는 것은 흔히 있는 일이다. 그러나 삶에 의미를 부여하기를 거부한 사상가들 중에서, 문학에 속하는 키릴로프(도스토옙스키의 소설《악령》의 주인공－역주), 전설에서 태어난 페레그리노스(견유학파의 철학자로서, 사람들이 말려 줄 것이라는 생각에서 올림픽 경기 때 불속으로 뛰어들 수 있다고 큰소리치며 불속으로 뛰어들었으나, 아무도 말리는 사람이 없어 그대로 타 죽었다고 함－역주)[3], 가설에 집착하는 쥘 루키에(19세기 중엽의 프랑스 철학자로서, 모든 지식의 근원에는 자유 의지가 있다고 주장하면서 대양 한가운데로 헤엄쳐 나가 죽었다고 함－역주) 외에는 아무도 그 삶을 거부할 정도로까지 자신의 논리를 받아들인 사람은 없었다. 잘 차려진 식탁에 앉아 있으면서 자살을 찬양했다 하여 딱 알맞은 웃음

3) 나는 페레그리노스와 견줄 만한 사람인 한 전후 작가에 관한 이야기를 들었다. 그는 자신의 첫 번째 책을 끝마친 후에, 자신의 작품에 관심을 끌기 위해 자살했다. 실제로 관심을 끌긴 했지만, 그 책은 신통치 못한 것으로 평가되었다.

거리로 쇼펜하우어가 자주 인용되고 있다. 그러나 이것은 결코 농담거리가 아니다. 비극적인 것을 진지하게 받아들이지 않는 그러한 태도가 그렇게 통탄할 일은 아니지만, 그것이 한 사람을 판단하는 데에 도움이 된다.

그러한 모순들과 애매모호함 앞에서, 우리는 한 사람이 삶에 대해 갖고 있는 생각과 그 삶을 버리기 위해 저지르는 행위 사이에는 아무런 관련도 없다고 결론지어야 할 것인가? 이러한 방향으로 너무 과장하지는 말자. 한 인간의 삶에 대한 애착 속에는 이 세상에서의 그 어떤 불행들보다 강한 무엇이 있다. 육체의 판단은 정신의 그것과 다름없는데, 육체는 소멸을 꺼리는 것이다. 우리는 생각하는 습관을 얻기 전에 먼저 살아가는 습관에 빠지게 된다. 나날이 죽음을 향해 우리를 재촉하는 이 경주 속에서 육체는 달리 어쩔 수 없는 우선권을 지니고 있다. 간단히 말해 이 모순의 본질은 회피 행위에 있는데, 그것을 내가 회피 행위라 부르려 하는 것은, 그것이 파스칼적 의미에서의 '기분 전환' 이하이며 동시에 이상이기 때문이다(파스칼은 《팡세》 제2장에서, 인간의 모든 행위 근저에 감추어진 동기로서 '기분 전환(Le divertissement)'을 들고 있다. 흔히 '기분 전환'이라고 번역되는 이 어휘는, 그러나, 전환, 군사작전적 의미에서의 견제, 돌아서 가는 길, 즉 우회로 등의 뜻도 갖고 있다－역주). 회피는 불변의 게임이다. 전형적인 회피 행위, 이 시론(試論)의 세 번째 주제를 이루는 그 숙명적인 회피는 희망이다. 즉 사람이 마땅히 '누릴만해야' 하는 내세의 삶에 대한 희망이며, 혹은 삶 그 자체를 위해서가 아니라 그 삶을 초월하고 그 삶을 정화시키고 그 삶에 하나의 의미를 주고, 그리하여 그 삶을 저버리게 될 어떤 위대한 사상을 위해 살고 있는 사람들의 속임수이다.

이렇게 하여 모든 것이 혼란을 퍼뜨리는 데에 이바지하고 있다. 그것이 헛된 노력만은 아니었지만, 지금까지 사람들은 말장난을 하면서, 삶에 의미를 부여하길 거부하면 반드시 그 삶을 살 만한 가치가 없는 것이라고 선언하게 된다고 믿으려 해 왔다. 실은 그 두 개의 판단 사이에는 그 어떤 필연적인 공약수도 없다. 다만 앞서 지적한 그러한 혼란과 괴리와 불일치에 현혹되길 거부해야 할 뿐이다. 모든 것을 옆으로 제쳐 두고 진짜 문제를 향해 곧바로 나아가야만 한다. 살 만한 가치가 없기 때문에 자살한다—그것은 분명 진실이다. 그렇지만 그것은 너무도 뻔한 공리이기 때문에 무익한 진실이다. 그러나 존재에 대한 그러한 모독, 그것이 내던져진 그러한 전면적인 부정은, 존재가 아무런 의미도 갖고 있지 않다는 사실로부터 오는 것일까? 존재의 부조리는 인간으로 하여금 희망이나 자살을 통해 그 존재로부터 빠져나올 것을 요구하는가? 이것이 바로 다른 모든 문제들은 제쳐 둔 채 명백히 하고 추적하고 밝혀야만 할 문제이다. 부조리는 죽음을 명하는가? 모든 사유 방법들과 모든 초연한 정신력의 활용을 벗어나, 이 문제에 대해서 다른 무엇보다도 우선권이 주어져야 한다. '객관적인' 정신이 모든 문제들 속에 항시 끌어들일 수 있는 의미의 미묘한 차이들 · 모순들 · 심리학 등은 이 탐구와 이 열정 속에는 파고들 자리가 없다. 이 문제는 단지 불공평한, 다른 말로 하자면, 논리적인 사고만을 요구한다. 그것은 쉽지 않다. 논리적으로 된다는 것은 언제나 쉬운 일이지만, 죽도록 논리적으로 된다는 것은 거의 불가능한 것이다. 자기 자신의 손으로 죽는 사람들은 결국 자기 자신의 감정이 기우는 쪽으로 그 끝까지 따라가는 셈이다. 자살에 관한 성찰은 내게 관심 있는 유일한 문제를 제기할 기회를 준다. 그것은 죽을 정도까지의 논리라는 게 존재하는가 하는 문제이다. 추적해 보지 않는 한 나는 알 수 없을 것이다. —무모한 열정 없이, 오직 증거에 비추어서, 내가 여기서 그 근원을 제시하고 있는 추론을 추적해 보지 않는 한은. 그것이 바로 내가 '부조리의 추론'이라고 부르는 것이다. 많은 사람들이 그 추론을 시작하였다. 그들이 그 추론을 고수하였는지 나는 아직 알지 못한다.

칼 야스퍼스가 세계를 하나의 통일체로서 구성한다는 것이 불가능함을 밝히면서, "이 한계가 나를 나 자신에게로 이끌어 가고, 거기서는 나는 내가 단지 표방하고 있을 뿐인 어떤 객관적인 견해 뒤로 물러설 수 없으며, 또한 거기서는 나 자신도 타인들의 존재도 내게 더 이상 탐구의 대상이 되지 못한다"라고 외쳤을 때, 그는 다른 많은 사람들을 뒤따라 사고(思考)가 그 한계점들에 다다르는 물 없는 황야를 환기시키고 있는 것이다. 그렇다, 실로 많은 다른 사람들을 뒤따라서 말이다. 그러나 그들은 얼마나 그 황야를 빠져나오고 싶어 했던가. 사고(思考)가 멈칫거리는 그 마지막 교차로에 많은 사람들이 도달했었으며, 가장 변변찮은 인물들 중의 얼마간도 그러했다. 그리고서 그들은 그들에게 가장 소중한 것, 즉 생명을 포기해 버렸다. 다른 사람들, 즉 정신의 왕자들도 그 비슷하게 포기했지만, 그들은 그 가장 순수한 방향에서 사고(思考)의 자살을 시작했다. 그러나 참다운 노력은 오히려 가능한 한 거기에 계속 머무는 것이며, 그 머나먼 지대의 이상한 식물들을 세밀히 조사해 보는 것이다. 끈질김과 날카로운 관찰력이야말로, 부조리와 희망과 죽음이 대화를 계속하는 이 비인간적인 장면을 관람할 특권을 받은 관객들이다. 그러므로 정신은 그 기본적이면서도 미묘한 춤의 갖가지 동작들을 실제로 보여 주고 되살리기에 앞서 그것들을 분석할 수 있는 것이다.

2. 부조리의 벽

위대한 작품들과 마찬가지로, 깊은 감정들은 언제나 그것들이 의식적으로 말하려는 것 이상을 의미한다. 영혼 속의 일정한 어떤 충동 혹은 반발은, 행동이나 사고의 버릇 속에서 다시 마주치며, 또한 영혼 그 자체도 전혀 알지 못하는 결과 속에 재현된다. 훌륭한 감정들은, 굉장한 것이건 하찮은 것이건 항상 그 자신의 우주를 지니고 있다. 그러한 감정들은 자신의 열정으로써 자기들만이 그 풍토를 알고 있는 배타적인 세계를 밝힌다. 질투의 우주, 야망의 우주, 이기심 혹은 관용의 우주가 있는 것이다. 우주란, 다른 말로 하자면 하나의 형이상학이며, 정신의 자세이다. 이미 구체화된 감정들에게 진실인 것은, 미(美)가 우리에게 가져다주는 감정들 혹은 부조리에 의해 생겨나는 감정들처럼 근본적으로 불확실한, 막연하면서 동시에 '확연하고' 멀리 있으면서 동시에 '현존하고 있는' 감정들에게는 더욱더 그러하다.

부조리의 감정은, 어느 길모퉁이에서나 어느 사람의 얼굴이나 덮칠 수 있다. 그렇긴 하지만, 실은 그 감정의 괴롭고 적나라한 상태에서는, 그리고 그 감정의 광채 없는 빛 속에서는, 그것을 포착하기가 어렵다. 하지만 바로 그러한 어려움 때문에 부조리의 감정은 성찰할 만한 가치가 있는 것이다. 한 인간은 우리에게 영원히 미지의 존재일 수 있다는 것과, 그에게는 우리에게서 달아나 되돌아올 수 없는 어떤 게 있다는 것은 아마도 사실일 것이다. 그러나 '실제로' 나는 사람들을 알아보거니와, 그들의 행동과 그들의 전체적인 행위들과, 그리고 생활 속에서 그들의 존재에 의해 야기되는 결과들을 통해 그들을 알아본다. 분석할만한 단서를 주지 않는 그 모든 불합리한 감정들도 마찬가지이다. 그러한 불합리한 감정들의 총체적인 결과들을 지성의 영역 안에서 종합함으로써, 그 감정들의 모든 측면들을 포착하여 기술함으로써, 그 세계의 윤곽을 잡음으로써, 나는 '실제적으로' 그러한 감정들을 규정하고 '실제적으로' 식별할 수 있는 것이다. 분명 한 배우를 백 번 보았다 할지라도, 그 이유 때문에 그 배우를 개인적으로 좀 더 잘 알게 되지는 않을 것임이 확실하다. 그렇긴 하지만 그가 배역해 왔던 주인공들을 다 합하고, 그리고 번호를 붙여 백 번째로 분장한 인물에서 내가 그를 좀 더 잘 알게 되었노라고 말한다면, 거기에 한 진실의 요소가 들어 있음을 느낄 것이다. 이 명백한 역설 또한 하나의 우화이기도 하다. 거기엔 교훈이 들어 있는 것이다. 그것은, 한 인간은 자신의 진정한 충동에 의해서와 마찬가지로 그런 체해 보는 것에 의해서도 스스로를 분명하게 드러낼 수 있음을 가르쳐 준다. 그렇게 보다 낮은 기조(基調)의 감정들이 있는데, 그러한 감정들은 가슴으로 이해할 수는 없지만, 그것들이 함축하고 있는 행위들이나 또는 그것들이 취하는 정신적 자세에 의해 부분적으로 드러나는 것이다. 이 점에 있어 내가 한 방법론을 규정하고 있다는 게 분명해진다. 그러나 그것은 분석의 방법론이지 인식의 방법론은 아니라는 것 또한 명백하다. 방법론은 형이상학을 함축하고 있기 때문이다. 즉 방법론들은 스스로 흔히 아직은 알지 못한다고 주장하는 결론들을 무의식적으로 드러내는 것이다. 그와 비슷하게, 한 책의 마지막 페이지는 이미 그 첫 페이지에 담겨 있는 것이다. 그러한 연관은 불가피하다. 여기서 규정된 방법론은 모든 진정한 인식은 불가능하다는 감정을 인정하고 있다. 오직 그 겉모습만을 열거할 수 있을 뿐이고, 그러면 그 풍토가 저절로 느껴질 것이다.

아마도 우리는 저 붙잡기 힘든 부조리의 감정을, 서로 다르긴 하지만 가깝게 연관된 지성의 세계에서, 삶의 예술의 세계, 혹은 예술 그 자체의 세계에서 파악할 수 있을 것이다. 부조리의 풍토는 시초에 있다. 그 끝은 부조리한 우주이고, 그 고유한 색채들로써 세계를 밝혀, 세계 안에서 자신이 식별해 왔던 특권적이고 화해할 수 없는 모습을 드러내는 저 정신적인 자세이다.

*

모든 위대한 행동, 모든 위대한 사상은 그 시작이 엉뚱하다. 위대한 작품은 흔히 어느 길모퉁이 혹은 어느 레스토랑의 회전문 안에서 태어난다. 부조리 또한 그러하다. 부조리는 다른 그 어느 것보다도 더 많이, 그 비참함으로부터 자신의 고귀함을 얻곤 한다. 어떤 상황에서 뭘 생각하고 있느냐고 물었을 때 '아무것도'라고 대답하는 것은, 어떤 사람의 경우에는 그런 척하는 것일 수 있다. 사랑하는 사람들은 그것을 잘 알고 있다. 그러나 그 대답이 진정이라면, 그리고 그것이 무언(無言)이 웅변이 되고, 일상적인 동작의 사슬이 끊어져 그것을 다시 이어 줄 고리를 마음속으로 헛되이 찾고 있는 영혼의 저 이상한 상태를 상징하는 것이라면, 그것은 말하자면 부조리의 첫 징후인 셈이다.

우연히 무대 장치들이 무너지는 수가 있다. 기상 · 전차 · 사무실 혹은 공장에서 네 시간, 식사 · 전차 · 네 시간의 일 · 식사 · 잠, 그리고 월요일 화요일 수요일 목요일 금요일 그리고 토요일, 똑같은 리듬에 따라 이 길을 거의 내내 무심코 따라간다. 그러나 어느 날 '왜'라는 의문이 솟고, 그리하여 모든 것이 당혹감 서린 지겨움 속에서 시작된다. '시작된다'—이것이 중요하다. 지겨움은 어떤 기계적인 생활의 행위들 끝에 오는 것이지만, 그러나 동시에 그것은 의식의 자극이 시작되게 하는 것이다. 지겨움은 의식을 일깨우고, 그것에 유발되어 뭔가가 뒤따른다. 뭔가 뒤따르는 것은 사슬 속으로 차츰 복귀하는 것이거나, 아니면 그것은 확고한 깨어남이다. 그 깨어남 끝에 조만간 그 결과가 오게 된다. 결과는 자살 아니면 회복이다. 지겨움 자체에는 뭔가 역겨운 것이 있다. 여기서 나는 지겨움이란 좋은 것이라고 결론지어야겠다. 모든 것이 의식과 함께 시작되거니와, 의식을 통하지 않고는 그 어느 것도 아무런 가치가 없기 때문이다. 이 말은 전혀 독창적일 게 없다. 그러나 그것은 명백한 사실이다. 잠시 부조리의 기원에 대해 간단히 예비 점검하는 동안만은 이것으로 충분하다. 하이데거가 말하듯, 단순한 '불안'이 모든 것의 근원에 있다.

이와 같이, 그리고 단조로운 생활의 나날 동안에는 시간이 우리를 싣고 간다. 그러나 언젠가는 우리가 시간을 싣고 가야 할 순간이 온다. 우리는 미래에 살고 있다. '내일' '나중에' '네가 잘 되었을 때' '네가 충분히 나이가 들면 이해할 게다' 등 이러한 엉뚱한 말들은 놀랍다. 왜냐하면 결국 그것은 죽음의 문제가 되기 때문이다. 그럼에도 불구하고 한 사람이 자기가 서른 살이 되었음을 인식하거나 그렇다고 말하는 때가 온다. 그렇게 함으로써 그는 자신의 젊음을 확인한다. 그러나 그와 동시에 그는 자신의 위치를 시간과 결부시켜 정하는 셈이 된다. 시간 속에 자신의 자리를 잡는 것이다. 그는 그 끝까지 나아갈 수밖에 없다고 스스로 시인하는 한 곡선의 어떤 지점에 서 있음을 인정하는 것이다. 그는 시간에 속해 있고, 자신을 사로잡는 그 공포에 의해 자신의 최악의 적을 알아보게 된다. 내일, 그는 내일을 갈망하고 있었지만, 반면에 그의 내부의 모든 것은 내일을 거부해야만 한다. 그 육신의 반항이 곧 부조리인 것이다.[4)]

한 걸음만 더 내려서면 낯설음이 스며 들어온다. 세계가 불투명하다는 것을 감지하고, 한 돌멩이가 우리에게 얼마나 낯선 것이며 달리 뒤바꿔 놓을 수 없는 것인가, 자연 혹은 풍경이 얼마나 강하게 우리를 부정할 수 있는가를 느끼게 되는 것이다. 모든 미(美)의 중심에는 뭔가 비인간적인 것이 놓여 있다. 그리하여 이 언덕들, 하늘의 부드러움도 이 나무들의 윤곽도 바로 이 순간 우리가 그것들에게 부여해 왔던 그 허망한 의미를 잃어버리고, 따라서

---

4) 그러나 본래의 의미에서 그렇다는 것은 아니다. 그것은 하나의 정의(定義)가 아니라, 차라리 부조리의 여지가 있을 수 있는 감정들의 한 열거이다. 열거가 끝났다 할지라도, 그로써 부조리가 다 고갈된 것은 아니다.

잃어버린 낙원보다 더 먼 것이 되어 버린다. 수천 년을 가로질러, 태곳적부터 적의가 솟아올라 우리와 맞선다. 잠시 우리는 세계를 더 이상 이해할 수 없게 된다. 그것은 수 세기 동안 우리가 이 세계 속에서 이해해 온 형상들과 구도들은 오직 우리가 그보다 앞서 이 세계의 것이라고 해 왔었던 것들이기 때문이며, 이제부터는 우리에겐 그런 재주를 부릴 힘이 없기 때문이다. 세계는, 다시 세계 자신이 되어 버리는 까닭에 우리를 벗어난다. 습관에 의해 가려졌던 무대 장치가 다시 원상회복되는 것이다. 그것은 우리로부터 얼마간의 거리를 두고 움츠러든다. 낯익은 한 여인의 얼굴에서, 우리가 몇 달 전 혹은 몇 년 전에 사랑했던 그 여자를 낯선 사람으로 보게 되는 날들이 있듯, 어쩌면 우리는 우리를 갑자기 그토록 고독하게 만들어 놓는 어떤 것을 원하게 될는지조차 모른다. 그러나 그러한 때는 아직 오지 않았다. 다만 한 가지, 세계의 그 불투명함과 그 낯설음이 부조리라는 점이다.

인간은 또한 비인간적인 것을 숨긴다. 명징한 의식의 어떤 순간에, 인간 몸짓의 기계적인 모양과 그 의미 없는 팬터마임은 그들을 둘러싼 모든 것을 바보스럽게 만든다. 한 사내가 유리 칸막이 뒤에서 전화에 대고 이야기를 하고 있다. 그의 말소리를 들을 수는 없지만, 그 알 수 없는 무언의 몸짓은 보인다. 그때 우리는 그는 왜 살고 있는 걸까 생각한다. 인간 자신의 비인간적인 것에 직면했을 때의 불안, 우리 자신의 모습 앞에서의 이 헤아릴 길 없는 혼란, 오늘날의 어떤 작가가 말하는 이 '구토' 또한 부조리인 것이다. 그와 마찬가지로, 어느 순간 한 거울 속에서 우리와 마주치게 되는 낯선 사람, 우리 자신의 사진들 속에서 마주치게 되는 친근하면서도 두려운 형제의 모습 또한 부조리이다.

나는, 마침내 죽음과 그 죽음에 대해 우리가 갖고 있는 태도에 다다른다. 이 점에 대해서는 이미 모든 것이 언급되었거니와, 감상(感傷)은 마땅히 피해야 할 것이다. 그렇지만 모든 사람들이 아무도 '모르는' 것처럼 살고 있다는 것은 놀라고도 남을 일이다. 이것은 실제로는 죽음의 경험이란 없기 때문이다. 바로 말하자면, 살아져 온 것, 의식되어 온 것 외엔 경험된 것이란 아무것도 없기 때문이다. 여기서는 다른 사람들의 죽음의 경험에 대해 말할 수 있는 게 고작이다. 그러나 그것은 하나의 대용품이요 하나의 환상이므로, 그것은 우리를 결코 전적으로 납득시키지 못한다. 그 음울한 죽음의 관습은 설득력이 있을 수 없다. 공포는 사실상 죽음이라는 사건의 수학적 측면에서 온다. 시간이 우리를 무섭게 한다면, 그것은 시간이 문제를 풀어 버리며, 그 푸는 법은 그 후에나 오기 때문이다. 영혼에 관한 그 모든 아름다운 말들은 적어도 잠시 동안은 그 정반대를 설득력 있게 증명해 놓을 것이다. 찰싹 때려도 아무런 표시도 보이지 않는 이 움직임 없는 육체로부터 영혼은 사라져 버렸던 것이다. 그러한 경험의 이 본질적이고도 결정적인 측면이 부조리의 감정을 구성한다. 그 숙명의 결정적인 번갯불에 비춰져, 그 무용함이 명백하게 드러나는 것이다. 우리의 조건을 좌우하는 그 잔인한 수학 앞에서는 어떠한 도덕률도 어떠한 노력도 '선험적으로' 정당화될 수 없다.

다시 한 번 되풀이하지만, 이 모든 것들은 거듭거듭 이야기되어

온 것들이다. 나는 여기서 신속히 분류를 해 보고, 이 명백한 주제들을 지적하는 데에 나 자신을 국한시킬 것이다. 그러한 주제들은 모든 문학 모든 철학에 널리 퍼져 있다. 일상의 대화가 그러한 주제들을 먹이로 하고 있다. 그것들을 다시 꾸며내는 것은 문제도 아니다. 그러나 그 최초의 물음에 관해 후에도 계속 스스로 질문할 수 있기 위해서는 이러한 사실들을 확실히 알아두는 게 중요한 일이다. 나는—다시 한 번 되풀이하자—부조리의 발견이 아니라 그 결과들에 관심을 갖고 있다. 이러한 부조리의 사실들을 확실히 알게 된다면 어떤 결론을 내려야 할 것인가, 아무것도 회피하지 않기 위해 어디까지 가야 할 것인가? 자발적으로 죽어야만 할 것인가, 아니면 그 모든 것에도 불구하고 희망을 가져야만 할 것인가? 그전에, 지성의 차원에서 똑같이 신속한 검토를 해 보는 게 필요하리라.

*

정신의 첫째 단계는 진실인 것과 거짓인 것을 가려내는 것이다. 그러나 사고(思考)가 사고 자체에 대해 성찰하게 되자마자 그것이 처음으로 발견하는 것은 어떤 모순이다. 이 경우, 애써 설득한다는 게 무용하다. 여러 세기에 걸쳐, 이러한 문제에 관해 아리스토텔레스보다 더 분명하고 간결한 논증을 제시한 사람은 없다. "조롱의 대상이 되기 일쑤인 그러한 지론의 결과는, 그 지론에 의해 그 지론 자체가 파괴된다는 점이다. '모든 것이 참이다'라고 주장함으로써, 우리는 그 정반대의 주장도 참임을, 따라서 우리 자신의 명제가 거짓임을 주장하게 되는 셈이기 때문이다(그 정반대되는 주장은 우리의 명제가 참일 수 있음을 인정치 않으니까). 그리고 우리가 '모든 게 거짓이다'라고 주장한다면, 그 주장 자체도 거짓이 되는 셈이다. 우리가 우리의 주장에 반대되는 주장만이 거짓이라고, 혹은 우리의 주장만이 거짓이 아니라고 단언한다면, 그럼에도 불구하고 우리는 무수한 올바른 판단과 그릇된 판단들을 인정할 수밖에 없게 된다. 어떤 진실한 주장을 표명하는 것은 그와 동시에 '그것은 참이다'라고 선언하는 것이며, 그리하여 '무한히' 그렇게 계속될 것이기 때문이다."

그러나 이 악순환은, 자기 자신을 연구 대상으로 삼은 정신이 어지럽게 빙빙 돌다 차례로 길을 잃고 마는 첫 번째 단계일 뿐이다. 이 역설들의 단순성 자체가 그 역설들을 달리 바꿀 수 없는 것으로 만든다. 말의 유희와 논리의 곡예라는 게 어떠한 것이든, 이해한다는 것은 무엇보다도 통일한다는 것이다. 정신의 가장 깊은 욕구는, 정신이 가장 정교하게 활동하고 있을 때조차도, 그 자신의 우주 앞에서는 인간의 무의식적 감정과 유사하다. 그것은 곧 친숙함(잘 알고 있음. 정통함)에 대한 집착이며 분명함에 대한 욕구이다. 인간에게 있어 세계를 이해한다는 것은, 세계를 인간적인 것으로 환원시켜 거기에 인간의 봉인을 찍는 것이다. 고양이의 우주는 개미둑의 우주가 아니다. "모든 사고(思考)는 인간적 형태를 가지고 있다"라는 자명한 이치에는 다른 뜻이 없다. 마찬가지로 현실을 이해하고자 하는 정신은, 현실을 사고(思考)의 영역으로 축소함으로써만 제 스스로 만족된 것으로 생각할 수 있다. 인간이 만일 우주도 인간처럼 사랑하고 괴로워할 수 있다는 걸 깨닫는다면, 그는 만족할 것이다. 만일 사고가, 어른거리는 여러 현상의 거울들 속에서, 그 현상들을 요약할 수 있는, 그리고 그 자체들도 단일한 한 원칙으로 요약될 수 있는 영원한 관계들을 발견한다면, 복 받은 자의 신화는 한낱 우스꽝스러운 흉내에 불과할 어떤 지적(知的)인 환희를 맞게 될 것이다. 통일에 대한 그 동경, 절대적인 것에 대한 그 욕구는 인간 드라마를 위한 본질적인 충동을 보여 준다. 그러나 그러한 동경이 존재한다는 사실이 그 동경이 당장 만족되어야 함을 뜻하진 않는다. 그러한 욕망과 그 극복 사이에 가로놓인 심연을 메우기 위해 우리가 파르메니데스(기원전 5년 경에 출생한 그리스 철학자)처럼 유일자—그것이 무엇이든 간에—의 실재를 주장한다면, 우리는 전체적인 통일성을 주장하면서 바로 그 주장에 의해 스스로 해소시켜야 할 그 자체의 차이와 다양성을 오히려 입증하는 셈이 되어, 정신의 우스꽝스러운 모순에 빠지기 때문이다. 이 또다른 악순환은 우리의 희망들을 질식시키기에 충분하다.

이것들 역시 분명한 진리들이다. 그것들은 그 자체가 흥미로운 게 아니라 그것들로부터 끌어낼 수 있는 결과 면에서 흥미로운 것이라는 점을 다시 한 번 되풀이해야겠다. 나는 또 하나의 분명한 진리를 알고 있다. 그것은 인간은 필멸이라는 것이다. 그럼에도 불구하고 우리는 그러한 사실로부터 극단적인 결론들을 끌어낸 사람들을 들 수 있다. 중요한 것은, 우리가 안다고 생각하는 것과 우리가 실제로 아는 것 사이의 일정한 틈, 실제로 그렇다고 동의

하는 것과 모르는 체하는 것—모르는 체함으로써, 우리는 우리가 정말로 시험해 본다면 분명 우리의 전 인생을 전도시키고 말 관념들을 가지고도 살아갈 수 있게 된다—사이의 일정한 틈을 이 에세이의 변함없는 준거점으로 생각하는 것이다. 이러한 풀 수 없는 정신의 모순과 마주할 때, 우리는 우리와 우리 자신이 창조해 놓은 것 사이에 가로놓인 단절을 완전하게 파악하게 될 것이다. 정신이 움직임 없는 그 자신의 희망의 세계 속에서 침묵을 지키고 있는 한은 모든 것이 그 정신의 동경인 통일성 속에 반영되고 정리될 것이다. 그러나 정신의 최초의 움직임과 함께 이 세계는 금이 가고 무너져 내린다. 우리의 이해력에겐 무한한 숫자의 가물거리는 편린(片鱗)들이 주어질 뿐이다. 우리에게 마음의 평화를 가져다줄 그 친숙하고 평온한 외양을 그 편린들로써 끊임없이 재구성하는 것에 우리는 절망할 수밖에 없다. 수많은 세기에 걸친 연구와 사상가들 간의 수많은 포기 끝에, 우리는 이것이 우리의 모든 인식에도 해당된다는 사실을 잘 알게 되었다. 직업적인 합리주의자들을 제외하고, 오늘날의 사람들은 진정한 인식이라는 것에 대해 절망한다. 유일하게 의미 있는 인간의 사고(思考)의 역사가 쓰인다면, 그것은 사고의 계속적인 후회와 무능력의 역사가 되어야 할 것이다.

누구에 대하여, 무엇에 대하여, 정말로 나는 "나는 그것을 알고 있다!"라고 말할 수 있을까. 내 속의 이 마음을 나는 느낄 수 있고, 그래서 나는 마음이 존재한다고 판단한다. 이 세계를 나는 접할 수 있고, 그래서 마찬가지로 세계가 존재한다고 판단한다. 여기서 나의 모든 인식은 끝나고, 이것을 정리하는 일만 남는다. 내가 확실히 느끼고 있는 이 자아를 붙잡으려 한다면, 그것을 규정하고 요약하려 한다면, 그것은 다만 손가락 사이로 빠져 나가는 물에 지나지 않기 때문이다. 나는 그것이 취할 수 있는 온갖 모양들을, 마찬가지로 그것에 부여되어 온 모든 모양들을 하나씩 차례로 그려 볼 수 있다. ―이 양육, 이 기원, 이 열정 혹은 침묵을, 이 고귀함 혹은 비천함을. 그러나 그러한 모양들은 하나로 합쳐질 수 없다. 나의 것인 바로 이 마음은 내겐 영원히 규정될 수 없는 것으로 남을 것이다. 내가 나의 존재에 대해 갖고 있는 확신과 그러한 확신에 대해 내가 부여하고자 하는 내용들 사이의 그 간격은 결코 메꿔지지 않을 것이다. 나는 영원히 나 자신에 대해 이방인일 것이다. 논리학에서와 마찬가지로 심리학에서도 진리들은 있지만, 유일한 진리는 없다. 소크라테스의 '너 자신을 알라'는, 우리의 고해실(告解室)의 '덕이 있어라'와 같은 정도의 가치를 갖고 있을 뿐이다. 그것들은 어떤 동경과 동시에 무지를 드러낸다. 그것들은 커다란 주제들에 대한 성과 없는 훈련이다. 그것들은 정확히 그것들이 대략적인 것일 경우에만 정당하다.

그리고 여기 나무들이 있어, 나는 그 울퉁불퉁한 외양을 알고 있고, 물이 있어 나는 그 맛을 느낀다. 이 풀들의 향내, 밤의 별들, 마음이 느긋해지는 어떤 저녁들―그 힘과 강함을 내가 느끼고 있는 이러한 세계를 어떻게 부정하겠는가? 그럼에도 불구하고, 지상의 그 모든 지식은 내게 이 세계가 내 것이라고 확신시킬 만한 어떤 것도 주지 않을 것이다. 당신은 내게 이 세계를 묘사하고 이 세계를 분류하는 것을 가르쳐 준다. 당신은 이 세계의 법칙들을 열거하고, 지식에 목이 마른 나는 그것들이 진리임을 인정한다. 당신은 그 구조를 분해하고, 나의 희망은 커져 간다. 마지막 단계에서, 당신은 이 신비롭고 다채로운 빛깔의 우주가 원자로 환원될 수 있으며 원자 자체는 전자로 환원될 수 있음을 가르쳐 준다. 그 모든 게 기분 좋으며, 그래서 나는 당신이 계속하길 기다린다. 그런데 당신은 내게 전자들이 하나의 핵 주위로 이끌리는 보이지 않는 어떤 태양계에 대해 이야기한다. 당신은 이 세계를 내게 이미지로써 설명해 주는 것이다. 그래서 나는 당신이 시(詩)로 전락하고 말았음을 깨닫는다. 나는 결코 알지 못하게 될 것이었다. 내가 분개할 틈이 있을까? 당신은 이미 이론들을 바꾸어 버렸다. 그래서 내게 모든 것을 가르쳐 주기로 했던 과학은 하나의 가설로 끝나고, 그 명료함은 비유 속으로 빠져들고, 그 불확실함은 하나의 예술 작품 속에서 해소된다. 내가 그러한 수많은 노력은 할 필요가 어디 있었던가? 이 언덕들의 부드러운 선(線)들, 이 괴로운 가슴에 닿는 저녁의 손길이 내게 더 많은 것들을 가르쳐 준다. 나는 나의 처음의 시발점으로 되돌아온 것이다. 과학을 통해 내가 현상들을 포착하고 그것들을 열거할 수 있다 할지라도, 그럼에도 불구하고 세계를 이해할 수 없을 것임을 나는 깨닫는다. 이 세계 전체의 높낮이를 내 손가락으로 더듬어 갈 수 있다 할지라도 나는 더 이상은 알지 못할 것이다. 그리고 당신은, 확실한 것이긴 하지만 내게 아무것도 가르쳐 주지 않는 어떤 묘사와, 내게 가르쳐 준다고 주장하지만 확실치 않은 가설들 중의 선택권을 내게 준다. 나 자신에 대해서도 세계에 대해서도 이방인이며, 스스로 주장을 하자마자 곧 저절로 부정되는 사고(思考)로 무장했을 뿐이며, 내가 인식과 삶을 거부함으로써만 평온을 얻을 수 있는 이러한 조건, 극복의 욕구가 그 공격에도 끄떡하지 않는 벽들에 부딪치고야 마는 이러한 조건이란 대체 무엇인가? 의지를 작용시키는 것은 역설들을 야기한 것이 된다. 모든 것이 무념(無念) · 무심(無心), 혹은 죽음의 체념에 의해 만들어지는 저 중독된 평온을 낳도록 정해져 있는 것이다.

따라서, 지성(知性) 또한 그 나름대로 이 세계가 부조리하다는 것을 내게 말해 준다. 그 반대로 맹목의 이성(理性)이 모든 게 분명하다고 주장하는 것도 무리는 아니다. 나는 그 증거를 기다리고 있었고, 그것이 들어맞기를 갈망하고 있었다. 그러나 그 많은 허세에 찬 세기(世紀)들에도 불구하고, 그리고 그 많은 웅변적이고 설득력 있는 사람들을 무시하고서, 나는 그것이 거짓임을 알고 있다. 적어도 이 차원에선, 내가 인식하지 못한다면 행복이란 없다. 실천적인 것이든 윤리적인 것이든 저 보편적 이성, 저 결정론, 그리고 모든 것을 설명하는 저 범주들은 점잖은 사람을 웃기기에 족하다. 그것들은 정신과는 아무런 관계도 없다. 그것들은 붙잡아야 할 정신의 깊은 진실을 부정하는 것이다. 이 이해할 수 없는 제한된 우주 속에서, 인간의 운명이 이제부터 그 의미를 띠게 된다. 한 떼거리의 비합리적인 것들이 솟아올라와, 그의 궁극적인 최후까지 그를 둘러싼 것이다. 다시 찾은 그리고 이제 의도적으로 만든 의식의 명징함 속에서, 그 부조리의 감정은 분명하고 명확해진다. 세계는 부조리하다고 나는 말했지만, 내가 좀 지나치게 성급했던 것 같다. 이 세계는 그 자체가 합리적이지 않다는 것, 이것이 말할 수 있는 전부이다. 그러나 부조리라는 것은, 비합리적인 것과 인간의 가슴속에 소리쳐 울려 퍼지는 명백함에 대한 사나운 갈망 간의 마주침이다. 부조리는 세계에 달려 있는 만큼 인간에게 달려 있다. 지금으로서는 인간과 세계를 하나로 결합시키는 것은 부조리뿐이다. 증오만이 두 사람을 접합시킬 수 있는 것처럼, 부조리는 인간과 세계를 서로 묶는 것이다. 나의 경험이 생겨나는 이 헤아릴 수 없는 우주 속에서 내가 분명하게 알아볼 수 있는 것은 그것뿐이다. 여기서 잠시 멈추기로 하자. 내가 삶과 나와의 관계를 결정짓는 저 부조리가 사실이라고 여긴다면, 내가, 세계의 풍경과 마주하여 나를 사로잡는 저 감정에, 그리고 어떤 과학적 추구가 내게 부과하는 저 명료성에 철저하게 물들게 된다면, 나는 그러한 확신들을 위해 모든 것을 희생시켜야만 하며, 그러한 확신들을 유지할 수 있기 위해 그것들을 정면으로 바라보아야 한다. 무엇보다도, 나는 그러한 확신들에 내 행동을 맞추어야 하며, 그것들을 그 모든 결과까지 추적해야만 한다. 나는 지금 성실성에 대해 이야기하고 있다. 그러나 그전에 나는 사고(思考)가 그러한 황야 가운데서 살 수 있을는지 알고 싶다.

*

사고(思考)가 최소한 그러한 황야로 들어섰다는 것을 나는 이미 알고 있다. 거기서 사고는 그 자신의 빵을 발견했다. 거기서 사고는 자신이 이전에는 환상들을 먹고 살아왔음을 깨달았다. 사고는 인간적인 사색의 가장 절박한 주제들 중의 얼마간을 정당화시켰던 것이다.

부조리가 인식되는 그 순간부터, 그것은 하나의 열정, 모든 것 중에서도 가장 비참한 열정이 된다. 그러나 인간이 자신의 그러한 열정들과 더불어 살 수 있는가 없는가, 그 열정들의 법칙을 받아들일 수 있는가 없는가—왜냐하면 그 법칙은 그러한 열정들이 동시에 찬양하는 가슴을 불살라 버리기 때문이다— 하는 것이 문제의 전부이다. 그렇긴 하지만 그것은 지금 당장 물어야 할 질문은 아니다. 그것은 이 경험의 중심에 있다. 그 문제로 되돌아갈 때가 있을 것이다. 그보다는 이 황야로부터 태어난 그러한 주제들과 그러한 충동들을 알아보기로 하자. 그것들을 열거하는 것만으로 충분할 것이다. 그것들 역시 오늘날 모든 사람들에게 알려져 있는 것이다. 비합리적인 것들의 권리를 옹호하는 사람들은 언제나 있어 왔다. 소위 굴욕의 사상이라고 불릴 만한 것의 전통은 잠시도 그침 없이 존재해 왔다. 합리주의에 대한 비판은 너무도 자주 있어 왔으므로, 그걸 다시 시작할 필요는 없을 것 같다. 그렇긴 하지만 우리의 시대는 이성을 걸어 넘어뜨리려 애쓰는 그러한 역설적 체계들의 부활이라는 특징을 갖고 있다. 정말로 이성이 언제나 선두로 서서히 나서기라도 했었던 것처럼 말이다. 그러나 그것은 이성의 효력에 대한 증거라기보다는 이성이 갖고 있는 희망들의 강렬함에 대한 증거이다. 역사적 차원에서 보면, 그러한 불변하는 두 가지 태도는 인간의 통일성에 대한 충동과, 자신을 둘러싸고 있는 벽들에 대해 그가 갖고 있을 수 있는 분명한 통찰력 사이에서 분열된 인간의 본질적인 열정을 보여 준다.

그러나 이성에 대한 공격이 우리 시대보다 더 격심했던 적은 결코 어느 때도 없었을 것이다. "우연, 그것이야말로 세상에서 가장 오래된 고귀함이다. 내가 모든 사물 위에 미치는 어떠한 영원한 의지도 없다고 선언했을 때, 나는 모든 사물들에게 고귀함을 준 것이다"라는 차라투스트라의 위대한 외침 이후로, 또 "그 뒤로는 다른 아무것도 이어지지 않는 죽음에 이르는 저 병(病)", 즉 키에르케고르의《죽음에 이르는 병》이후로, 부조리의 사상의 의미심장한 괴로운 주제들이 차례로 뒤이어져 왔다. 혹은 최소한—이 단서가 제일 중요한 점인데—비합리적이고 종교적인 사상의 주제들이 뒤이어져 왔다. 야스퍼스에서 하이데거까지, 키에르케고르에서 셰스토프까지, 현상학자들로부터 쉴러까지, 각기 방법과 목적에 있어서는 대립되지만 그 동경하는 것에 있어서는 친척지간인 정신들의 한 가계(家系) 전체가, 논리적 차원과 윤리적 차원에서, 이성의 왕도(王道)를 봉쇄하고 직접적인 진리의 길들을 되찾을 것을 고집해 왔다. 여기서 나는 사람들이 그러한 사상들을 알고 체험한 것으로 치고 있다. 그들의 야망이 무엇이며 무엇이었든 간에, 그 사상들 모두가, 모순 · 이율배반 · 고뇌, 혹은 무력이 지배하는 그 형언하기 어려운 세계로부터 시작된 것이었다. 그 사상들이 공통으로 갖고 있는 것이 바로 이제까지 밝혀 온 그 주제들이다. 그 사상들의 경우에도, 역시 가장 중요한 것은 그것들이 자신들이 발견해 낸 것들로부터 끌어내 온 그 결론들이라는 점을 말해야만 하겠다. 그것은 대단히 중요한 문제이므로 따로 검토해야 할 것이다. 그러나 현재로서는 우리의 관심은 오직 그 사상들이 발견한 것들과 그 처음의 경험들에 있다. 우리의 관심은 오직 다름 아닌 그 사상들의 일치점에 있다. 그것들의 철학을 다루려 하는 게 주제넘은 짓이라 한다면, 어쨌거나 그들에게 공통된 풍토를 밝혀 본다는 것은 가능한 일이며, 또한 그것으로 충분하다.

하이데거는 인간 조건을 냉철히 고찰하고, 이러한 실존은 굴욕적인 것이라고 단언한다. 유일한 현실은 존재들의 전체 계층의 '불안'이다. 세계와 자기의 여러 가지 기분 전환에 빠진 사람에겐 이 불안은 덧없이 스쳐 지나가는 두려움이다. 그러나 그 두려움 자체를 의식하게 되면, 그것은 고뇌로 변하고, '실존이 그에게로 집중되는' 그 명징한 인간의 영속적인 풍토가 된다. 이 철학교수는 흔들림 없이 세상에서 가장 추상적인 언어로, '인간 실존의 유한성(有限性)은 인간 그 자신보다 더 본원적이다'라고 쓰고 있다. 그의 관심이 칸트에게 뻗치는 것은, 다만 칸트의 '순수이성'의 제한적인 특성을 인식하는 데까지 뿐이다. 그것은 그의 분석의 끝에 이르러 '세계는 고뇌에 찬 인간에게 더 이상 아무것도 제공할 수 없다'라고 결론짓기 위해서이다. 이 불안이 그에게는 이 세상의 모든 철학적 범주들보다 더 중요하게 보이는지, 그는 오로지 그것에 대해서만 생각하고 이야기한다. 그는 그 불안의 모습들을 열거한다. —보통의 인간이 그 불안을 가라앉히고 마비시키려 애쓸 때의 지겨움, 그의 정신이 죽음을 생각할 때의 공포의 모습 등을. 하이데거 역시 부조리와 의식을 분리시키지 않는다. 죽음의 의식은 불안을 부르는 것이며, '그때에 실존은 의식이라는 매개자를 통해 스스로 자기 자신의 소환장을 배달하는 것이다.' 그것은 바로 고뇌의 목소리이며, 그것은 실존에게 '익명의 '그들'에 빠진 상태로부터 되돌아올 것'을 엄명하는 것이다. 하이데거의 경우에도 역시, 인간은 끝까지 잠들지 말고 깨어 있어야만 한다. 그는 이 부조리한 세계 속에 서서, 그 부조리한 세계의 덧없는 특성을 지적하고 있다. 그는 이러한 폐허들 한가운데서 자신의 길을 찾고 있는 것이다.

야스퍼스는 우리가 '순수성'을 잃어버렸다고 주장하는데, 그로 해서 어떤 존재론에도 절망한다. 그는 우리가 현상 세계의 숙명적인 게임을 초월할 어떤 것도 성취할 수 없음을 알고 있다. 그는 정신의 끝은 실패라는 것을 알고 있다. 그는 역사에 의해 밝혀진 정신적 모험들 위에서 머뭇거리면서, 그 각 체계들 속의 결합, 모든 것을 구제했던 환상, 아무것도 숨기지 않은 교설(敎說)을 가차 없이 폭로한다. 인식의 불가능성이 입증된 영속적인 무(無)만이 유일한 현실인 듯 보이고, 구원받을 수 없는 절망만이 유일한 처지로 보이는 이 황량한 세계 속에서, 야스퍼스는 신적(神的)인 비밀들로 이어지는 '아리아드네의 실'을 발견하려 애쓰는 것이다(아리아드네는 크레테 왕 미노스의 딸로, 사랑하는 테세우스에게 실뭉치를 주어 그가 그것을 길 표지로 삼아 미궁에서 탈출할 수 있게 하였다 – 역주).

셰스토프의 경우는, 놀랄 만큼 단조로운 작업을 통해 끊임없이 똑같은 진실들을 얻으려 애쓰면서, 가장 탄탄한 체계나 가장 보편적인 합리주의도 결국은 언제나 인간 사고의 비합리적인 것에 걸려 넘어진다는 점을 부단히 논증하고 있다. 그는 이성의 가치를 떨어뜨리게 하는 아이러니컬한 사실들과 우스꽝스러운 모순들을 하나도 놓치지 않는다. 오직 한 가지만이 그의 관심을 끄는데, 그것은 마음의 영역이랄까 아니면 정신의 영역에서의 예외적인 경우이다. 도스토옙스키적인 사형수의 경험들, 니체적 정신의 격앙된 모험들, 햄릿의 저주의 기원, 혹은 입센적인 지독한 귀족주의(입센은 초기와는 달리 비속한 민주주의에 실망하여 후에 급진적인 귀족주의로 기울어졌다—역주)를 통해 그는 돌이킬 수 없는 것에 대한 인간의 반항을 추적 · 조명하고 그것을 찬미한다. 그는 이성에게 그 활동을 거부하고, 오직 모든 확실한 것들이 화석화되어버린 저 빛깔 없는 황야 한가운데서 단호하게 앞으로 나아가기 시작하는 것이다.

모든 사람들 중에서 아마도 가장 관심을 끄는 키에르케고르는, 적어도 그의 삶의 어느 한 부분 동안은, 부조리를 발견하는 것 이상의 것을 하고 있다. 그는 부조리를 살고 있는 것이다. '완강한 침묵들 중 가장 확실한 것은, 입을 막고 있는 게 아니라 이야기하는 것이다'라고 쓰고 있는 이 사람은, 어떠한 진리도 절대적인 게 아니며, 어떠한 진리도 그 자체가 불가능한 어떤 실존을 흡족한 것으로 만들 수 없다는 것을 처음부터 확신하고 있다. 인식의 돈후안이라고 할 키에르케고르는, 가명(假名)들과 모순들을 더해 가면서(그는 많은 저술들을 자신의 본명 이외에도 각기 다른 많은 가명을 써서 발표했다—역주) 《교훈적 강론》을 쓰는가 하면, 동시에 저 시니컬한 유심론(唯心論) 안내서인 《유혹자의 일기》를 쓴다. 그는 위안과 윤리와 의지가 되는 원칙들을 거부한다. 그가 자신의 마음속에서 느끼고 있는 그 가시에 관해 말하자면, 그는 그 고통을 가라앉히지 않으려 조심한다. 반대로 그는, 그 고통을 일깨우고 십자가에 박힌, 그리고 그것을 행복스러워하는 한 인간의 절망적인 기쁨 속에서 신들린 듯한 그 사람의 한 범주—명징 · 거부 · 가장(假裝)—를 하나씩 하나씩 쌓아 올린다. 부드러우면서도 냉소적인 저 얼굴, 진심에서 우러난 외침 뒤에 따르는 그 급회전들, 그것은 자신이 이해할 수 없는 어떤 현실과 맞붙어 싸우고 있는 부조리한 정신 그 자체이다. 그리고 키에르케고르를 그가 사랑하는 스캔들(Scandals:걸려 넘어지게 하는 돌, 죄를 짓게 하는 빌미라는 뜻 – 역주)로 인도하는 그 정신의 모험도, 마찬가지로 그 장식을 빼앗기고 그 본래의 조리 없는 상태로 내쫓긴 어떤 경험의 혼돈 속에서 시작되는 것이다.

전혀 다른 차원에서, 즉 방법의 차원에서 후설과 현상학자들은 황당한 생각에 의해 세계를 다시 그 다양함 속으로 복귀시키고, 이성의 초월적인 힘을 부인한다. 정신적인 우주는 그들을 통해 굉장히 풍요로워진다. 장미 꽃잎 · 이정표 · 사람의 손은 사랑이나 욕망 혹은 중력의 법칙만큼 중요한 것이 된다. 생각한다는 것은, 이제 더 이상 통일시키는 것, 혹은 현상을 어떤 중요한 원칙의 모습을 한 친근한 것으로 만드는 게 아니다. 생각한다는 것은 이제, 보는 것, 주의를 기울이는 것, 의식에 초점을 맞추는 것을 다시금 새로이 배우는 것이다. 그것은 모든 관념과 모든 이미지를 프루스트 식으로 어떤 특권적인 요소로 변화시키는 것이다. 사고를 정당화시키는 것은 그것의 극단적인 의식(意識)이다. 후설의 진행 방식은, 키에르케고르나 셰스토프의 방식보다 실증적인 것이긴 하지만, 그럼에도 불구하고 처음에는 고전적인 이성의 방법을 부정하고, 희망을 어그러뜨리며, 늘어만 가는 현상 전체를 직관과 심성에 맡기는데, 그러한 현상들의 풍요로움은 뭔가 비인간적인 것을 지니고 있는 것이다. 그러한 길들은 모든 학문으로 이어지거나 아니면 아무것으로도 이어지지 않는다. 이 경우에는 목적보다 방법이 더 중요하다고 말하는 셈이 된다. 거기서 따라오는 것은, '이해를 위한 자세'일 뿐 어떤 위안은 아니다. 되풀이해서 말하지만, 최소한 처음에는 그러하다.

이상의 모든 정신들이 근본적으로 친척 관계임을 어떻게 느끼지 못할 수 있겠는가! 더 이상 희망의 여지가 없는 어떤 특권적인 쓰라린 계기를 중심으로 그들이 각기 자기들의 자리를 지키고 있음을 어떻게 못 볼 수 있겠는가? 나는 모든 것이 내게 설명되거나 아무런 설명이 없기를 바란다. 그런데 이성은 가슴으로부터의 이러한 외침을 들어도 무력하다. 이러한 주장에 의해 깨어난 정신이 추구하여 찾아내는 것은 모순들과 무의미이다. 내가 이해할 수 없는 것은 무의미이다. 세상에는 그러한 비합리적인 것들이 많이 있다. 내가 그 유일한 의미를 이해할 수 없는 까닭에, 세계 그 자체가 하나의 거대한 비합리에 지나지 않는다. 단 한 번만이라도 '이것은 분명하다'라고 말할 수만 있다면, 모든 게 구원될 수 있으리라. 그러나 이 사람들은, 아무것도 분명치 않고, 모든 게 혼돈이며, 모든 인간이 명징한 의식을, 그리고 자신을 둘러싼 벽들에 대한 명확한 인식을 갖고 있다고 서로 다투어 선언한다.

이 모든 경험들은 서로 일치하며 서로를 확인해 준다. 정신은, 그 자신의 한계에 이르게 되면, 어떤 판단을 내리고 결론을 선택해야만 한다. 자살과 응전(應戰)이 서로 맞서는 곳이 바로 이 지점이다. 그러나 나는 이 연구의 순서를 바꾸어, 지적(知的) 모험들로부터 출발하여 일상적인 행위들로 되돌아오고 싶다. 여기서 정신에게 환기된 경험들이 태어났던 그 황야를 우리는 떠나지 말아야 한다. 최소한 그 경험들이 어디까지 갔는가를 아는 것이 중요하다. 그의 노력의 이 지점에서, 인간은 비합리적인 것과 정면으로 마주치게 된다. 그는 자신의 내부에서 행복과 이성(理性)에 대한 갈망을 느낀다. 부조리는 그 인간적인 욕구와 비합리적인 세계의 침묵 간의 이러한 마주침으로부터 태어난다. 이것을 잊어서는 안 된다. 삶의 전체적인 결과가 그것에 의해 좌우될 수 있기 때문에 그것에 매달려야만 한다. 비합리 · 인간의 동경, 그리고 이 둘의 마주침에서 생겨나는 부조리—이것들이 바로 한 존재가 구사할 수 있는 모든 논리로써 반드시 결말이 나야만 할 드라마의 세 주인공인 것이다.

3. 철학적 자살

그럼에도 불구하고 부조리의 감정은 부조리의 개념은 아니다. 부조리의 감정은 부조리의 개념의 토대가 되고 있고, 그것이 전부이다. 그 감정은 우주에 판단을 내리는 짧은 순간 외에는 그 개념에 제한되지 않는다. 따라서 그 감정은 더 나아갈 가능성을 갖고 있다. 그것은 살아 있는 것이다. 다른 말로 하면, 그것은 죽든가 아니면 달리 반향할 수밖에 없다. 우리가 하나로 모아 보았던 그 주제들 또한 그러하다. 그러나 여기서도 내 관심을 끄는 것은 작품들이나 정신들이 아니라—그것들에 대한 비판을 하자면 또 다른 형식과 또 다른 지면이 요구될 것이다—그들의 결론들이 공통으로 갖고 있는 점을 발견하는 것이다. 아마도 정신들이 그렇게 서로 다른 적도 없었을 것이다. 그럼에도 불구하고 우리는 그들이 무너지게 되는 그 정신적 배경을 동일한 것으로 인식한다. 마찬가지로 그렇게 서로 다른 지식 영역들에도 불구하고, 그들의 여정을 끝내는 외침은 똑같은 소리로 울린다. 우리가 방금 되새겨 보았던 그 사상가들은 어떤 공통된 풍토를 갖고 있음이 명백하다. 그 풍토는 가히 죽음에 이르게 할 만한 풍토라고 말한다 해도 말장난은 아닐 것이다. 그 질식할 듯한 하늘 아래서 사는 것은 거기서 빠져나오거나 아니면 그대로 머물 것을 강요한다. 중요한 것은, 첫 번째 경우 사람들이 어떻게 빠져나오는가, 그리고 두 번째의 경우 사람들이 어째서 거기에 머무는가를 알아내는 것이다. 이것이 바로 내가 자살의 문제와 실존 철학의 결론들에 대해 있을 수 있는 관심을 표명하는 방법이다.

그러나 우선 나는 직접적인 길을 피해 우회해서 가고 싶다. 지금까지 우리는 그럭저럭 바깥으로부터 부조리의 둘레를 빙빙 돌며 그것을 기웃거려 보았다. 그러나 그 개념 중에서 얼마만큼이 분명한 것일까 생각해 볼 수 있고, 또한 직접적인 분석에 의해 한편으로는 그 의미를, 그리고 다른 한편으로는 그것에 따른 결과들을 발견해 보고자 시도할 수 있다.

내가 무고한 한 사람을 끔찍한 죄인으로 고소한다면, 내가 덕 있는 한 사람에게 그가 바로 자기 누이를 탐냈다고 말한다면, 그는 그것은 부조리하다(있을 수 없다)고 대답할 것이다. 그가 분개하는 것에는 어떤 얄궂은 면이 있다. 그러나 또한 거기엔 근본적인 이유가 있다. 그 덕스러운 사람은 그렇게 대답함으로써 내가 그가 했다고 치고 있는 행위와 그의 평생의 원칙 사이에 존재하는 명확한 이율배반을 보여 주고 있는 것이다. '그것은 부조리하다'라는 것은 '그것은 있을 수 없다'는 뜻이지만 또한 '그것은 모순된다'는 뜻이기도 하다. 만일 검(劍)만으로 무장한 어떤 사람이 기관총 소대를 공격하는 것을 본다면, 나는 그 사람의 행위를 부조리하다고 여길 것이다. 그런데 그렇게 부조리하다고 여기는 것은, 오직 그 사람의 의도와 그가 마주칠 현실 간의 불균형, 내가 보는 그의 실제의 힘과 그가 품고 있는 목적 간의 모순을 통해서뿐이다. 마찬가지로 우리는 어떤 판결을 여러 가지 사실들이 분명히 내리는 판결과 대조할 때 그것을 부조리하다고 생각할 것이다. 그리고 그와 비슷하게, 부조리에 의한 증명은 그러한 추론의 결과들을 자신이 세우고자 하는 논리적 현실과 대비시킴으로써 이루어진다. 가장 간단한 것에서부터 가장 복잡한 것에 이르기까지 이 모든 경우에, 부조리의 크기는 내가 대비하는 두 항목 간의 거리에 정비례한다. 부조리한 결혼 · 도전 · 원한 · 침묵 · 전쟁, 심지어는 부조리한 평화조약들까지 있다. 그 각각의 경우에, 부조리성은 어떤 대비로부터 솟아난다. 따라서 부조리의 감정은, 단순히 어떤 사실 혹은 어떤 인상을 자세히 검토하는 데서 생겨나는 게 아니라 있는 그대로의 한 사실과 어떤 현실 간의, 그리고 한 행위와 그것을 초월해 있는 세계 간의 대비로부터 터져 나온다고 말해도 옳을 것이다. 부조리는 본질적으로 하나의 불일치이다. 그것은 대비되는 요소들의 그 어느 한쪽에도 있지 않다. 그것은 그 요소들의 마주침으로부터 태어난다.

이런 특수한 경우에, 그리고 지성(知性)의 차원에서, 나는 부조리는 인간에게 있는 것도 아니고(이런 비유가 어떤 의미를 가질 수 있다면 말이다) 세상에 있는 것도 아니고, 그 양자의 공존에 있다고 말할 수 있다. 현재로서는 그것만이 그 둘을 결합시키는 유일한 끈이다. 나 자신을 여러 가지 사실에 국한시키고자 하더라도, 나는 인간이 원하는 바를 알고, 세상이 그에게 제공하는 것을 알고, 그리고 이제 나는 그 둘을 연결하는 것이 무엇인지도 알고 있다고 말할 수 있을 것이다. 나는 더 깊게 파 내려갈 필요가 없다. 탐구하는 사람에게는 단 하나의 확실함만으로도 족하다. 그는 그 확실함으로부터 모든 결과들을 끌어내야 하는 것이다.

그 직접적인 결과는 동시에 방법의 한 규칙이기도 하다. 이렇게 해서 밝혀진 이상한 삼위일체는 분명 깜짝 놀랄 만한 발견은 아니다. 그러나 그것은 무한히 단순하면서 동시에 무한히 복잡하다는 점에서 경험의 자료와 비슷하다. 이 점에 있어, 그 삼위일체의 첫 번째 두드러진 특성은, 그것이 분리될 수 없다는 점이다. 그 항목들 중 하나를 파괴하는 것은 그 전체를 파괴하는 것이다. 인간의 정신 밖에서는 부조리는 있을 수 없다. 그러므로 다른 것들과 마찬가지로, 부조리도 인간의 죽음과 함께 끝난다. 그러나 또한 부조리는 이 세상 밖에서는 있을 수 없다. 그리고 바로 이 기본적인 판단 기준에 의해서, 나는 부조리의 개념이 본질적인 것이라고 판단하며, 또한 그 개념이 내 진리들의 첫 번째 위치에 있을 수 있다고 생각하는 것이다. 위에서 얼핏 비춘 방법의 규칙이라는 게 여기서 나타난다. 내가 어떤 것이 진실이라고 판단한다면, 나는 그것을 간직해야만 한다. 내가 어떤 문제를 해결하려 한다면, 나는 적어도 그 해결로써 그 문제의 항목들 중 하나를 요술부리듯 없애버려서는 안 된다. 내게 있어 유일한 논거는 부조리이다. 내 탐구의 유일한 조건은, 첫 번째도 마지막도, 나를 짓누르는 바로 그것을 보존하는 것이며, 따라서 나 자신이 그것의 본질적인 점이라 생각하는 것을 소중히 하는 것이다. 앞에서 나는 그것을 하나의 '마주침' '그침 없는 투쟁'이라고 규정한 바 있다.

그리고 이러한 부조리의 논리를 그 결론까지 끌고 갈 것이기 때문에, 나는 그러한 투쟁은 완전한 희망의 부재(그것은 절망과는 아무 관계도 없다), 계속적인 거부(그것을 포기와 혼동해서는 안 된다), 그리고 의식적인 불만(그것을 성숙치 못한 불안에 비해서는 안 된다)을 뜻한다는 것을 인정하지 않을 수 없다. 이러한 요구들을 파괴해 버리거나 요술부리듯 몰아내거나 혹은 번거롭게 하는 모든 것들(그리고 무엇보다도 단절을 뒤엎는 것에 동의하는 것)은 부조리를 무너지게 하며, 그리하여 그다음에 제기될 수도 있을 관점의 가치를 떨어뜨린다. 부조리는, 그것이 동의를 얻지 못하는 한에서만 의미를 지니는 것이다.

*

전적으로 윤리적인 듯한 한 가지 분명한 사실이 존재한다. 즉 인간은 언제나 자신의 진실들의 희생이 된다는 것이다. 그가 일단 자신의 진실들을 인정하면, 그는 그것들로부터 자유로워질 수가 없는 것이다. 뭔가 대가를 치러야만 한다. 부조리를 의식하게 된 사람은 영원히 거기에 묶이게 된다. 희망이 없는 사람, 또 희망이 없다는 것을 의식하고 있는 사람은 이미 더 이상 미래에 속하지 않는다. 그것은 당연하다. 그러나 그 자신이 창조한 그 우주에서 빠져나오려 애쓰는 것 또한 그만큼 당연하다. 앞서 말한 모든 것은 오직 이 역설에 의해서만 의미를 갖게 된다. 즉 어떤 사람들은 합리주의에 대한 비판으로부터 출발했으면서도, 그 부조리의 풍토를 인정하기에 이르렀던 것이다. 이러한 점에서, 그들이 어떤 식으로 자신들의 결론을 애써 다듬어 냈는가를 검토해보는 것보다 더 교훈적인 것은 없으리라.

이제 나 자신을 실존 철학들에 국한하여 말하자면, 나는 그 실존 철학을 모두가 예외 없이 도피를 권장하고 있음을 본다. 인간에 국한된 어떤 폐쇄된 세계 속에서 이성의 잔해를 덮고 있는 부조리로부터 출발했기 때문에, 그들은 기이한 추론을 통해 자신을 짓누르는 것을 신격화하고 자신을 황폐케 하는 것 속에서 희망을 가질 이유를 찾는다. 그 억지로 짜낸 희망은 그들 모두에게 있어서 종교적이다. 거기에 주목할 만한 가치가 있다.

나는 여기서 다만 셰스토프와 키에르케고르가 실례들로서 즐겨 다룬 몇 가지 주제들을 분석해 보겠다. 그러나 야스퍼스는 이러한 태도의 전형적인 실례를 희화적인 형태로 우리에게 제공해 줄 것이다. 그 한 결과로써, 나머지 것들도 보다 분명해질 것이다. 야스퍼스는 초월자를 구현하기에는 무능력하고 경험의 깊이를 재기에도 무능력하게 되어, 실패에 의해 엉망이 된 그 세계를 의식하고 있다. 그는 앞으로 나아갈 것인가, 아니면 최소한 그러한 실패들로부터 어떤 결론들을 이끌어 낼 것인가? 그는 아무것도 새로운 기여를 하지 못한다. 그는 경험 속에서 자기 자신의 무능력의 고백 외에는 아무것도 찾지 못했고, 어떤 만족스러운 원리를 추론해낼 만한 근거도 전혀 찾지 못했다. 그럼에도 불구하고, 그 스스로 그렇게 말하듯, 정당한 이유도 내세우지 않은 채 느닷없이 초월자를, 경험의 본질과 삶의 초인간적 의미를 주장하면서 이렇게 쓰는 것이다. “그 실패가 있을 수 있는 그 어떤 설명과 해석 이상으로 초월자의 부재가 아니라 존재를 밝혀 주지 않는가?” 갑자기 그리고 인간의 신뢰라는 맹목적인 행위를 통해 모든 것을 설명해 주는 그 존재를, 그는 '보편적 존재와 특수한 존재의 생각할 수도 없는 결합체'라고 정의한다. 그리하여 부조리는 신(神)—가장 넓은 의미에 있어서의—이 되고, 이해하지 못하는 무능력은 모든 것을 밝혀 주는 존재가 된다. 이 추론을 논리적으로 뒷받침해 주는 것은 아무것도 없다. 그것을 나는 비약이라고 부를 수 있다. 그리고 역설적으로 초월자의 경험을 실현 불가능한 것으로 만드는 데에 바친 야스퍼스의 집요함과 무한한 인내를 이해할 수 있다. 즉 그 접근이 더욱 덧없이 스쳐 지나가는 것일수록, 또 그 정의가 더 공허한 것으로 입증될수록, 그에게는 그 초월자가 더욱 실제적인 것이 되기 때문이다. 그가 초월자를 주장하는 데에 바치는 정열은, 그의 설명 능력과 세계 및 경험의 비합리성 간의 격차와 정비례하기 때문이다. 그리하여 야스퍼스가 이성의 선입관을 가혹하게 파괴하면 할수록, 그가 세계를 더더욱 근본적으로 설명하려는 것처럼 보인다. 이 굴욕적인 사상의 사도(使徒)는 바로 그 굴욕의 끝에서 존재를 바로 그 심연에 재생케 하는 방법들을 발견하려 할 것이다.

신비 사상으로 인해 우리는 그러한 방편들에 익숙해져 왔다. 그러한 방편들은 다른 어떤 정신적 태도와 마찬가지로 정당하다. 그러나 지금으로서 나는 어떤 문제를 심각하게 받아들이는 척하고 있다. 이러한 태도 혹은 그것이 갖는 교육적인 힘의 일반적인 가치를 미리 판단함 없이, 나는 단지 그것이 내 스스로 세운 조건들에 알맞은지 아닌지, 나의 관심인 그 투쟁에 걸맞은 것인지 아닌지를 고려해 보고자 하는 것뿐이다. 그리하여 나는 셰스토프에게로 되돌아간다. 한 해설자는 관심을 끌 만한 그의 말을 이렇게 이야기하고 있다. 그는 말했다. "단 하나의 진정한 해답은 바로 인간의 판단이 아무런 해답도 보지 못하는 곳에 있다. 그렇지 않다면 우리에게 신(神)이 무슨 필요가 있겠는가? 우리가 신에게로 향하는 것은 오직 불가능한 것을 얻기 위해서이다. 가능한 것에 관해서라면 인간만으로 족하다." 만일 셰스토프 철학이라는 게 있다면, 그것은 전적으로 그런 식으로 요약된다고 나는 말할 수 있다. 열정적인 분석의 결말에 이르러 셰스토프가 전 존재의 근본적인 부조리성을 발견할 때, 그는 "이것은 부조리이다"라고 말하지 않는 것이다. 그보다는 "이것은 신(神)이다. 그가 우리의 이성적 범주들 중의 그 어느 것에도 부합되지 않는다 할지라도 우리는 그에게 의지해야만 한다"라고 말하는 것이다. 혼란의 여지가 없게 하기 위해, 이 러시아 철학자는, 이 신(神)은 어쩌면 증오로 가득 차고 혐오스럽고 이해할 수 없는 모순적인 신일 것이라는 뜻을 비치기까지 하지만, 그 신의 얼굴이 더욱 무시무시한 것이 될수록 그는 신의 힘을 더욱더 단언하게 되는 것이다. 신의 모순이 곧 신의 위대함이다. 신의 비인간성이 곧 신의 증명이다. 인간은 신에게로 뛰어들어, 이 도약에 의해 이성적인 환상들로부터 자기 자신을 해방시켜야만 한다. 따라서 셰스토프에게는 부조리를 받아들이는 것은 부조리 자체와 동시 발생적이다. 부조리를 의식하는 것은 곧 그것을 받아들이는 것이며, 그의 사고의 논리적인 노력 전체가, 그 부조리를 밝힘으로써 그와 동시에 거기에 부수된 엄청난 희망이 터져 나오게 하는 데에 기울여지는 것이다. 거듭 말하지만, 이러한 태도는 정당하다. 그러나 내가 여기서 고집하고 있는 것은 단 한 문제, 그리고 그 문제의 모든 결과들을 고찰해 보자는 것이다. 나는 하나의 사상이나 한 신앙의 행위가 갖고 있는 감정을 검토해 볼 필요는 없다. 그것은 평생을 두고 해도 되는 일이다. 나는 합리주의자들이 셰스토프의 태도를 짜증스러워한다는 것을 알고 있다. 그러나 나는 그래도 합리주의자들보다는 오히려 셰스토프가 옳다고 느끼며, 다만 그가 부조리의 계율들에 계속 충실한지 아닌지를 알고 싶을 뿐이다.

이제 부조리가 희망의 반대라는 것을 인정한다면, 셰스토프에게 있어 실존 사상은 부조리를 전제로 삼긴 하지만, 그는 오직 부조리를 쫓아 없애기 위해서만 부조리를 증명한다는 것을 알 수 있을 것이다. 이러한 사고의 교묘함은 마법사의 감정적 트릭이다. 다른 경우에 셰스토프가 그의 부조리를 현대의 도덕과 이성에 대립시킬 때, 그는 부조리를 진리 내지는 구원이라고 부른다. 따라서 그러한 부조리의 정의(定義)에는 근본적으로 셰스토프가 그것을 허용하는 승인이 있는 것이다. 그러한 관념이 갖는 모든 힘이 우리의 근본적인 기대와 반대되는 방향에 있음을 인정한다면, 또 부조리가 자신이 계속 존재하기 위해서 동의를 얻지 않을 것을 필요로 하고 있음을 느낀다면, 그렇다면 그것이 그 진정한 모습, 즉 이해할 수 없으면서도 만족시켜 주는 어떤 영원 속으로 들어가기 위해 그 인간적이고 상대적인 성격을 잃어버렸다는 사실을 분명히 알 수 있다. 부조리라는 게 있다면, 그것은 인간의 우주 내에 존재한다. 그 관념이 영원의 도약대로 바뀌는 순간 그것은 이젠 인간의 명징한 의식과의 연결을 잃고 만다. 부조리는 이제 더 이상 인간이 그것에 동의함이 없이 그 존재를 확신하는 그러한 증거가 아니다. 투쟁을 회피하는 것이다. 인간이 부조리를 조정하고, 그리고 그렇게 조정된 상태에서 대립 · 파열 · 단절이라는 그 본질적인 특성을 사라지게 만드는 것이다. 이 비약이 곧 회피이다. 셰스토프는 '세상이 뒤죽박죽이다(The time is out of joint)'라는 햄릿의 말을 즐겨 인용하지만, 그는 이 말을 유독 그만이 갖고 있는 듯이 일종의 잔혹한 희망을 갖고 쓰고 있다. 햄릿이 그렇게 말하는 것은, 혹은 셰익스피어가 그렇게 쓰는 것은, 그러한 의미에서가 아닌 것이다. 비합리적인 것에의 도취, 도취적인 성향이 명징한 정신을 부조리로부터 등을 돌리게 하는 것이다. 셰스토프에게는 이성은 무익한 것이지만, 그 이성 너머에는 무엇인가가 있다. 부조리의 정신에게는, 이성은 무익한 것이고, 이성 너머에는 아무것도 없다.

이러한 비약은 최소한 우리에게 부조리의 진정한 본질에 관해 좀 더 밝혀 줄 수 있다. 부조리는 어떤 평형 속에서가 아니고는 가치가 없으며, 부조리는 무엇보다도 대비의 각 항목들에 있는 게 아니라 대비 그 자체에 있음을 우리는 알고 있다. 그러나 공교롭게도 셰스토프는 그 대비 항목들 중의 하나에 모든 강조를 두고, 그리하여 그 평형을 파괴하는 것이다. 이해의 욕구와 절대적인 것에 대한 우리의 동경은, 엄밀히 말해 우리가 많은 것들을 이해하고 설명할 수 있는 한에서만 설명될 수 있다. 이성을 전적으로 부정하는 것은 소용없는 일이다. 이성은 그 자신의 질서를 갖고 있어, 그 안에서는 이성이 효력을 갖는 것이다. 그것은 곧 인간 경험의 질서이다. 우리가 모든 것을 분명하게 밝히고 싶어 했던 것도 바로 그 때문이다. 그런데 우리가 그렇게 할 수 없다면, 또 이 기회에 부조리가 태어나는 것이라면, 그것은 정확히 효력은 있으나 그 효력에는 한계가 있는 이성이 늘 되살아나는 비합리적인 것과 만나는 바로 그 지점에서 태어난다.

이제 셰스토프가 "태양계의 운동은 불변하는 여러 법칙들에 따라 일어나며, 그러한 법칙들이 그것의 이성인 것이다"라는 헤겔적 명제에 대하여 화를 낼 때, 또 그가 스피노자의 이성론을 뒤엎는 데에 자신의 모든 정열을 바칠 때, 그는 사실상 모든 이성의 공허함 쪽으로 결론을 짓는다. 따라서 그것은 자연적이고도 불합리한 전도(轉倒)에 의해 비합리적인 것의 우월로 결론지어지는 것이다.[5] 그러나 그러한 전환은 분명하게 드러나는 것은 아니다. 여기에는 한계의 개념과 차원의 개념이 끼어들 수 있기 때문이다. 자연의 법칙들은, 어느 한계까지는 효력을 가질 수 있지만, 그 한계를 넘어서면 스스로를 거역하여 부조리한 것을 낳게 된다. 그 외에도 그러한 법칙들은, 묘사의 차원에서는 옳은 것일 수 있지만, 그렇다고 해서 설명의 차원에서도 옳은 것이 되지는 않는다. 거기서는 모든 것이 비합리적인 것에 희생되며, 분명함에의 요구는 쫓겨나 없어지는 까닭에, 부조리는 그 대비 항목들 중의 하나와 함

---

5) 특히 예외의 개념과 관련하여, 그리고 아리스토텔레스에 반대하여.

께 사라져 버리는 것이다. 그와 반대로 부조리한 인간은 그러한 어떤 수평화 과정을 시도하지 않는다. 그는 그 투쟁을 인정하고, 전적으로 이성을 경멸하지 않으며, 비합리적인 것을 받아들인다. 그렇게 하여 그는 다시 경험의 모든 자료들을 단번에 수용하고는 인식하기 전에는 비약하려 하지 않는 것이다. 그는 단지 방심하지 않는 그러한 의식 속에서는 더 이상 희망의 여지가 없다는 것을 알고 있을 뿐이다.

레온 셰스토프에게서 알아차릴 수 있는 것들은 아마도 키에르케고르에게는 한층 더 그러할 것이다. 확실히, 그렇게 포착하기 힘든 작가의 경우에 분명한 명제들에 관해 간추려 말한다는 것은 어렵긴 하다. 그러나 서로 대립되는 듯 보이는 저술들에도 불구하고, 그가 사용한 가명(假名)들과 속임수와 미소를 넘어서, 그 작업 전체를 통해, 이를테면 어떤 진리의 예감(그와 동시에 우려)을 느낄 수 있는데, 그것이 급기야는 그의 만년의 작품들 속에 터져 나온다. 키에르케고르도 마찬가지로 비약을 하는 것이다. 그는 유년기에 기독교를 그렇게 두려워했음에도 불구하고 결국 기독교의 그 가장 가혹한 모습으로 되돌아간다. 그의 경우에도 역시, 이율배반과 역설이 종교적인 것의 판단 기준이 된다. 그리하여 현세의 삶의 의미와 그 깊이에 절망하도록 이끌었던 바로 그것이 이제는 그 삶에게 진리와 빛을 주는 것이다. 기독교는 죄의 덫이며, 그리고 키에르케고르가 아주 솔직하게 요구하는 것은 이냐시오 데 로욜라가 요구했던 제3의 희생, 신(神)이 가장 기뻐하는 것, 즉 '지

(知)의 희생'이다.[6] 이러한 '비약'의 결과는 별난 것이지만, 그것은 더 이상 우리를 놀라게 하지는 못한다. 그는 부조리를 다른 세계〔내세〕의 기준으로 삼는데, 그러나 실은 부조리는 단지 이 세계〔현세〕의 경험의 찌꺼기일 뿐이다. "신자(信者)는 자신의 패배 속에서 자신의 승리를 찾는다"라고 키에르케고르는 말한다.

이러한 태도가 어떤 감동적인 설교와 연결될까를 생각하는 것은 나의 몫이 아니다. 나는 그저, 부조리의 독특한 사고방식과 그 자체의 특성이 그러한 태도를 옳다고 할까를 생각하면 된다. 그 점에 관해서는 그렇지 않다는 것을 나는 알고 있다. 부조리의 내용을 다시 고찰해 보면, 키에르케고르에게 계시를 준 방법을 더 잘 이해하게 될 것이다. 세상의 비합리성과 부조리의 밀려오는 동경 사이에서 그는 평형을 유지하지 않는다. 정확히 말해, 부조리의 감정을 구성하는 그 관계를 그는 중시하지 않는다. 비합리적인 것을 피할 수 없음을 확인하고서, 그는 최소한 그 자신에게는 메마르고 아무런 내포된 뜻도 없는 듯 여겨지는 그 절박한 동경으로부터 자기 자신을 구하고자 하는 것이다. 그러나 이 점에 관해서 그의 판단이 옳다 할지라도 그의 부정(否定)에 있어서도 그가 옳다고 할 수는 없다. 그가 자신의 반항의 외침을 열광적인 지지로 대치시킬 때, 그는 이제까지 자신을 비춰 주었던 부조리를 단번에

6) 내가 여기서 본질적인 문제, 즉 신앙의 문제를 소홀히 하고 있다고 생각될 수도 있다. 그러나 나는 여기에서는 키에르케고르나 셰스토프, 혹은 그 뒤에는 후설의 철학을 검토하고 있는 게 아니다(그것은 다른 장소와 다른 정신 태도를 필요로 할 것이다). 나는 다만 그들로부터 한 주제를 빌려와, 그것의 결과들이 이미 확립된 규칙들과 맞을 수 있는지 아닌지를 검토하고 있는 것이다. 그것은 단지 끈기의 문제이다.

보지 못하고 이제부터 그가 소유하는 단 한 가지 확실한 것, 즉 비합리적인 것을 신격화하기에 이른다. 중요한 것은 갈리아노 신부가 데삐네 부인에게 말했듯, 치유되는 것이 아니라 자신의 병(病)들과 더불어 사는 것이다. 치유된다는 것은 키에르케고르의 광적인 소원이었고, 그것은 그의 일기 전체에 속속들이 스며 있다. 그의 지성의 전적인 노력은 인간 조건의 이율배반을 벗어나기 위한 것이다. 그러한 지성의 노력이 더욱 필사적으로 되는 것은, 그가 신에 대한 경외심도 신앙심도 자신을 평온하게 만들 수 없다는 듯 자신에 관해 이야기할 때 간헐적으로 그 지성의 공허함을 인식하기 때문이다. 그리하여 궁색하게 짜낸 속임수를 통해 그는 비합리적인 것에 모습을 부여하고, 신에게 부당함 · 모순됨 · 불가해성 등의 부조리의 속성들을 부여하게 된다. 오직 그의 지성만이 인간의 마음의 숨겨진 요구들을 짓눌러 버리려 애쓴다. 아무것도 증명되지 않았기에 모든 것이 증명될 수 있는 것이다.

사실상 자신이 취한 길을 키에르케고르 자신이 보여 주고 있다. 여기서 나는 아무것도 제시하고 싶지 않지만, 그렇다고 그의 작품들 속에서 부조리와 관련하여 받아들인 사지(四肢) 절단과 평형을 이루기 위해 거의 의도적으로 영혼을 불구로 만든 흔적들을 어찌 읽지 못할 수 있겠는가? 그것이 그의 《일기》의 주된 주제다. "내게 모자라는 것은, 인간의 운명에 속한 것이기도 한 짐승이다……. 그러나 그렇다면 내게 한 육체를 다오." 그리고 더 계속된다. "아! 특히 내가 아주 젊었을 적에, 6개월간이라도 한 인간이 되기 위해서라면 내가 그 무엇인들 주지 않았으랴…… 내게 모자라는 것은, 근본적으로 하나의 육체, 그리고 존재의 물질적 조건들이다." 그럼에도 불구하고 똑같은 사람인데 다른 곳에서는 그는 수많은 세기를 거쳐 내려오면서 부조리의 인간을 제외한 수많은 사람들의 가슴을 뛰게 했던 커다란 희망의 외침을 차용하고 있다. "그러나 기독교도에게는 죽음은 분명 모든 것의 종말이 아니며, 죽음은 삶이 아무리 건강함과 활기로 넘쳐흐를 때라도, 그 삶이 우리를 위해 품고 있는 것보다 무한히 더 많은 희망을 품고 있다." 죄의 덫을 통한 화해 역시 화해이다. 이 화해는 아마도 우리가 볼 수 있는 바와 같이, 희망의 반대인 죽음으로부터 희망을 끌어내도록 해 줄 것이다. 그러나 인정상 그러한 태도 쪽으로 마음이 끌린다 할지라도, 지나친 주장은 아무것도 정당화시킬 수 없다는 것을 말해야겠다. 그것은 흔히 하는 말로, 인간의 척도를 초월하는 것이고, 따라서 그것은 초인간적인 것일 수밖에 없다. 그러나 이 '따라서'라는 말은 쓸데없는 말이다. 여기엔 아무런 논리적인 확실성이 없다. 실험적인 개연성조차 없다. 내가 말할 수 있는 것은, 사실상 그것이 나의 척도를 초월한다는 것뿐이다. 그것으로부터 내가 어떤 부정을 끌어내지 않는다 하더라도, 적어도 나는 이해할 수 없는 것 중에서 어떤 근거를 찾고 싶지는 않다. 내가 알고 싶은 것은, 내가 나 자신이 아는 것을 가지고, 그리고 오직 그것으로써만 살아갈 수 있는가이다. 여기서 지성은 그 자만심을 희생시켜야 하며 이성은 고개를 숙여야만 한다는 말을 나는 다시 듣는다. 그러나 내가 이성의 한계들을 인식한다 해도, 나는 그 때문에 이성을 부정하지는 않으며, 그 상대적인 힘들을 인정하는 것이다. 나는 다만, 지성이 계속 명료함을 지니고 있을 수 있는 이 중간의 길에 머물러 있고 싶을 뿐이다. 명료함을 지니고 있으려는 것이 지성의 자만심이라 해도 나는 그 지성을 포기해야 할 이유를 알지 못한다. 예를 들어 절망은 하나의 사실이 아니라 하나의 상태, 바로 죄의 상태라는 키에르케고르의 견해만큼 의미심장한 것은 없다. 죄는 신으로부터 소외시키는 어떤 것이기 때문이다. 부조리는 의식적인 인간의 형이상학적 상태인데, 신(神)에게까지 이르지는 않는다.[7] 아마도 이러한 개념은, 내가 감히 '부조리는 신(神) 없는 죄이다'라는 충격적인 발언을 한다면, 더욱 분명하게 드러날 것이다.

그것은 그러한 부조리의 상태에서 산다는 문제이다. 나는 그것이 무엇에 기반을 두고 있는지 안다. 그것은 서로를 포용할 수 없어 서로 대항하고 있는 이 정신과 이 세계이다. 나는 그러한 상태에서의 삶의 규범을 묻고 있는데, 내게 제공되는 것은, 그것의 근거를 무시하며, 그 괴로운 대립의 항목들 중의 하나를 부정하며, 내게 체념을 요구한다. 나는, 내가 나의 것으로 인식하고 있는 그 조건에 무엇이 들어 있는가를 묻는다. 나는 그것이 어둠과 무지(無知)를 함축하고 있음을 알고 있다. 그런데 나는 이 무지가 모든 것을 설명하며 이 어둠이 나의 빛이라고 확신하게 되는 것이다. 그러나 여기엔 내 의도에 대한 대답은 전혀 없고, 이 감동적인 리리시즘도 내게 역설을 숨기지는 못한다. 그러므로 돌아설 수밖

7) 나는 '신을 배제한다'고는 말하지 않았다. 그것 역시 결국은 단언하는 것일 테니까.

에 없다. 키에르케고르는 경고로 이렇게 외칠는지도 모른다. “인간이 영원한 의식을 갖고 있지 못하다면, 또 모든 사물의 근저에는 어두운 열정의 폭풍우 속에서 크고 작은 모든 것을 만들어 내는 들끓는 야성적 힘만이 있을 뿐이라면, 그리고 아무것으로도 채울 수 없는 바닥없는 공허가 모든 사물의 밑에 놓여있다면, 삶이란 절망 외에 무엇이겠는가?” 이 외침이 부조리의 인간을 멈추게 할 것 같진 않다. 진실한 것을 찾는 것이 바람직한 것을 찾는 것은 아니다. ‘삶이란 무엇일까?’라는 괴로운 질문을 피하기 위해서 당나귀처럼 환상의 장미들을 먹고 살아야만 한다면, 부조리의 정신은 거짓에 몸을 내맡기기보다는 두려움 없이 키에르케고르의 대답, 즉 ‘절망’을 택하는 편을 취하는 것이다. 모든 것을 고려할 때, 결국 확고한 영혼이라면 언제나 그럭저럭 잘 해 나아갈 것이다.

*

나는 이 시점에서, 앞서 말한 그러한 실존적 태도를 내 임의로 철학적 자살이라고 부르겠다. 그러나 이것은 어떤 판단을 포함하고 있지는 않다. 그것은 하나의 사고가 제 자신을 부정하고 바로 그 부정 속에서 제 자신을 초월하는 경향이 있는 움직임을 가리키는 편리한 방법이다. 그러한 실존주의자들에게는 부정(否定)이 그들의 신(神)이다. 정확히 말해, 그 신은 인간 이성의 부정을 통해서만 지탱된다.[8] 그러나 자살과 마찬가지로, 신들 또한 인간과

---

8) 다시 한 번 주장하거니와, 여기서 문제가 되는 것은, 신의 긍정이 아니라 그 긍정으로 이끄는 논리이다.

더불어 변한다. 수많은 방법의 도약이 있는데, 중요한 것은 도약한다는 것이다. 아직까지는 뛰어넘지 않은 장애물을 부정하는 구원이 되는 그러한 부정들, 그러한 궁극적인 모순들은 어떤 종교적인 강화뿐만 아니라 이성적 질서로부터도 생겨난다(이것이 이 추론이 목표로 하고 있는 역설이다). 그것들은 언제나 영원한 것에 대한 권리를 주장하며, 그것들이 비약을 하는 것은 오직 그 점에서인 것이다.

이 에세이에서 전개되는 추론은, 개명된 우리 시대에 가장 널리 퍼져 있는 정신적 자세, 즉 이성이 전부라는 원칙에 근거하여 세계를 설명하고자 하는 정신적 자세를 전적으로 배제하고 있다는 사실을 거듭 말해야겠다. 세계는 분명한 것이어야 한다는 생각을 받아들인 뒤라면, 그 세계를 분명하게 설명하고자 하는 것은 당연한 일이다. 그것은 정당하기까지 하지만, 우리가 여기서 끝까지 추적해 내려는 추론과는 관계가 없다. 사실상 우리의 목적은, 세상의 무의미의 철학으로부터 출발했음에도 불구하고, 그 세계 속에서 어떤 의미와 깊이를 발견하는 것으로 끝나는 그러한 정신이 내딛는 발걸음에 빛을 비춰 보자는 것이다. 그러한 단계들 중 가장 감동적인 것은, 그 본질상 종교적인 것인데, 그것은 불합리의 주제에서 분명하게 드러난다. 그러나 그중에서 가장 역설적이고 가장 의미심장한 것은, 분명 애초에는 어떤 주도적인 원칙도 없다고 생각했던 세계에다, 합리적인 이성들을 부여하는 그러한 단계이다. 어떤 경우에도 동경의 정신이 이룬 이 새로운 성과에 대한 관념을 밝혀 주지 않고서는 우리의 관심을 끌 만한 결과에 도

달하기란 불가능하다,

나는 다만 후설과 현상학자들에 의해 유행하게 된 '지향'이라는 주제를 검토해 보겠다. 나는 그것에 대해 이미 언급한 바 있다. 애초에는 후설의 방법은 이성의 고전적인 과정을 부정한다. 다시 한 번 되풀이하자. 사고하는 것은 통일하는 것이 아니며, 현상을 어떤 대원칙의 위장 하에 친근한 것으로 만드는 것도 아니다. 사고한다는 것은, 보는 법을 다시금 새로이 배우는 것이며, 자신의 의식을 어떤 방향으로 향하게 하는 것이며, 모든 이미지들을 어떤 특권적인 상태로 만드는 것이다. 다른 말로 하자면, 현상학은 세계를 설명하기를 사양하고, 다만 실제적인 경험의 한 묘사가 되고자 할 뿐이다. 그것은 유일한 진리는 없으며 다만 많은 진리들이 있을 뿐이라는 그 최초의 주장에 있어 부조리의 사고와 부합한다. 저녁의 산들바람으로부터 내 어깨에 닿는 이 손에 이르기까지, 모든 것이 각자의 진리를 갖고 있다. 의식이 거기에 주의력을 기울임으로써 그것을 밝혀 준다. 의식은 그 인식의 대상을 형성하는 게 아니라 다만 거기에 초점을 맞출 뿐이다. 그것은 주의력 집중의 행위이며, 베르그송의 비유적 표현을 빌리면, 그것은 하나의 영상에 느닷없이 초점을 맞추는 영사기와 비슷하다. 다른 점은 거기엔 아무런 시나리오도 없으며, 다만 연속적이면서도 앞뒤가 서로 맞지 않는 화면이 있을 뿐이라는 것이다. 그 환등기 속에서는 모든 화면들이 각기 특권을 갖고 있다. 의식은 그 자신이 주목하는 대상들을 경험 속에 정지시킨다. 그 기적을 통해 의식은 그 대상들을 고립시킨다. 그리하여 이제부터는 그것들은 모든 판단을 넘어서 있다. 이것이 의식에 특징을 주는 '지향'이다. 그러나 이 단어는 어떠한 목적성의 관념도 포함하지 않는다. 그것은 '방향'이라는 의미로 받아들여지며, 그것의 유일한 문자 그대로의 뜻은 지형학적(地形學的)인 것이다.

얼핏 보기엔, 분명 이런 면에서 아무것도 부조리의 정신과 모순되지 않는 것처럼 보인다. 스스로 묘사하는 데에만 그치고 설명하길 사양하는 사고의 그 분명한 겸손, 역설적이게도 경험의 깊은 풍요로움을 가져다주고 그 장황함 속에 세계를 다시 소생케 하는 이 의도적 고행(苦行), 이것이 바로 부조리의 과정인 것이다. 최소한 처음 볼 때에는 말이다. 사고의 방법들은 다른 경우와 마찬가지로, 이 경우에도 언제나 두 가지 모습, 즉 하나는 심리학적인 모습, 또 다른 하나는 형이상학적인 모습을 취하는 것이다.[9] 그렇게 함으로써 두 개의 진리를 품고 있는 것이다. '지향'의 주제가 다만 현실을 설명하는 대신에 유출(流出)시키는 어떤 심리학적 태도를 보여 주고자 하는 것이라면, 그것과 부조리의 정신 사이에는 사실상 아무런 구분도 없다. 그것은 자신이 초월할 수 없는 것들을 하나하나 헤아리는 것을 목적으로 한다. 그것은 오직, 아무런 통일의 원리 없이도 사고는 여전히 경험의 모든 측면들을 묘사하고 이해하는 데에서 즐거움을 느낄 수 있다는 것을 확인할 뿐이다. 그렇다면 그러한 측면들 하나하나와 관련된 진리란 본질상 심리

---

9) 가장 엄격한 인식론조차도 형이상학을 수반한다. 그리하여 많은 현대 사상가들의 형이상학은 인식론밖에 아무것도 갖고 있지 않다고 말할 수 있을 정도이다.

학적인 것이다. 이 진리는 현실이 제공할 수 있는 '관심'의 증거가 될 뿐이다. 그것은 잠자는 세계를 일깨워 그것을 정신에게 생생한 것으로 만드는 한 방법이다. 그러나 그러한 진리의 개념을 확대하여 거기에 합리적 근거를 부여하려 한다면, 또 인식의 각 대상들의 '본질'을 그러한 식으로 발견할 것을 주장한다면, 그것은 경험에게 그 깊이를 되돌려 주는 일이 된다. 부조리한 정신에게는 그것은 이해할 수 없는 것이다. 이제 그러한 지향적 태도에서 알아차릴 수 있는 것은, 그렇게 겸손과 확신 사이를 오락가락하는 것인데, 현상학적 사고의 이러한 분명치 않은 흔들림이 그 부조리의 추론을 다른 어느 것보다도 더 잘 보여 줄 것이다.

왜냐하면 후설도 마찬가지로, 지향에 의해 밝혀지는 '초현세적 본질'을 말하고 있고, 그것이 마치 플라톤처럼 느껴지기 때문이다. 모든 사물은 한 가지가 아니라 모든 사물로써 설명된다. 거기에는 아무런 차이도 보이지 않는다. 물론 의식이 하나하나의 묘사 끝에 '달성하는' 그러한 관념들이나 그러한 본질들은 아직은 완벽한 원형(原型)들로 여겨지지 않을 것이다. 그러나 그들은 그것들이 인식의 각 자료들 속에 직접적으로 존재하고 있다고 주장하는 것이다. 이제, 모든 것들을 설명하는 유일한 관념이라는 것은 없지만, 무한한 수효의 대상들에게 어떤 의미를 부여하는 무한한 수효의 본질들이 있다는 것이다. 세계는 멈추게 되지만, 그러나 동시에 환히 밝혀지게 된다. 플라톤의 실재론은 직관적인 것으로 변하지만 그래도 역시 실재론이다. 키에르케고르는 그의 신에게 삼켜져 버렸다. 파르메니데스는 자기의 사고를 유일자 속으로 내던졌다. 그러나 이제는 사고가 추상적 다신교 속으로 스스로 뛰어드는 것이다. 그러나 그뿐만이 아니다. 환상과 허구까지도 마찬가지로 '초현세적 본질'에 속하게 된다. 그 새로운 관념의 세계 속에서는 반인반마(半人半馬)의 종(種)들이 보다 겸손한 대도시의 인간의 종(種)들과 협력을 하는 것이다.

부조리한 인간에게는, 세계의 모든 모습들이 특권을 가지고 있다는 그러한 심리학적 견해에는 어떤 쓰라림뿐만 아니라 또한 어떤 진실도 들어 있다. 모든 것이 특권을 갖고 있다고 말하는 것은 모든 것이 동등하다고 말하는 것과 마찬가지이다. 그러나 이 진리의 형이상학적인 관점은 너무도 광범위한 것이어서, 어떤 기본적인 반작용을 통해 부조리의 인간은 어쩌면 플라톤에 더 가까워진 듯한 기분을 갖게 된다. 아닌 게 아니라 그는, 모든 상(像)들은 똑같이 특권적인 본질을 전제하고 있다는 가르침을 받고 있다. 계급 제도가 없는 이러한 이상적 세계에서는, 정식 군대는 오로지 장군들만으로 구성되어 있다. 확실히 초월성은 제거되긴 했다. 그러나 사고의 어떤 갑작스러운 전환이 우주에 그 깊이를 복귀시키는 일종의 단편적(斷片的)인 신의 내재성을 세계에 되돌려주는 것이다.

그것을 만들어 낸 사람들 자신이 보다 신중하게 다루고 있는 한 주제를 내가 지나치게 멀리까지 끌고 온 것을 걱정해야 할까? 나는 다만 후설의 이러한 단언들을 책으로 읽었을 뿐이다. 이러한 단언들은 일견 역설적인 것처럼 보이지만, 앞서의 것들을 받아들인다면 그것들은 엄격하게 논리적인 것이다. "진실한 것은 그 자체로서 절대적으로 진실하다. 즉 진리는 하나이며, 진리 그 자체와 일치한다. 인간이든 괴물이든 천사이든 신(神)이든, 그것을 인식하는 존재들이 아무리 다르다 할지라도." 이 말로써 이성은 승리의 나팔을 우렁차게 분다는 것을 나는 부인할 수 없다. 이성의 단언들이 부조리한 세계에서 어떤 의미를 가질 수 있을까? 천사나 신의 인식은 내게는 아무런 의미도 없다. 신적(神的)인 이성이 나의 이성을 인준하는 이 기하학적 지점은 내게는 항시 이해할 수 없는 것이리라. 거기서도 역시 나는 하나의 비약을 식별해 내거니와, 물론 추상적으로 이루어진 것이긴 하지만, 그럼에도 역시 그것은 내게는 나 자신이 잊지 않고자 하는 바로 그것을 잊어버리는 것을 의미한다. 더 나가 후설이, "인력의 지배를 받는 모든 물체들이 사라진다 하더라도, 인력의 법칙은 파괴되지 않고 다만 전혀 적용됨이 없이 계속 남아 있을 것이다"라고 외칠 때, 나는 내가 어떤 위안의 형이상학을 대하고 있다는 것을 안다. 그리고 내가 만일 사고가 그 증명의 길을 버리는 그 지점을 발견하고자 한다면, 나는 후설이 정신에 관하여 말하는, 앞서의 것과 유사한 추론을 다시 읽어 보기만 하면 된다. "우리가 심리적 과정들의 정확한 법칙들을 분명하게 바라볼 수 있다면, 그 법칙들도 이론적 자연과학의 기본 법칙들과 마찬가지로 영원하고 불변한 것으로 보일 것이다. 그러므로 심리적 과정들이 전혀 없다 하더라도 그 법칙들은 유효할 것이다." 정신이 없다 하더라도 정신의 법칙들은 존재할 것이라니! 여기서 나는 후설이 어떤 심리학적 진리로 어떤 이성적 규칙을 만들고자 한다는 것을 알게 된다. 인간의 이성의 통합 능력을 부인하고 나서, 그는 이러한 편법을 통해 영원한 이성으로 비약하는 것이다.

그러므로 후설의 '구상적(具象的) 우주'라는 주제도 나를 놀라게 하지는 못한다. 모든 본질들이 형상을 갖고 있는 것은 아니고 그 중 어떤 것들은 물질로 되어 있는데, 첫 번째 것은 논리학의 대상이고 두 번째 것은 과학의 대상이라고 내게 말한다면, 그것은 다만 정의(定義)의 문제일 뿐이다. 또 내가 듣기로는, 추상적인 것은 그 자체가 일관성을 갖지 못한, 어떤 구상적인 우주의 한 부분만을 가리킨다고 한다. 그러나 이미 언급한 그 오락가락하는 태도로 보아, 나는 그러한 표현의 헷갈리는 점을 밝힐 수 있다. 즉 그것은 내가 주시하는 구상적(具象的)인 이 하늘, 이 외투에 비치는 저 물의 반사 등은, 그 자체만으로도 이 세계 속에서 내 관심에 의해 따로 분리되는 실재의 위력을 간직하고 있다는 것을 의미할 수도 있기 때문이다. 그리고 그 점을 나도 부인하지는 않겠다. 그러나 그것은 또한 이 외투 자체가 보편적인 것이며, 그 자신 특유의 충분한 본질을 갖고 있으며, 형상들의 세계에 속해 있다는 것을 의미할 수도 있는 것이다. 그리하여 나는 다만 진행의 순서가 바뀌었을 뿐임을 깨닫게 된다. 즉 이 세계가 이제 더 이상 보다 높은 세계에 자기 모습을 비춰 갖지 않게 되었지만, 그 대신 이 지상의 영상들의 무리 속에 형상들의 천국의 모습이 이루어지는 것이다. 그것으로 내게 달라지는 것은 아무것도 없다. 여기서 나는 구상적인 것에 대한 취향이나 인간의 조건의 의미보다는 구상적인 것 자체를 보편화시킬 만큼 고삐 풀린 한 주지주의(主知主義)를 발견한다.

*

굴욕에 찬 이성과 승리에 찬 이성이라는 대립된 길들을 통해 사고(思考)를 사고 그 자체의 부정에 이르게 하는 그러한 외견상의 역설에 놀라는 것은 부질없는 일이다. 후설의 추상적 신(神)으로부터 키에르케고르의 눈부신 신(神)에 이르기까지의 간격은 그리 큰 게 아니다. 이성과 비합리적인 것이 똑같은 가르침에 이르게 되는 것이다. 사실상 그 길은 별로 문제가 되지 않으며, 도달하고자 하는 의지만으로 충분하다. 추상적 철학자와 종교적 철학자가, 똑같은 혼란에서 출발하여 똑같은 불안 속에서 서로가 서로를 받쳐 주는 것이다. 그러나 중요한 것은 설명을 하는 것이다. 여기서는 인식보다는 동경이 더 강하다. 이 시대의 사상이, 한편으로는 세계는 무의미하다는 철학에 가장 깊이 물든 사상이면서도 동시에 그 결론에 있어서는 가장 많이 분열된 사상이라는 사실은 의미심장하다. 그것은 현실을 해체하여 표준적인 이성(理性)들로 만드는 경향이 있는 현실의 극단적인 합리화와 현실을 신격화하는 경향이 있는 현실의 극단적인 비합리화 사이를 오락가락하고 있다. 그러나 이러한 분열은 표면적인 것일 뿐이다. 그것은 화합의 문제이고, 두 경우에 모두 도약으로써 족하다. 이성의 개념은 일방통행적 개념이라고 언제나 잘못 생각되고 있다. 사실을 말하자면, 그 개념이 품고 있는 야심이 아무리 엄격한 것이라 할지라도, 그럼에도 불구하고 이 개념은 다른 개념들과 마찬가지로 흔들리기 쉬운 것이다. 이성은 지극히 인간적인 모습을 갖고 있지만, 이성은 또한 신적(神的)인 것으로 향할 수도 있다. 이성을 영원의 풍토와 화합시키려 했던 최초의 인물인 플로티노스 이후로, 이성은 자신의 원리들 중의 가장 소중한 것인 모순이라는 원리로부터 돌아서는 법을 배워 왔는데, 그것은 참여라는 가장 생소하고 완전히 마술적인 원리를 자신 속에 통합시키기 위해서였다.[10] 그것은 사고(思考)의 방편이지 사고 그 자체는 아니다. 무엇보다도 한 인간의 사상은 그의 향수(鄕愁)인 것이다.

이성이 플로티노스의 우울을 달랠 수 있었던 것과 마찬가지로, 이성은 현대인의 고뇌에게 영원함이라는 친숙한 무대 속에서 스스로를 진정시킬 수 있는 수단들을 제공한다. 그러나 부조리한 정신에게는 운이 좀 더 없다. 부조리한 정신에게는, 세계는 그다지 합리적인 것도 아니고 그다지 비합리적인 것도 아니다. 세계는 불합리하고, 그리고 그것뿐이다. 후설의 경우 결국 이성은 전혀 아무런 한계도 갖지 않게 된다. 부조리는 그와 반대로 이성에게 부조리의 고뇌를 진정시킬 힘이 없는 까닭에, 이성의 한계들을 확정한다. 키에르케고르는 그 나름대로, 단 하나만의 한계로도 그 이성을 부정하기에 충분하다고 주장한다. 그러나 부조리는 그럴 정도까지 가지는 않는다. 부조리에게는 그 한계라는 것은 오직 이성의 야망에게로 향하는 것이다. 불합리의 주제는 실존주의자들이 생각하는 대로 자기 자신의 부정에 의해 혼란되어 도피하는 이성

10) A—그 시대에 이성은 스스로를 적응시키거나 아니면 죽어야 했다. 이성은 스스로를 적응시킨다. 플로티누스의 경우, 이성은 논리적인 것이 된 후에는 미학적인 것으로 변한다. 은유법이 삼단 논법을 대신하게 되는 것이다. B—더구나 이것이 현상학에 대한 플로티누스의 유일한 공헌은 아니다. 이러한 모든 자세에 이미 그 알렉산드리아의 사상가에게 그토록 소중했던 관념, 즉 인간의 생각이 있을 뿐만 아니라 소크라테스의 생각도 있다는 관념이 포함되어 있다.

이다. 부조리는 자신의 한계들을 주시하고 있는 명징한 이성이다.

이 힘든 길의 끝에 이르러서야 비로소 부조리한 인간은 자신의 진정한 동인(動因)들을 인식하게 된다. 그의 내적인 절박함과 그 때에 그에게 제공되는 것을 비교하게 되면, 그는 갑자기 자신이 이 길에서 돌아서 버릴 것임을 느끼는 것이다. 후설의 우주 속에서는 세계는 분명한 것으로 변하며, 따라서 인간의 가슴이 품고 있는 잘 알고 싶다는 갈망은 쓸데없는 게 되어 버린다. 키에르케고르의 묵시록 속에서는, 명확함에 대한 욕망은, 그것이 만족을 얻으려면 포기되어야만 한다. 죄는 아는 데에 있는 게 아니라(그렇다면, 모든 사람들은 무죄이리라) 알고자 원하는 데에 있다. 바로 이 알려고 한다는 것이야말로 부조리한 인간이 자신의 유죄와 무죄를 동시에 성립시키는 것이라고 느낄 수 있는 유일한 죄이다. 그에게 제공되는 해결책이란, 과거의 모든 모순들을 다만 논쟁상의 장난들로 변화시킨 것일 뿐이다. 그러나 그가 그 모순들을 체험했던 것은 그런 식으로가 아니었다. 그 모순들의 진리는 보존되어야만 하는데, 그것은 만족되지 않는 데에 있는 것이다. 그는 설교를 원치 않는다.

나의 추론은, 그것을 제기한 근거에 충실하고자 한다. 그 근거는 부조리이다. 그것은 욕망을 갖고 있는 정신과 그것을 실망시키는 세계 간의 분리요 통일에 대한 나의 동경과 이 단편적인 우주 간의 분리이며, 그것들을 하나로 묶고 있는 모순이다. 키에르케고르는 나의 동경을 억누르고, 후설은 그 단편적인 우주를 하나로 끌어모은다. 이것은 내가 기대하고 있었던 게 아니다. 내가 기대하고 있었던 것은, 그러한 혼란들과 더불어 살고 생각하는 문제이며, 받아들여야 할 것인가 아니면 거부해야 할 것인가를 아는 일이었다. 그 근거를 가면으로 가린다거나 부조리 등식의 항(項)들 중의 하나를 거부함으로써 부조리를 억제한다는 일은 있을 수 없다. 중요한 것은 인간이 부조리와 함께 살 수 있는가, 혹은 그와 반대로 논리가 인간에게 그 때문에 죽을 것을 명하는가를 아는 것이다. 나의 관심은 철학적 자살에 있는 게 아니라 그보다는 보통의 자살에 있다. 다만 그 보통의 자살에서 감정적인 내용을 제거시키고 그 논리와 그 성실함을 알고 싶을 뿐이다. 그 외의 태도들은, 부조리의 정신에게는 속임수를 의미하며, 정신 자신이 밝혀낸 것 앞에서 정신이 후퇴함을 의미한다. 후설은 '이미 몸에 배어 있는 어떤 편안한 실존의 조건들 속에서 살고 생각하는 고질적인 습관'을 벗어나고자 하는 욕구에 순응할 것을 주장하지만, 그 최후의 비약이 그에게 영원한 것과 그것의 위안을 되돌려 주는 것이다. 그 비약은 키에르케고르가 그러길 바란 것처럼 어떤 극단적인 위험을 나타내지는 않는다. 그 위험은 오히려 비약에 앞선 그 미묘한 순간에 있다. 그 아찔아찔한 꼭대기 위에 계속 머물 수 있는 것—그것이 성실함이며, 그 외의 것들은 속임수이다. 나는 또한 무력이 키에르케고르의 그것만큼 그렇게 감동적인 하모니를 자아낸 적도 없다는 사실도 알고 있다. 그러나 무력이 무심한 역사적 풍경들 속에서 제 자리를 차지한다면, 이제 우리가 절박한 사정을 알게 된 추론 속에서는 그것이 차지할 자리가 없다.

4. 부조리한 자유

이제 중요한 것은 이루어졌고, 나는 나 자신이 갈라설 수 없는 몇 가지 사실들을 갖고 있다. 내가 아는 것, 확실한 것, 내가 부인할 수 없는 것, 내가 거부할 수 없는 것—이것이 중요한 것이다. 나는 막연한 향수로 살아가는 나의 이 부분의 모든 것을 부정할 수는 있으나, 이 통일에의 욕구, 해결하고자 하는 이 갈망, 명확함과 일관성에 대한 이 요구만은 부정할 수가 없다. 나는, 나를 화나게 하거나 혹은 나를 도취시키는, 나를 둘러싼 이 세계의 모든 것을 반박할 수는 있으나, 이 혼돈, 이 지상(至上)의 우연, 그리고 무정부 상태로부터 생겨나는 이 신성한 등가성(等價性)만은 반박할 수 없다. 나는, 이 세계가 그 자신을 초월하는 어떤 의미를 갖고 있는지 아닌지 알지 못한다. 그러나 나는, 내가 그런 의미를 알지 못한다는 것과, 지금으로선 내가 그것을 알기란 불가능하다는 것을 알고 있다. 나의 조건을 벗어난 어떤 의미라는 게 내게 무엇을 의미할 수 있을까? 나는 오직 인간적인 관계에서만 이해할 수 있다. 내가 만지는 것, 내게 저항하는 것—그것이 내가 이해하는 것이다. 그리고 이러한 두 가지 확실함—절대적인 것과 통일에 대한 욕구, 그리고 이 세계를 어떤 이성적이고 합리적인 원칙으로 환원시키는 것의 불가능함—을 나 자신이 서로 타협시킬 수 없다는 것 또한 나는 알고 있다. 거짓이 없이, 그리고 내게는 없는 어떤 희망을 끌어들이지 않고, 내 조건의 한계 내에선 아무런 의미도 없는 그 밖의 다른 어떤 진실을 내가 인정할 수 있겠는가?

내가 나무들 중의 한 나무라면, 짐승들 중의 한 마리 고양이라면, 현세의 삶은 어떤 의미를 가질 것이고, 아니 그보다는 이러한 문제는 일어나지 않을 것이다. 나는 이 세계에 속해 있어야 하기 때문이다. 나는, 지금 내가 나의 모든 의식과 알고 싶다는 나의 모든 고집에 의해 대적당하고 있는 이 세계 '이어야' 하는 것이다. 그런데 이 우스꽝스러운 이성은 나를 모든 피조물들과 대립되는 위치에 놓는 것이다. 나는 펜을 한 번 휘둘러 그 이성을 지워 버릴 수는 없다. 내가 진실이라고 믿는 것을, 나는 내가 믿기 때문에 고수해야만 한다. 내게 그렇게 분명해 보이는 것은, 내게 대립되는 것이라 할지라도, 나는 지지해야만 한다. 그리고 그러한 갈등의 기반, 세계와 내 정신 간의 그 단절의 기반을 이루는 것은, 그것에 대한 의식 외에 무엇이겠는가? 따라서 내가 그것을 고수하기 원한다면, 언제나 되살아나며 언제나 주의 깊은 어떤 끊임없는 의식을 통해서 그렇게 할 수 있다. 이것이 바로, 내가 우선 기억해야만 하는 것이다. 이러한 순간에, 그렇게 분명하면서도 또한 그렇게 이기기 힘든 부조리는, 한 인간의 삶으로 되돌아오고, 거기서 자기 집을 발견한다. 이러한 순간에 또한, 정신은 무미건조하고 황량하고 명징한 노력의 길을 떠날 수 있다. 그 길은 이제 일상적인 생활로 들어선다. 그 길은 부정(不定)의 비인칭 대명사 'one'의 세계와 마주치게 되지만, 이제부터 인간은 그의 반항과 그의 명징을 가지고 들어선다. 그는 잘 대처하는 방법을 잊어버렸다. 현재의 이 지옥이 결국 그의 왕국인 것이다. 모든 문제들이 그 날카로운 칼날을 되찾는다. 형태들과 색채들의 시(詩) 앞에서 추상적인 명징은 움츠러든다. 정신적인 갈등들이 구체화되어 비천하고도 당당한 인간의 가슴의 은신처로 되돌아온다. 그 갈등들 중 아무것도 해결되지 않는다. 그러나 그 모두가 변모된다. 죽을 것인가, 비약을 통해 도피할 것인가, 자신의 규모에 맞는 관념들과 형태들의 대저택을 다시 지을 것인가? 반대로 비통하고 괴이한 부조리의 내기에 응할 것인가? 이것에 관해 마지막 노력을 기울이고 거기서 모든 결론들을 끌어내 보기로 하자. 그때 가서야 육체 · 애정 · 창조 · 행위 · 인간적인 고귀함 등이 이 미친 세계 안에서 각기 제자리를 되찾게 될 것이다. 그리고 마침내 거기서 인간은 그가 자신의 위대함을 먹여 키우는 부조리라는 포도주와 무관심이라는 빵을 다시 찾아낼 것이다.

방법에 관하여 다시 한 번 다짐하자. 즉 그것은 영원히 지속되는 문제이다. 부조리한 인간은 그가 가는 길의 어떤 지점에 이르러 유혹을 받게 된다. 역사에는 종교들이나 예언자들, 심지어는 신(神) 없는 종교들이나 예언자들이 있기 마련이다. 부조리한 인간은 비약할 것을 요구 당한다. 그가 대답할 수 있는 것은, 오직 자기는 완전히 이해할 수 없다는 것과 그것은 분명치 않다는 것뿐이다. 정말로 그는 자신이 완전하게 이해하는 것 외에는 아무것도 하고 싶어 하지 않는다. 그는 그것이 자만심의 죄라고 단언하지만, 그는 죄의 개념을 이해하지 못하고 있는 것이다. 아마도 지옥이 기다리고 있을 거라고 생각하지만, 그는 그런 이상한 미래를 그려 볼 수 있는 상상력을 갖고 있지 않다. 또 그는 영생(永生)을 잃게 될 거라고 생각하지만, 그것은 그에게는 쓸데없는 생각처럼 보인다. 그로 하여금 그 자신의 유죄를 인정하도록 하기 위한 시도가 이루어진다 하더라도 그는 자신이 무죄라고 느낀다. 사실상, 그가 느끼는 것이라곤 달리 어쩔 길 없는 자신의 무죄뿐이다. 그에게 모든 것을 허용하는 것은 바로 그것이다. 따라서 그가 자신에게 요구하는 것은, '오직' 자신이 알고 있는 것만으로써 살고, 현존하고 있는 것에 자신을 맞추며, 확실치 않은 것은 아무것도 끌어들이지 않는 것이다. 사람들은 확실한 것은 아무것도 없다고 그에게 이야기한다. 그러나 최소한 그것만큼은 확실한 사실이다. 그리고 그가 관심을 갖고 있는 것은 바로 그것이다. 그는 '호소하지 않고' 사는 것이 가능한가를 알아내고 싶은 것이다.

*

이제 나는 자살의 개념에 대한 이야기를 꺼낼 수 있다. 어떤 해결책이 주어질 수 있을 것인가는 이미 느꼈으리라. 이 시점에서는 문제가 거꾸로 되어 있다. 이전에 그것은, 인생이란 꼭 어떤 의미를 갖고 있어야만 살 수 있는 것인가 아닌가 하는 문제였다. 그러나 이제는 그와는 반대로, 인생이 아무런 의미가 없다 하더라도 그럴수록 인생을 더 잘살 수 있다는 게 분명해진다. 어떤 체험이나 어떤 특수한 운명을 사는 것은, 그것을 남김없이 받아들이는 것이다. 그것이 부조리하다는 것을 알고, 의식에 의해 밝혀지는 그러한 부조리를 어떻게 해서든 자기 앞에 간직하지 않는다면, 아무도 그러한 운명을 사는 게 아닐 것이다. 그가 살아가는 기반이 되는 대립의 항목들 중의 하나를 부정하는 것은, 거기에서 도피하는 행위가 된다. 의식적인 반항을 철회하는 것은 그 문제를 회피하는 것이다. 그렇게 하여 영속적인 혁명의 주제는 개인적인 체험 속으로 옮겨진다. 산다는 것은 부조리를 계속 살아 있게 하는 것이다. 부조리를 계속 살아 있게 하는 것은 무엇보다도 부조리를 응시하는 것이다. 에우리디케(오르페우스의 아내. 오르페우스는 명령을 어기고 아내가 뒤따라오는지를 보려고 뒤돌아보았다가 다시 아내를 영원히 잃게 되었다—역주)와는 달리, 부조리는 오직 우리가 그것으로부터 돌아설 때에만 죽는다. 따라서 유일하게 일관성 있는 철학적 태도들 중의 하나는 반항이다. 반항은 인간과 그 자신의 어둠 간의 끊임없는 대결이다. 반항은 불가능한 어떤 투명성을 요구하는 것이다. 그것은 매 순간마다 새롭게 세계에 도전한다. 위험이 인간에게 의식을 붙잡을 유일한 기회를 제공하듯이, 형이상학적인 반항은 의식을 경험 전체로까지 확대시킨다. 그것은 자기 자신의 눈으로 보는 저 끊임없는 인간 현존이다. 그것은 열망이 아니다. 거기엔 희망이 없는 것이다. 그러한 반항은 어떤 짓누르는 운명에 대한 확신이지만, 거기에 따르기 마련인 체념은 갖지 않는 확신이다.

바로 여기서, 우리는 부조리의 경험이 자살과는 얼마만큼 거리가 먼 것인가를 알 수 있다. 자살을 반항에 따르는 것이라고 생각할는지 모르지만, 그것은 잘못이다. 자살이 반항의 논리적 결과를 나타내는 것은 아니기 때문이다. 자살은 그것이 전제로 하는 동의(同意)에 의해 반항과는 정반대가 되는 것이다. 자살은 비약과 마찬가지로, 그 극단에 이르러 받아들여지는 것이다. 모든 것이 끝나면, 인간은 자신의 본래의 역사로 되돌아간다. 자신의 미래, 자신의 유일무이한 무시무시한 미래—그는 그것을 보고, 그리고 그것을 향해 뛰어든다. 자살도 그 방식대로 부조리를 해결한다. 자살은 바로 그 죽음 속에 있는 부조리를 삼켜 버린다. 그러나 삶을 지속하기 위해서는 부조리는 해결될 수 없다는 것을 나는 알고 있다. 부조리는, 그것이 죽음을 의식하는 동시에 거부하는 만큼 자살에서 벗어나는 것이다. 부조리는, 사형수가 최후의 생각의 극한에서 바로 그 아찔한 순간에 직면하여 어쩔 수 없이 바라보는 몇 미터 앞의 저 밧줄이다. 자살의 반대는, 사실상 사형에 처해지는 인간인 것이다.

그러한 반항은 인생에 그 가치를 부여한다. 한 인생의 온 기간에 걸쳐 펼쳐진 반항은 그 인생에 위엄을 되찾아 준다. 눈가림 없는 사람에게는, 지성이 그것을 초월하는 어떤 현실과 맞붙어 싸우는 것보다 더 웅대한 광경은 없을 것이다. 그 인간적인 당당함의 광경은 비할 데가 없다. 그것을 아무리 얕잡아보려고 해도 소용없다. 정신이 스스로에게 부과하는 그 고행, 무(無)에서 만들어낸 그 의지, 그 정면 투쟁 등은 뭔가 비상한 것을 갖고 있다. 현실의 비인간성이 인간의 위엄을 이루고 있는데, 그 현실을 메마르게 만드는 것은 곧 인간 자체를 메마르게 만드는 것과 마찬가지이다. 그러므로 나는 어째서 내게 모든 것을 설명해 주는 교리들이 또한 동시에 나를 약하게 만드는지를 이해하게 된다. 그러한 교리들은 내게 나 자신의 삶의 무게를 덜어 주지만, 나는 그 무게를 혼자 지고 가야만 하는 것이다. 여기에 이르러, 나는 어떤 회의적 형이상학이 어떤 체념의 윤리에 접합될 수 있다는 것은 생각도 할 수 없다.

의식과 반항 및 이러한 거부들은 체념과 반대이다. 인간의 가슴 속에 있는 꿋꿋하고 열렬한 모든 것은, 체념과 반대로, 그 자신의 삶으로써 그러한 거부들을 되살아나게 하는 것이다. 중요한 것은 타협하지 않은 채 죽는 것이지, 자신의 자유의사로서 죽는 게 아니다. 자살은 하나의 거부이다. 부조리한 인간은 모든 것을 그 마지막 끝까지 소모시키고, 자기 자신을 비울 수 있을 뿐이다. 부조리는, 그가 고독한 노력으로써 끊임없이 유지하는 극단적인 긴장이다. 그러한 의식 속에서, 그리고 그러한 나날의 반항 속에서, 도전이라는 그 자신의 유일한 진실을 입증하고 있다는 것을 그 스스로 알기 때문이다. 이것이 첫 번째 귀결이다.

*

그리고 새로 발견된 개념과 관련된 모든 결론들(그리고 오직 그것만)을 끌어낸다는 미리 정해진 태도에 내가 계속 머문다면, 나는 두 번째의 역설에 직면하게 된다. 그 방법에 계속 충실하기 위해서, 나는 형이상학적 자유의 문제와는 아무런 관련도 갖지 않는다. 인간이 자유로운지 아닌지를 아는 것은 내겐 관심 없는 일이다. 나는 나 자신만의 자유를 체험할 수 있을 뿐이다. 자유에 관해서 나는 아무런 일반적인 개념도 가질 수 없고, 다만 몇 가지의 분명한 식견을 가질 수 있을 뿐이다. '자유 자체'의 문제는 아무런 의미도 없다. 그 문제는 전혀 다른 면에 있어 신의 문제와 연결되기 때문이다. 인간이 자유로운지 아닌지를 아는 것은 인간이 지배자를 가질 수 있는지 없는지를 아는 것과 관련이 있다. 이 문제 특유의 부조리성은, 자유의 문제를 가능케 하는 바로 그 관념이 동시에 그 문제의 모든 의미를 앗아 간다는 사실에서 온다. 신앞에서는 자유가 악(惡)보다 덜 문제 되기 때문이다. 그것은 양자택일의 문제일 것이다. 즉 우리에게는 자유가 없으므로 악(惡)의 책임은 전능하신 신에게 있다는 것과, 우리에게 자유와 책임이 있지만 신은 전능하지 않다는 것 사이의 선택이다. 모든 학자들의 세밀한 구별들도, 이러한 패러독스〔역설〕의 날카로움에 아무것도 더하지도 아무것도 덜지도 못했다.

바로 그러한 이유 때문에, 나는 그것이 나의 개인적 경험의 논거의 틀을 넘어서면 곧 나를 벗어나 그 의미를 상실하는 어떤 개념을 찬양하거나 혹은 단순히 정의하는 데에 빠질 수 없는 것이다. 보다 높은 존재에 의해 내게 어떠한 종류의 자유가 주어질 것인지 나는 이해할 수 없다. 나는 계급 제도의 감각을 잃어버렸다. 내가 가질 수 있는 유일한 자유의 개념은, 죄수의 자유나 국가 속에서의 개인의 자유이다. 내가 알고 있는 유일한 자유는 사고와 행동의 자유이다. 이제 부조리가 영원한 자유에 대한 나의 모든 기회들을 말살시키는 것이라 하더라도, 그것은 한편으로는 내게 행동의 자유를 되찾아 주며 그것을 증대시킨다. 그러한 희망과 미래의 박탈은 인간의 가능성의 증대를 의미하는 것이다.

부조리와 마주치기 전에는, 일상적인 인간은 여러 가지 목적을 가지고 살며, 미래에 대한 혹은 정당화에 대한(누구와 혹은 무엇과 관련된 것인지는 문제가 아니다) 걱정을 가지고 산다. 그는 자신의 가능성을 재보고, '장래'에, 자신의 은퇴에, 자신의 아들들의 일에 기대를 건다. 그는 여전히 자기 인생에서 뭔가가 올 수 있으리라 생각한다. 모든 사실들이 한결같이 그 자유를 부인하고 있음에도 불구하고, 실제로 그는 자신이 자유로운 듯 행동한다. 그러나 부조리에 마주친 이후에는 모든 것이 뒤집힌다. '나는 존재한다'는 그 생각, 모든 것이 어떤 의미를 갖고 있는 듯 행동하는 나의 태도(이따금씩 내가 아무것도 의미가 없다고 말한다 할지라도)—이 모든 것은 가능한 죽음이라는 부조리에 의해 어지러운 모습으로 거짓임이 밝혀지는 것이다. 미래에 대해 생각하고 자신을 위해 목적들을 세우고 여러 가지 애착들을 갖는 것—이 모든 것들은, 비록 인간이 이따금 자유로움을 느끼지 못함을 확인한다 할지라도, 자유에 대한 믿음을 전제로 하고 있다. 그러나 그 순간 나는, 저 보다 높은 자유, 저 '존재'의 자유는, 오직 그것만이 어떤 진리를 위한 기반임에도 불구하고, 그런 자유는 존재하지 않는다는 것을 잘 의식하게 된다. 죽음이 유일한 실체로서 거기에 있는 것이다. 죽음 후에는 내기는 끝난다. 나는, 나 자신을 영속시킬 자유조차도 없고, 노예이며, 그것도 영원한 혁명의 희망도 경멸에 호소할 길도 갖지 못한 노예이다. 그러나 혁명도 경멸도 없이 노예로 머무를 자가 어디 있을까? 완전한 의미에서, 영원에 대한 확신

없이 어떤 자유가 존재할 수 있을까?

그러나 그와 동시에 부조리한 인간은 지금까지 자기에게 자유가 있다는 그러한 가정에 매여 그 환상으로 살고 있었음을 깨닫는다. 어떤 의미에서는 그것이 그에게 방해가 되었던 것이다. 그는, 자신의 삶에 대한 목적을 상상하는 그만큼 달성되어야 할 그 목적의 요구들에 자신을 맞추었고, 자신의 자유의 노예가 되었기 때문이다. 그리하여 나는 내가 되려고 준비하고 있는 아버지(혹은 기술자 혹은 한 국가의 지도자 혹은 우체국 보조원)로서 말고는 달리 행동할 수 없다. 나는 나 자신이 다른 어떤 것보다는 차라리 이것이 되기로 선택할 수 있다고 생각한다. 확실히, 나는 무의식적으로 그렇게 생각하고 있다. 그러나 그와 동시에 나는 내 주위 사람들의 믿음들과 나의 인간적 환경의 편견들로써 내가 자유롭다는 가정을 강화시키는 것이다(다른 사람들은 자신이 자유롭다고 확신하고 있고, 그러한 즐거운 분위기는 그토록 잘 전염되는 것이다!). 인간은, 도덕적인 편견이든 사회적인 편견이든, 어떠한 편견에서 아무리 멀리 떨어져 있다 하더라도 그러한 편견들로부터 다소라도 영향을 받게 마련이며, 그 편견들 중 가장 좋은(좋은 편견도 있고 나쁜 편견도 있다) 것을 위해서 그 편견들에 자신의 삶을 맞추기까지 하는 것이다. 그렇게 하여 부조리한 인간은 자신이 실제로는 '자유롭지 않았다'는 것을 '깨닫게' 된다. 분명하게 말해, 내가 기대하는 그만큼, 또 내가 나 자신만의 것일지도 모를 어떤 진실이나 존재 혹은 창조의 방식에 대해 염려하는 그만큼, 그리고 내가 내 삶을 조정하고 그럼으로써 삶에는 어떤 의미가 있음을 내가 인정한다는 것을 입증하는 그만큼, 나는 내 스스로 울타리를 만들어 그 속에 내 삶을 가두게 되는 것이다. 즉 나는 내게 역겨움만 가득 안겨 주는 수많은 정신과 마음의 관리(官吏)들처럼 행동하고 있는 것인데, 이제 내가 분명하게 알겠거니와, 그들의 단 한 가지 악덕은 인간의 자유라는 것을 고지식하게 받아들인다는 점이다.

부조리는 이 점에 관하여 내게 가르쳐 준다. '미래란 없는 것이다'라고. 그때부터 이것이 곧 나의 내적 자유의 이유가 된다. 여기서 두 가지 비교를 사용해 보겠다. 우선, 신비주의자들은 무엇엔가 몰입하는 데에서 자유를 찾는다. 스스로 신(神)에 빠짐으로써, 신의 율법을 받아들임으로써, 그들은 은밀히 자유롭게 된다. 자발적으로 받아들인 노예 상태에서 그들은 어떤, 보다 깊은 독립을 되찾는다. 그러나 그러한 자유가 무엇을 의미하는 것일까? 무엇보다도 그들은 자기 자신에 대해 자유로움을 '느끼는' 것이며, 자유롭다기보다는 해방되었다고 느끼는 것이다. 이와 마찬가지로 전적으로 죽음으로 향하게 되면(이때에 죽음은 가장 명백한 부조리로 여겨진다), 부조리한 인간은 자기 내부에 결정(結晶)되는 저 강한 긴장 이외의 모든 것으로부터 해방됨을 느낀다. 그는 일상적인 규범들과의 관계에서 어떤 자유를 누리게 된다. 이 점에서 우리는 실존 철학의 최초의 주제들이 전적인 가치를 지니고 있다는 것을 알 수 있다. 의식으로의 복귀와 일상의 잠으로부터의 탈출은 부조리한 자유의 첫 번째 단계들을 나타낸다. 그러나 지금 이야기되고 있는 것은 실존적 '설교'이며, 그와 더불어 근본적으로 의식으로부터 도피하는 저 영혼의 비약이다. 그와 똑같이—이것이 나의 두 번째 비교이다—고대의 노예들에게는 아무런 자유가 없었다. 그러나 그들은 책임을 지지 않아도 되는 그러한 자유를 누렸다.[11] 죽음 역시, 한편으로는 억압하면서 다른 한편으로는 해방을 주는 귀족의 손들을 갖고 있는 것이다.

그 바닥 모를 확실성에 몰입하는 것, 그러고 나서 자신의 삶을 증대시키고 폭넓게 바라보기 위하여 그 삶으로부터 충분히 멀어진 듯한 느낌을 갖는 것—거기에 어떤 해방의 원리가 포함되어 있다. 그러한 새로운 독립은, 어떤 행동의 자유나 마찬가지로, 일정한 시간적 한계를 갖는다. 이 새로운 독립은 영원을 보장해 주지는 않는다. 그러나 그것은 '자유'의 환상들을 대치하는데, 그것은 죽음과 더불어 완전히 멈추어 버린다. 어느 이른 새벽 감옥문들이 자기 앞에서 열리는 순간 사형수가 갖는 그 성스러운 가망성, 삶의 순수한 불꽃 외의 모든 것에 대한 그 엄청난 무관심—여기서 죽음과 부조리가, 유일하게 합리적인 자유, 인간의 마음이 체험할 수 있고 살 수 있는 자유의 원리들임이 분명해진다. 이것이 두 번째의 귀결이다. 그렇게 하여 부조리한 인간은, 불타오르는 듯하면서 얼어붙고 투명하면서도 한계 지어진 우주, 그 안에서는 아무것도 가능하지 않지만 모든 것이 주어져 있고 그 너머에는 붕괴와 무(無)뿐인 그런 우주를 발견하게 되는 것이다. 이때에 그는 그러

11) 내가 여기서 관심을 갖고 있는 것은 사실의 비교이지 굴욕의 변호가 아니다. 부조리한 인간은 체념한 인간의 반대이다.

한 우주를 받아들이고, 거기서 자신의 힘을, 희망에 대한 거부를, 위안 없는 삶에 대한 확고한 증거를 끌어낼 것을 결심할 수 있다.

*

그러나 그러한 우주 안에서 삶은 무엇을 의미하는 것일까? 우선은 미래에 대한 무관심과 주어진 모든 것을 다 써 버리고 싶은 욕망 외엔 아무것도 아니다. 삶에 의미가 있다는 신념에는 언제나 가치의 척도와 선택과 우리의 편애가 따르기 마련이다. 우리의 정의(定義)에 따르자면, 부조리에 대한 신념은 그 정반대의 것을 가르쳐 준다. 그러나 이것은 깊이 검토해볼 만하다.

'호소함 없이' 살 수 있는지 없는지를 아는 것, 그것이 내 관심의 전부이다. 나는 나의 심연에서 벗어나고 싶지 않다. 이러한 모습의 삶이 나에게 주어져 있는데, 내가 그것에 적응할 수 있을 것인가? 이제 이 특수한 우려에 직면하여, 부조리에 대한 신념은 경험의 질(質)을 양(量)으로 대치하는 것과 같은 것이 된다. 이 삶이 부조리의 모습 말고는 다른 어떤 모습도 갖고 있지 않다는 것을 나 스스로 확신한다면, 그리고 그 삶의 전체적인 평형이 내 의식의 반항과 그것이 싸우고 있는 어둠 간의 영원한 대립에 달려 있다고 내가 느낀다면, 또 나의 자유는 그 한계 지어진 운명과의 관계에서가 아니고는 아무런 의미도 갖지 않는다는 것을 내가 인정한다면, 그렇다면 나는, 중요한 것은 가장 잘 사는 것이 아니라 가장 많이 사는 것이라고 말할 수밖에 없다. 그것이 천한 일일까 혹은 역겨운 일일까, 고상한 일일까 한심한 일일까를 생각하는 것은 내 일이 아니다. 여기서는 사실의 판단을 위해 가치의 판단이 단번에 내동댕이쳐진다. 나는 다만, 나 자신이 볼 수 있는 것으로부터 결론들을 끌어내고, 가설적인 것은 아무것도 시도하지 않으면 된다. 이런 식으로 사는 것이 명예로운 삶이 아니라고 한다면, 나의 진정한 양식(良識)은 내게 불명예스러운 삶을 살 것을 명할 것이다.

가장 많이 사는 것—가장 넓은 의미로 본다면 이 규칙은 아무런 의미도 없다. 그것은 분명한 정의(定義)를 필요로 한다. 그것은 양(量)의 개념이 충분히 탐구되지 않았다는 사실로부터 시작되는 것 같다. 양의 개념이 인간 경험의 어떤 큰 몫을 설명해 줄 수 있기 때문이다. 한 인간의 행동규칙과 그의 가치 척도는, 그가 어떤 위치에서 축적할 수 있었던 경험의 양과 다양성을 통하지 않고는 아무런 의미도 갖지 못한다. 그런데, 이제 현대 생활의 조건들은 대다수의 사람들에게 똑같은 양의 경험과 똑같은 깊이의 경험을 부과한다. 물론 개인이 자연적으로 부여받은 것, 즉 그의 내부에 '주어져' 있는 요소도 고려해야만 할 것이다. 그러나 내가 그것에 관하여 판단할 수는 없고, 되풀이하여 말하지만, 여기서의 나의 규칙은 직접적인 증거를 갖고 해 나가는 것이다. 그때에 나는, 윤리의 어떤 일반적인 법칙의 개별적 특성은 그 기본 원칙들의 관념적 중요성에 있는 게 아니라 측정이 가능한 어떤 경험의 규정량에 있다는 것을 알게 된다. 약간 억지 해석을 하자면, 우리가 하루 여덟 시간의 법칙을 갖고 있듯이, 그리스인들은 그들의 한가로움의 법칙을 갖고 있었다. 그런데 이미 가장 비극적인 사람들 가운데의

많은 사람들을 통해, 우리는 경험의 기간이 보다 길어지면 이 가치들의 도표가 변한다는 것을 미리 알 수 있다. 그 사람들은 우리에게, 단순히 경험들의 양을 통해 모든 기록들(나는 일부러 스포츠 용어를 사용하고 있다)을 깨뜨리고, 그렇게 하여 자기 자신의 윤리 법칙을 얻곤 하는 일상생활의 모험가를 상상케 한다.[12] 그러나 공상적인 이야기는 피하기로 하자. 그리고 그러한 태도가, 내기에 패를 걸며 자신이 그 게임의 규칙들이라고 믿는 것을 엄격하게 지키겠다는 단호한 정신을 가진 한 인간에게 무엇을 의미하는가를 우리 스스로에게 물어 보기로 하자.

모든 기록을 깨뜨리기 위해서는 무엇보다도 가능한 한 자주 세계와 맞부딪쳐야 하는 것이다. 모순됨이 없이, 말장난하지 않고서, 어떻게 그렇게 할 수 있는가? 부조리는 한편으로는 모든 경험들이 대수롭지 않다고 가르치면서 또 한편으로는 경험의 최대량을 촉구하니까 말이다. 그렇다면 어떻게 내가 앞서 말했던 그 많은 사람들처럼 하지 않을 수 있겠는가. 즉 우리에게 인간적인 것을 가능한 한 가장 많이 가져다주는 삶의 형태를 선택하고, 그렇게 함으로써 다른 한편으로는 자신이 거부한다고 주장하는 어떤 가치 척도를 끌어들이지 않을 수 있겠는가.

그러나 이번에도, 우리에게 가르침을 주는 것은 부조리이며 부조리의 모순된 삶이다. 잘못은, 그러한 경험의 양이 오로지 우리

---

12) 양(量)이 때로는 질(質)을 구성한다. 가장 최근의 과학 이론이 고쳐 말한 것을 믿을 수 있다면, 모든 물체는 에너지의 핵들에 의해 구성된다. 그 핵들의 양의 많고 적음이 그 물체의 특성을 더 혹은 덜 뚜렷하게 만든다. 십억 개의 이온과 한 개의 이온은 양에서 다를 뿐만 아니라 질에서도 다르다. 그와 흡사한 것을 인간의 체험 속에서 찾아보기는 쉽다.

에게 달려 있는데도 그것이 우리의 생활환경에 달려 있다고 생각하는 데 있기 때문이다. 여기서 우리는 지극히 단순해져야만 한다. 똑같은 햇수를 사는 두 사람에게 세계는 언제나 똑같은 양의 경험을 제공한다. 그 경험들을 의식하는 것은 우리에게 달려 있다. 자신의 삶 · 자신의 반항 · 자신의 자유를 의식하는 것, 그것도 최대한도로 의식하는 것이 곧 사는 것이며, 그것도 최대한도로 사는 것이다. 명징한 의식이 지배하는 곳에서는 가치의 척도는 전혀 무용한 것이 된다. 좀 더 단순하게 생각해 보자. 유일한 장애물, 메꿔야 할 유일한 결손은 때 이른 죽음으로 인해 생기는 것이라고 말하자. 그리하여 어떠한 깊이, 어떠한 감격, 어떠한 열성, 어떠한 희생도 40년의 의식적인 삶과 60년에 걸쳐 펼쳐진 명징한 의식을 부조리한 인간에게 동일한 것으로 보이게 할 수는 없다. —그가 그러길 원한다 할지라도.[13] 미치는 것과 죽는 것은 그로서는 어쩔 수 없는 일들이다. 인간이 선택하는 게 아니다. 따라서 부조리와 그것에 따른 특별한 삶은 '인간의 의지에 달린 것이 아니라' 그 반대인 죽음에 달려 있는 것이다.[14] 그 말들을 자세히 생각해 볼 때, 그것은 전적으로 운명의 문제이다. 이것에 동의할 수 있어야만 한다. 20년의 삶과 경험을 대신할 그 어떤 대용품도

13) 영원한 무(無)의 관념과 같은 다른 관념에 대해서도 똑같은 고찰을 할 수 있다. 그러한 관념은 현실에 아무것도 더하지도 못하고, 현실로부터 아무것도 감하지 못한다. 무(無)의 심리학적 체험에 있어서, 우리 자신의 무(無)가 진정으로 의미를 띠는 것은, 이천 년 후에 일어날 일들을 고려할 때이다. 어떤 면에서 영원한 무(無)는, 바로 우리의 것이 아닌 앞으로 올 삶들의 총계로써 이루어져 있다.

14) 의지는 여기서는 그 대리인일 뿐이다. 즉 의지는 의식을 유지하는 데에 도움이 된다. 그것은 삶의 어떤 규율을 마련해 주는데, 그것이 대단한 점이다.

결코 없을 것이다.

그러나 그토록 사려 깊은 민족에게는 너무나도 어울리지 않게, 그리스인들은 젊어서 죽은 사람들은 신들의 사랑을 받은 사람들이라고 우겼다. 그것은 그 터무니없는 신들의 세계로 들어가는 것은 가장 순수한 기쁨을, 그것도 지상에서 느낄 수 있는 가장 순수한 기쁨을 영원히 잃어버리게 되는 것임을 기꺼이 믿으려 할 때에만 맞는 말이다. 끊임없이 의식하는 영혼 앞에 놓인 현재, 그리고 그 현재들의 연속이 바로 부조리한 인간의 이상이다. 그러나 이상이라는 말은 이러한 맥락에서는 거짓처럼 들린다. 그것은 그의 소명이랄 것까지도 없고 다만 그의 추론의 세 번째 귀결일 뿐이다. 부조리에 대한 이러한 고찰은, 비인간적인 것을 괴롭게 의식하는 것으로부터 시작되었기 때문에, 그 여정(旅程)의 끝에 이르러 인간의 반항의 열정적인 불길 한가운데로 되돌아오는 것이다.[15)]

*

그리하여 나는 부조리로부터 나의 반항 · 나의 자유 · 나의 열성이라는 세 가지의 귀결을 끌어낸다. 단순한 의식의 활동을 통해

15) 중요한 것은 일관성이다. 우리는 여기서 세계를 받아들이는 것으로부터 출발한다. 그러나 동양 사상은 세계를 '등진' 선택을 함으로써 똑같은 논리의 탐구에 빠질 수 있음을 가르쳐 준다. 그것도 마찬가지로 정당하며, 이 에세이에 나름의 전망들과 한계들을 부여한다. 하지만 세계의 부정을 마찬가지로 엄격하게 수행할 때엔 인간은 비슷한 결과들을 성취할 수 있는데(베단타 철학의 어떤 학파들의 경우), 예를 들어 작품들이 갖고 있는 무관심과 관련하여 그러하다. 대단히 중요한 책인 《선택》에서, 장 그르니에는 이러한 방식으로 어떤 진정한 '무심(無心)의 철학'을 확립한다.

나는 죽음에의 권유였던 것을 삶의 규칙으로 바꾸어 놓는다—그래서 나는 자살을 거부한다. 물론 오늘날 계속 울려 퍼지는 그 둔한 울림을 나는 알고 있다. 그렇긴 하지만 내겐 단 한 마디밖에 할 말이 없다. "그것은 필연적이다"라는 것이다. 니체가 "분명, 하늘에서 그리고 지상에서 중요한 일은 오랫동안 오직 한 방향으로만 '순종하는' 것인 듯하다. 결국 거기에서 가령 덕(德) · 예술 · 음악 · 무용 · 이성 · 정신과 같은, 이 지상에서 애써 살 만한 보람을 주는 어떤 것—성스럽게 만드는 어떤 것, 고상한, 광적인 혹은 신적인 어떤 것이 생겨난다"라고 썼을 때, 그는 진실로 뛰어난 어떤 윤리 법칙의 규범을 밝히고 있었던 것이다. 그러나 그는 또한 부조리한 인간의 길도 가리키고 있다. 그 격정에 순종하는 것은 가장 쉬우면서 동시에 가장 힘든 일이다. 그렇긴 하지만 인간이 때때로 자신을 심판하는 것은 좋은 일이다. 그렇게 할 수 있는 것은 오직 인간뿐이다.

"기도란 사고(思考) 위에 밤이 내리는 때이다"라고 알랭은 말한다. "그러나 정신은 밤을 만나야만 한다"라고 신비주의자들과 실존주의자들은 말한다. 사실 그러하다. 그러나 그것은, 눈 감아 버린 채 인간의 단순한 의지를 통해 태어나는 밤, 정신이 스스로 그 안에 몸을 던지기 위해 불러내는 어둡고 꿰뚫을 수 없는 그러한 밤은 아니다. 정신이 밤을 만나야만 한다면, 차라리 명징하게 깨어 있는 절망의 밤—극지(極地)의 밤, 정신이 깨어 있는 밤—이 되게 하라. 거기서 어쩌면, 지성의 빛으로 모든 대상들의 윤곽을 밝혀 줄 희고 순결한 빛이 일어나리라. 그러한 정도가 될 때, 등가성(等價性)은 열성적인 이해와 만난다. 그러면 그것은 이제 더 이상 실존적 비약을 판단하는 문제도 아니다. 그것은 예부터 있어왔던 인간의 정신적 자세들로 이루어진 프레스코 벽화 한가운데에 제자리를 되찾는다. 관람자에게는, 그가 의식 있는 사람이라면, 그 비약은 여전히 부조리하다. 그것이 스스로 역설을 해결한다고 생각하는 한, 그것은 그 역설을 고스란히 복위시키는 것이다. 이러한 점에서 그것은 감동적이다. 이러한 점에서, 모든 것이 제자리를 되찾고, 부조리의 세계가 그 모든 휘황함과 다양성 속에서 다시 태어난다.

그러나 멈추는 것은 나쁘며, 단 한 가지 방법으로 보는 것에 만족하는 것도 모든 정신적인 힘들 가운데서 가장 미묘한 모순 없이 해나가는 것도 힘들다. 지금까지 말한 것들은 다만 사고의 한 방법을 규정할 뿐이다. 그러나 중요한 것은 산다는 것이다.

제2장

부조리한 인간

1. 돈 후안주의(Le Don Juanisme)
2. 연극
3. 정복

스타브로긴이 믿는다 해도, 그는 자신이 믿는다고 생각하지 않는다. 또 그가 믿지 않는다 해도, 그는 자신이 믿지 않는다고 생각하지 않는다.

— 《악령》에서 —

*

"나의 영역은 시간이다"라고 괴테는 말했다. 이것은 실로 부조리한 말이다. 부조리한 인간이란 사실상 무엇인가? 영원한 것을 부정하지 않으면서도 그것을 위해 아무것도 하지 않는 자이다. 향수가 그에게 낯선 것이어서가 아니라 그는 자신의 용기와 자신의 추론을 더 좋아하기 때문이다. 용기는 그에게 '구원의 호소 없이' 살 것과 자신이 지닌 것에 맞추어 살아갈 것을 가르쳐 주며, 이성은 그에게 그 자신의 한계들에 대해 알려 준다. 그는, 시간적으로 제한된 그의 자유, 미래가 없는 그의 반항, 그의 유한한 의식을 확신하기 때문에, 자신의 생애라는 짧은 기간 안에서 자신의 모험을 살아 낸다. 그것이 그의 영역이며, 그것이 그의 행동이므로, 그는 그것을 자신의 판단 외의 그 어떤 판단으로부터도 보호한다. 보다 큰 삶이 그에게 내세를 의미하는 것일 수는 없다. 그것은 부당한 것이리라. 내가 여기서 얘기하고 있는 것은, 소위 후세라고 하는 저 하잘것없는 영원조차도 아니다. 마담 롤랑(공화파로서 정치사상에 큰 영향을 끼쳤으나, 과격파에 의해 교수형을 당했음 - 역주)은 자기 자신을 믿었다. 그 경솔함은 훈계를 받았다. 후세는 즐겨 그녀의 말을 인용하면서도 그것을 비판하길 잊는다. 롤랑 부인은 후세와는 아무런 관련도 없는 것이다.

윤리에 대해 떠들어대는 문제는 있을 수가 없다. 나는 사람들이 훌륭한 도덕을 가지고도 나쁜 짓을 하는 것을 보아 왔으며, 성실함은 규율들을 필요로 하지 않는다는 것을 날마다 주시해 왔다.

부조리한 인간이 인정할 수 있는 도덕률은 한 가지밖에 없는데, 그것은 신으로부터 분리되지 않는 도덕률, 지키라고 명령받은 도덕률이다. 그러나 공교롭게도 그는 그 신(神) 밖에서 살고 있다. 다른 것들(배덕주의까지도)에서는, 부조리한 인간은 자기 정당화 외에는 아무것도 보지 못하며, 그는 정당화할 것을 아무것도 갖고 있지 않다. 나는 여기서 그의 결백의 원칙으로부터 출발한다.

그 결백은 두려워해야 할 것이다. '모든 것이 허용되어 있다'고 이반 카라마조프는 외친다. 그것 또한 부조리의 냄새를 풍긴다. 그러나 통속적인 의미로 받아들이지 않는다는 조건에서만 그러하다. 그것이 안도감이나 기쁨에서 터져 나온 말이 아니라 어떤 사실에 대한 괴로운 인정이라는 점이 충분히 지적되었는지 아닌지는 모르겠다. 삶에 의미를 주는 어떤 신(神)을 확신하는 것은, 그 매력에 있어서 벌을 받지 않고 나쁜 짓을 할 수 있다는 것을 훨씬 능가할 것이다. 그렇다면 선택을 내리기 힘들지 않을 것이다. 그러나 선택은 없으며, 바로 거기에서 쓰라린 고통이 생기는 것이다. 부조리는 해방하는 게 아니라 결박한다. 부조리는 모든 행위들을 정당하다고 인정하지는 않는다. 모든 것이 허용된다는 것은 아무것도 금지된 게 없다는 의미는 아니다. 부조리는 다만 그러한 행위들의 결과들에 대해 동등한 값을 부여할 뿐이다. 부조리는 범죄를 권장하지 않는다. 그것은 유치한 일이 될 것이기 때문이다. 그러나 부조리는 후회에 그 무익함을 되돌려 준다. 마찬가지로 모든 체험들이 아무런 차이가 없다면, 의무의 체험 또한 다른 어떤 체험들과 마찬가지로 정당하다. 사람은 변덕을 통해 유덕

해질 수도 있는 것이다.

도덕의 모든 체계들은, 모든 행위는 그 행위를 정당화하거나 아니면 무효화하는 결과를 갖는다는 관념 위에 근거해 있다. 부조리에 물든 정신은, 다만 그러한 결과들이 냉정하게 고찰되어야 한다고 판단할 뿐이다. 그 정신은 모든 정당한 벌을 받을 준비가 되어 있다. 다른 말로 하자면, 그러한 정신의 생각으로는, 책임이 있는 사람은 있을지 모르지만, 죄인은 없다는 것이다. 그러한 정신은, 기껏해야 과거의 경험을 그 미래의 행위들을 위한 기반으로 사용하는 데에 동의할 뿐일 것이다. 시간은 시간을 연장할 것이고, 삶은 삶에 봉사할 것이다. 제한되어 있으면서 여러 가능성들로 부풀어 있는 이러한 영역에서는, 그의 명징을 제외하고는, 그가 가진 모든 것이 그에게는 예측할 수 없는 것으로 보인다. 그렇다면 그러한 비합리적인 질서로부터 어떠한 규칙이 생겨나올 수 있겠는가? 그에게 유익한 것으로 보일 수도 있는 유일한 진리는 결코 형식적인 게 아니다. 그것은 인간들 사이에서 되살아나 펼쳐지는 것이다. 부조리한 정신이 그 자신의 추론의 끝에서 기대할 수 있는 것은, 윤리적인 규칙들이라기보다는 인간의 삶의 실례들과 숨결이다. 뒤에 이어지는 몇 안 되는 이미지들은 이러한 유형의 것이다. 그 이미지들은 부조리의 추론에 어떤 특수한 입장과 그들의 열기를 부여함으로써 부조리한 추론을 연장시킨다.

한 예(例)는 반드시 따라야 할 예는 아니며(부조리의 세계에서라면 더욱더 그러하다), 따라서 이러한 실례들은 꼭 지켜야 할 모델들은 아니라는 생각을 굳이 펼쳐야 할 필요가 있을까? 그러기 위해서는 어떤 천성이 필요하다는 사실 외에도, 루소에게서 인간은 네 발로 걸어야 한다는 결론을 끌어내거나, 니체에게서 자기의 어머니를 학대해야만 한다는 결론을 이끌어 낸다면, 아무리 이해를 한다 해도, 우스운 사람이 되는 것이다. 현대의 어떤 작가는 "부조리하게 되는 것이 중요한 것이다. 잘 속아 넘어가는 얼간이가 되는 것이 중요한 것은 아니다"라고 쓰고 있다. 내가 이제 다루게 될 정신적 자세들은 그 반대의 자세들을 고려할 때에만 그 온전한 의미를 얻을 수 있을 것이다. 우체국의 보조 직원도, 의식이 그들에게 공통된 것이라면, 정복자와 동등한 사람인 것이다. 이러한 관점에서 모든 체험들은 서로 다를 바가 없다. 다만 그중에는 인간에게 유익한 일이나 아니면 유해한 일을 해주는 어떤 경험들이 있다. 그러한 경험들은 그가 의식적일 때에는 그에게 유익한 일을 해 준다. 그렇지 않으면 그것은 아무런 중요성도 갖지 못한다. 한 인간의 실패들은, 환경의 판단이 아니라 그 자신의 판단을 함축하고 있는 것이다.

여기서 나는, 오직 자기 자신을 소진시키고자 하는 목표만을 가진 사람들, 혹은 스스로를 소진시키고 있는 것처럼 보이는 사람들만을 택할 것이다. 거기엔 그 이상 담긴 뜻은 없다. 우선은 나는 삶과 마찬가지로 사고(思考)에 미래가 결여된 한 세계에 대해서만 말하고 싶다. 인간으로 하여금 활동하게 하고 흥분하게 하는 모든 것은 희망을 이용한다. 따라서 거짓이 아닌 유일한 사고는 불모의 사고이다. 부조리한 세계에서는, 하나의 개념이나 하나의 삶의 가치는 그 불모의 정도에 의해 측정된다.

1. 돈 후안주의(Le Don Juanisme)

사랑하는 것만으로 충분하다면, 만사가 너무도 쉬울 것이다. 그러나 사랑하면 할수록 부조리는 더욱더 강해진다. 돈 후안이 여자에게서 여자에게로 전전하는 것은 사랑의 결핍 때문이 아니다. 그를 완전한 사랑을 추구하는 신비론자로 그리는 것은 터무니없는 일이다. 그러나 그가 자신의 재능과 깊은 추구를 되풀이해야만 하는 것은, 사실 그가 그 여자들을 똑같은 정열로써 그리고 매번 자신의 전 자아로써 사랑하기 때문이다. 때문에 여자들은 저마다 아무도 그에게 주어 본 적이 없는 것을 그에게 주기를 희망한다. 그때마다 그녀들은 완전히 오류를 범하며, 단지 그로 하여금 그러한 반복의 필요를 느끼게 할 뿐이다. 그 여자들 중의 하나가 "마침내 내가 당신에게 사랑을 주었습니다"라고 외친다. 돈 후안이 그 말을 비웃는다고 해서 놀랄 수 있을까? "마침내라고? 아니지, 한 번 더일 뿐이지"라고 그는 말한다. 많이 사랑하기 위해서는 어째서 반드시 드물게 사랑해야 한단 말인가?

*

돈 후안은 우울한 사람인가? 그럴 것 같지는 않다. 나는 그의 전설에 거의 의존하지 않을 것이다. 그 웃음, 그 정복자적인 오만함, 그 장난스러움, 그리고 연극에 대한 사랑은, 모두가 맑고 기쁨에 차 있다. 모든 건강한 존재는 자기 자신을 증대시키려는 경향이 있다. 돈 후안 또한 그러하다. 그러나 더욱 우울한 사람들은 그럴 만한 두 가지 이유를 갖고 있다. 즉 그들은 알지 못하거나 희망을 갖기 때문이다. 돈 후안은 알고 있으며, 희망을 갖지 않는다. 그는, 자신들의 한계를 알고 있어 결코 그 한계를 넘어서는 법이 없는, 자신들의 영혼이 자리 잡고 있는 그 불안정한 막간 속에서 대가들의 모든 놀라운 안정을 즐기는, 그러한 예술가들을 연상시킨다. 그리고 그것이 실로 천재인 것이다. 그 자신의 한계를 아는 지성인 것이다. 육체적 죽음의 한계에 이르기까지 돈 후안은 우울을 모른다. 그가 그것을 아는 순간, 그의 웃음이 터져나와 우리로 하여금 모든 것을 용서하게 만든다. 그가 희망을 갖고 있었을 때에는 그는 우울했었다. 그 단 한 가지 인식의 쓰고도 위안이 되는 맛을, 오늘 그는 그 여인의 입술에서 인식하는 것이다. 쓰냐고? 별로. 그 불가피한 불완전함이 행복을 감지할 수 있는 것으로 만들어 주니까.

돈 후안에게서 전도서(傳道書:《구약 성서》 중의 일서(一書)로서 인생의 허무함이 많이 언급되어 있다－역주)를 바탕으로 자라난 사람을 보려고 하는 것은 아주 그릇된 일이다. 그에게는 내세에 대한 희망만큼 공허한 것은 아무것도 없기 때문이다. 하늘을 상대로 하여 그 내세의 삶을 내기를 겂으로써, 그는 이것을 입증한다. 참회의 고행에 의해 죽임 당한 욕망에 대한 갈망—무력한 인간에게 흔한—은 그와는 관계가 없다. 그것은 자기 자신을 악마에게 팔아버릴 만큼 신을 믿었던 파우스트에게나 맞는 것이다. 돈 후안에겐 그 문제는 보다 단순하다. 몰리나(17세기 스페인의 극작가-역주)의 《색마》는 지옥의 위협에 대해 늘 이렇게 대답한다. "내게 왜 이 긴 유예 기간을 주는 거요!" 죽음 뒤에 오는 것은 헛된 것이며, 살아가는 법을 아는 사람에겐 얼마나 긴 나날의 연속인가. 파우스트는 현세에서의 행복을 갈망하였다. 그런데 그 가엾은 사람은 손을 내밀기만 하면 그것을 잡을 수 있었던 것이다. 그것은 자신의 영혼을 기쁘게 해줄 수 없게 되자 자신의 영혼을 팔아 버리는 것과 마찬가지이다. 만끽에 관해서 말하자면, 돈 후안은 반대로 그것을 고집한다. 그가 한 여자를 떠난다면, 그것은 결코 그가 그녀를 더 이상 원하지 않게 되었기 때문이 아니다. 아름다운 여자는 언제나 원할 만한 것이다. 그러나 그는 다른 아름다운 여자를 원하는 것이며, 그것은 결코 같은 것이 아니다.

이러한 삶은 그의 모든 소원을 만족시켜 주며, 그래서 그 삶을 잃는 것보다 더 괴로운 것은 없다. 이 광인은 위대한 현자이다. 그러나 희망으로 살아가는 사람들은, 다정함이 관용에게, 애정이 남성적인 침묵에게, 영적인 친교가 고독한 용기에게 굴복하는 그러한 세계에서는 잘 살지 못한다. 그리하여 모두가 서둘러 말한다. "그는 나약한 사람이나 이상주의자가 아니면 성자였다"라고. 모욕감을 주는 위대함을, 사람들은 헐뜯을 수밖에 없는 것이다.

*

사람들은 돈 후안의 여러 가지 말들과 그가 모든 여성들에게 사용했던 똑같은 말에 대해 몹시 화를 낸다(혹은 그것이 찬양하는 것을 깎아내리는 그러한 공모의 미소를 짓는다). 그러나 자신의 기쁨의 양(量)을 추구하는 사람에게는, 중요한 것은 오직 그 말들의 효력뿐이다. 이미 그 의미가 해독된 그 암호들을 복잡하게 한들 무슨 소용이 있겠는가? 여자 쪽도 남자 쪽도, 아무도 그 말들에 귀 기울이지 않고, 차라리 그것들을 발음하는 목소리에 귀 기울인다. 그 말들은, 규율이며, 협약이며, 예의이다. 그 말들이 말해진 뒤에도 해야 할 가장 중요한 일이 여전히 남아 있는 것이다. 돈 후안은 이미 그것을 위한 준비를 하고 있다. 그런데 어째서 그가 도덕에 있어서의 한 문제를 자신에게 제기해야 하는가? 그는, 성자가 되고 싶은 욕망 때문에 자기 자신을 벌주는 밀로즈의 마냐라(밀로즈의 수난극 《미겔 마냐라》-역주)와는 다르다. 지옥이란 그에게는 무시되어야 할 어떤 것이다. 신의 진노에 대하여 그는 한 가지 답변밖에 갖고 있지 않으며, 그것은 곧 인간의 명예이다. 그는 대주교에게 말한다. "나는 명예를 갖고 있습니다. 그리고 나는 기사(騎士)이므로 나의 약속을 지킬 것입니다"라고. 그러나 그를 부도덕한 사람으로 만드는 것 역시 큰 잘못일 것이다. 이 점에 있어서 그는 '다른 모든 사람과 같다.' 그도 자신이 좋아하는 것과 싫어하는 것의 도덕률을 갖고 있다. 돈 후안이 제대로 이해될 수 있는 것은 오직, 그가 일반적으로 상징하고 있는 것, 즉 보통의 유혹자라든가 색마(色魔)라는 것을 끊임없이 참작함으로써이다. 그는 어디서나 볼 수 있는 유혹자이다.[1] 다만 다른 점은 그가 의식적이라는 것뿐인데, 바로 그 때문에 그는 부조리한 인간이 되는 것이다. 한 유혹자가 명징한 사람이 되었다고 해도, 그럼에도 불구하고 달라지지는 않을 것이다. 유혹하는 것이 삶에 있어서의 그의 조건이다. 오직 소설 속에서만 우리는 조건을 바꾸거나 더 나은 사람이 될 뿐이다. 그럼에도 불구하고 아무것도 달라지지 않지만, 동시에 모든 것이 변모된다고 말할 수 있다. 돈 후안이 행동으로 실현하는 것은 양(量)의 윤리인 반면에, 성자는 반대로 질(質)을 지향한다. 사물의 심오한 의미를 믿지 않는 것이 부조리한 인간의 속성이다. 그 진정어린 혹은 경이감에 질린 얼굴들에 관해서라면, 그는 그 얼굴들을 눈여겨보고, 기억 속에 쌓아두고, 잠시도 관심을 멈추지는 않는다. 시간이 그와 함께 따라간다. 부조리한 인간은 시간에서 떨어지지 않는 사람이다. 돈 후안은 여자들을 '수집할' 생각은 하지 않는다. 그는 여자들의 숫자를 탕진시키고 그와 더불어 자신의 삶의 기회들을 탕진시킨다. '수집하는 것'은 자신의 과거로 살아갈 수 있는 것에 해당된다. 그러나 그는 희망의 다른 형태인 후회를 거부한다. 그는 초상화들을 바라볼 수가 없는 것이다.

*

그럼에도 불구하고 그가 이기적인가? 그럴지도 모른다. 그러나

---

1) 폭넓은 의미에서, 그리고 그의 결점들을 포함하여. 건전한 태도는 결점들도 '또한' 포함한다.

여기에서도 또한 서로를 이해한다는 것이 중요하다. 살도록 만들어진 사람들이 있고, 사랑하도록 만들어진 사람들이 있는 것이다. 적어도 돈 후안은 그렇게 말하고 싶어 할 것이다. 그러나 그는 자신이 선택할 수 있는 아주 적은 말들로서 그렇게 말할 것이다. 우리가 여기서 얘기하고 있는 사랑이란 영원한 것에 대한 환상으로 덮여 있기 때문이다. 모든 열정의 전문가들이 우리에게 가르쳐 주는 것과 같이, 끝내 좌절되지 않는 영원한 사랑은 없다. 투쟁 없는 열정은 좀처럼 없다. 그러한 사랑은 오직 죽음이라는 궁극적인 모순 속에서만 절정에 달한다. 우리는 베르테르가 되거나 아니면 아무것도 되지 않아야 한다. 그런데 자살을 하는 데에도 또한 몇 가지 방법이 있는데, 그중 하나는 자기 자신을 전적으로 바치고 자기 자신을 잊어버리는 것이다. 돈 후안도 다른 모든 사람들과 마찬가지로 그것이 감동적일 수 있다는 것을 잘 알고 있다. 그러나 그는, 그것이 중요한 일은 아니라는 것을 아는 몇 안 되는 사람들 중의 하나이다. 그는 또한, 어떤 위대한 사랑으로 인해 모든 개인적인 삶을 등진 사람들은, 아마 자기 자신을 풍요롭게는 하겠지만, 그러나 분명 그들의 사랑이 선택했던 사람들을 피폐하게 만든다는 것을 잘 알고 있다. 한 어머니, 혹은 한 열정적인 아내는 반드시 어떤 폐쇄된 마음을 갖고 있다. 세계로부터 그 마음이 등을 돌린 까닭이다. 단 하나의 감정, 단 하나의 존재, 단 하나의 얼굴만이 있을 뿐 그 밖의 모든 것은 삼켜져 버리고 없다. 돈 후안의 마음을 뒤흔드는 것은 그와는 전혀 다른 사랑인데, 그것은 자유분방한 사랑이다. 그러한 사랑은 세상의 모든 얼굴들을 더불어 데려오며, 그러한 사랑의 전율은 그 사랑이 유한한 것임을 스스로 알고 있다는 사실에서 온다. 돈 후안은 스스로 아무것도 아니기를 택한 것이다.

그에게는 분명하게 보는 것이 중요한 것이다. 우리는 우리를 어떤 존재에 묶는 것을 사랑이라고 부르지만, 그것은 집단적인 관점에 의거한 것이며, 그렇게 된 것은 책과 전설들의 책임이다. 그러나 사랑에 관해서 나는 다만, 나를 이런저런 존재에 얽어매는 욕망과 애정과 지성의 혼합만을 알고 있을 뿐이다. 그 복합물이 다른 사람의 경우에도 똑같은 것은 아니다. 내겐 그 모든 경험들을 똑같은 명칭으로 포괄할 권리가 없다. 이로써 그러한 경험들은 똑같은 몸짓들로 행하는 것을 면제받게 된다. 부조리한 인간은 여기서도 역시 자신이 하나로 결합할 수 없는 것을 늘려간다. 그렇게 하여, 그는 최소한 그에게 다가오는 사람들을 해방시키는 것만큼 그 자신을 해방시키는 어떤 새로운 존재 방식을 발견하게 된다. 스스로 단명(短命)하고 동시에 예외적인 것임을 인식하는 사랑 외에 고귀한 사랑은 없다. 마치 한 묶음인 양 하나로 묶여져 있는 그 모든 죽음들과 그 모든 되살아남이, 돈 후안에겐 그의 삶의 정수를 이루는 것이다. 이것이 그가 베풀고 생기를 주는 그의 방식이다. 그런데도 이것을 이기심이라고 할 수 있는 것인지 아닌지는 각자의 판단에 맡기겠다.

*

이 시점에서 나는 돈 후안이 벌을 받아야 한다고—내세에서뿐만 아니라 현세에서도—무조건 우기는 모든 사람들에 대해서 생각한다. 나는 노년의 돈 후안에 대한 그 모든 얘기들과 전설들과 비웃음들을 생각한다. 그러나 돈 후안은 이미 각오가 되어 있다. 의식이 또렷한 사람에게는 노령과 그것이 예고하는 것은 놀라울 게 못 된다. 사실상, 노령의 공포를 자신에게 숨기지 않을 정도가 되어야만 그는 의식이 또렷한 인간인 것이다. 아테네에는 노령을 기리는 한 사원이 있었는데, 아이들은 그곳으로 데려가지는 않는 것이었다. 돈 후안에 관해서 말하자면, 사람들이 그를 비웃을수록 그의 모습은 더욱더 뚜렷하게 나타난다. 그렇게 하여 그는 낭만주의자들이 그에게 부여했던 모습을 거부하는 것이다. 그 괴로워하는 불쌍한 돈 후안에 대해서는 아무도 비웃고 싶어 하지 않는다. 그는 동정을 받는다. 그럼 하늘 자체도 그를 구원해 줄 것인가? 그러나 그렇지는 않다. 돈 후안이 어렴풋이 감지하고 있는 그 세계 속에는 우스꽝스러운 것도 '또한' 포함되어 있는 것이다. 그는 벌을 받는 것을 당연한 것으로 여길 것이다. 그것이 그 게임의 규칙인 것이다. 그리고 실로, 그 게임의 모든 규칙을 기꺼이 받아들였다는 것이 그의 고귀함을 상징하는 것이다. 그러나 그는, 자신이 옳다는 것과 벌은 문제도 되지 않는다는 것을 알고 있다. 운명은 벌이 아닌 것이다.

그것이 그의 죄이니, 신의 인간들이 어째서 그의 머리에 벌을 내릴 것을 기도하는지 쉽게 이해할 수 있을 것이다. 그는 아무런 환상도 품지 않은 채 그들이 공언하는 모든 것을 무효화시키는 하나의 인식을 획득한다. 사랑하고 소유하는 것, 정복하고 소진시키는 것, 이것이 그의 인식 방법이다(육체적 행위를 '안다'라고 부르는, 성서에 잘 나오는 그 말에는 심오한 뜻이 있다). 그가 그들을 알지 못하는 그만큼 그는 그들의 최악의 적이 된다. 한 연대기 작가는, "그 진짜 '색마'는, 그의 출생이 그의 결백함을 보장했던 돈 후안의 무절제와 불경스러움에 끝장을 내주고자 했던 프란시스코 수도사들에 의해 암살당했다"라고 이야기한다. 그런데 수도사들은 하늘이 그에게 벼락을 내려 죽였다고 공표했다. 아무도 그의 야릇한 종말을 입증하진 못했다. 또한 아무도 그 반대의 경우를 입증하지 못했다. 그러나 그것이 있음직한 일일까 아닐까를 생각하지 않고도, 나는 그것이 논리에 맞는 것이라고 말할 수 있다. 나는 다만, 이 시점에서 '출생'이라는 말을 골라내 말장난을 해보고 싶다. 즉 그의 결백을 확신케 하는 것은 그가 살았다는 사실이었다. 지금에 와서는 전설이 되어 버린 죄를 그가 끌어낸 것은 오직 죽음으로부터였던 것이다.

감히 생각하고자 했던 그 혈기와 용기를 벌주기 위해 쓰러뜨리려 했던 그 차가운 동상, 그 석기사(石騎士)가 달리 무엇을 암시하겠는가? 영원한 이성과 질서와 보편적 도덕의 모든 힘들이, 그리고 쉽게 진노하는 신(神)의 모든 이질적인 위엄이 그 석기사안에 뭉뚱그려져 있다. 그 거대한 영혼 없는 돌은 단지 돈 후안이 영원히 부정했던 힘들을 상징할 뿐이다. 그러나 그 석기사의 사명은 거기서 멈춘다. 천둥과 벼락은 그것들이 불려 나왔던 인조(人造) 하늘로 되돌아갈 수 있다. 진짜 비극은 그것들과 상당히 떨어져서 일어난다. 아니다, 돈 후안이 자신의 죽음을 만난 것은 석상(石像)

의 손에 의해서가 아니었다. 나는 그 전설적인 허세에 찬 행동을 믿고 싶고, 존재하지 않는 신(神)을 성나게 하는 그 건강한 사람의 미친 웃음을 믿고 싶다. 그러나 무엇보다도, 돈 후안이 안나의 집에서 기다리고 있던 그날 저녁에 석기사(石騎士)는 오지 않았다는 것을, 그리하여 자정이 지나자 이 패륜아는 의로웠던 자들의 그 끔찍한 괴로움을 분명 느끼게 되었을 것임을 나는 믿는다. 그가 결국에는 한 수도원에 파묻혀 지냈다는 그의 인생을 묘사하는 얘기를, 나는 더욱더 쾌히 받아들인다. 그 이야기의 교화적 측면을 그럴 법하다고 생각할 수 있기 때문은 아니다. 그가 신에게 가서 어떤 은신처를 청할 수 있겠는가? 그러나 이것은, 오히려 부조리에 완전히 물든 한 인생의 논리적 결말을, 덧없는 환락으로 향했던 한 존재의 잔인한 종말을 상징하고 있다. 이 지점에서, 관능적 쾌락은 금욕주의로 끝난다. 중요한 것은 그 두 가지가, 말하자면 똑같은 궁핍함의 두 모습일 수 있다는 점을 깨닫는 것이다. 자신의 육체에게 배반당한 사람이, 단지 제때에 죽지 못했다는 이유로, 자신이 섬기지도 않는 신과 얼굴을 마주하여, 그가 삶을 섬겼던 것처럼 그 신을 섬기며, 하나의 공허 앞에 무릎을 꿇고, 역시 깊이 없는 것임을 스스로 아는 어떤 하늘을 향해 아무 말 없이 팔을 벌린 채 종말을 기다리면서 그 코미디를 끝까지 살아 내는 것보다 더 끔찍한 모습을 상상할 수 있겠는가?

나는, 어느 언덕 꼭대기에 파묻힌 저 스페인 수도원들 중 한 수도원의 골방에 있는 돈 후안을 본다. 그리고 그가 행여 무엇인가 응시한다면, 그것은 과거에 스쳐 지나간 사람들의 환영(幻影)이 아니라, 어쩌면 햇볕에 달구어진 담벼락의 좁은 틈을 통해 보이는 어느 고요한 스페인의 평원, 그가 자기 자신을 인식하게 되는 어떤 고귀한 영혼 없는 대지일 것이다. 그렇다, 바로 이 우수 어린 그리고 빛나는 이미지에서 막을 내려야만 한다. 궁극적인 종말, 기다리긴 하지만 결코 바랄 게 없는 이 궁극적 종말은 무시해도 좋은 것이다.

2. 연 극

햄릿은 말한다. "연극이야말로 내가 왕의 의식을 포착할 수 있는 올가미이다." '포착한다'는 것이야말로 실로 알맞은 표현이다. 의식은 재빨리 움직이거나 제 자신 안으로 움츠러들기 때문이다. 의식은 날고 있는 동안 포착해야만 한다. —의식이 순간적으로 제 자신을 힐끗 쳐다보는, 겨우 감지할 수 있는 그 순간에. 일상의 인간은 늑장 부리는 것을 즐기지 않는다. 반대로 모든 것이 그를 앞으로 몰아친다. 그러나 동시에, 그에겐 그 자신보다, 특히 그 자신의 잠재적 가능성들보다 더 관심 있는 것은 없다. 그 때문에 그에게는 연극과 쇼에 대한 관심이 생기는 것인데, 그 안에선 수많은 운명들이 그에게 제공되고, 거기서 그는 슬픔을 느끼지 않고도 그 시(詩)를 받아들일 수 있는 것이다. 거기서는 적어도 그 사고(思考) 없는 사람도 인정받을 수 있으며, 그리하여 그는 어떤 모르는 희망을 향해 계속 내닫는 것이다. 부조리한 인간은, 그 사람이 멈추는 곳, 연극에 경탄하길 그치고서 정신이 그 안으로 들어서고자 원하는 곳에서부터 시작한다. 그 모든 삶들 속으로 들어가, 그 다양함 속에서 그 삶들을 경험하는 것은 곧 그 삶들을 연기해 내는 것에 해당된다. 내가 말하려는 것은, 배우들이 일반적으로 그러한 충동에 따라 연기한다는 것과 그들은 부조리한 인간이라는 것이 아니라, 그들의 운명은 어떤 명징한 마음을 매혹시키고 끌어당길 수도 있는 부조리한 운명이라는 것이다. 지금부터 내가 말하는 것을 오해 없이 파악하기 위해서는 이 점을 확실히 해 둘 필요가 있다.

배우의 영역은 덧없는 영역이다. 모든 명성 중에서, 알려진 바와 같이, 배우의 명성이 가장 덧없다. 적어도 이야기를 할 때에는 그렇게 말한다. 그러나 명성이란 것은 모두가 덧없는 것이다. 시리우스성(星)의 관점에서 볼 때에는 괴테의 작품들도 일만 년 내에 먼지로 변하고 그의 이름은 잊힐 것이다. 어쩌면 소수의 고고학자들이 우리 시대에 대한 '증거'를 찾으려 할는지도 모른다. 그러한 생각 속에는 언제나 하나의 교훈이 담겨 있다. 진지하게 숙고해 볼 때, 그러한 생각은 우리의 불안들을 초연함 속에서 찾아볼 수 있는 심오한 고귀함으로 환원시킨다. 무엇보다도 그러한 생각은, 우리의 관심을 가장 확실하고 직접적인 것으로 향하게 한다. 모든 명성 중에서 가장 믿을 만한 것은, 살며 누리는 명성이다.

그러기에 배우는 다발적(多發的) 명성, 격려 받고 시험받는 명성을 선택하였다. 모든 것은 언젠가는 죽는다는 사실에서 그는 최선의 결론을 끌어내는 것이다. 배우의 성공과 실패는 자기 당대에 결정이 난다. 그러나 작가는 당대에 인정받지 못한다 하더라도 약간의 희망이 있다. 작가는 자신이 어떠한 존재였는가를 자기의 작품들이 입증해 주리라고 생각한다. 그러나 배우는 고작해야 한 장의 사진을 우리에게 남길 뿐이며, 그 자신이 어떠한 존재였는가 하는 것과 그의 몸짓 · 그의 침묵 · 사랑으로 숨찬 소리 혹은 헐떡임 등은 아무것도 우리에게 전해지지 않을 것이다. 그에게는, 알려지지 않는 것은 연기하지 않는 것이며, 연기하지 않는 것은 그가 소생시켰거나 혹은 부활시켰을 그 모든 존재들과 함께 백 번 죽는 것이다.

*

덧없는 명성이 모든 창작들 중에서 가장 단명(短命)한 것 위에 세워져 있음을 본다 해서 무엇이 놀랍겠는가? 배우는 세 시간 동안만 이아고(셰익스피어의 《오셀로》에 나오는 인물 – 역주), 혹은 알세스트(몰리에르 작 《인간혐오》의 주인공 – 역주), 혹은 페드르(라신느 작 《페드르》의 주인공 – 역주), 혹은 글로스터(《리처드 3세》에 나오는 인물 – 역주)가 된다. 그 짧은 시간 속에서 그는 그 인물들을 50평방 야드의 무대 위에서 살려 내고 죽게 만든다. 이만큼 부조리가 잘, 혹은, 그렇게 상세하게 예시된 적이 없었다. 한 무대 장치 내에서 몇 시간 동안 펼쳐지는 그 놀라운 삶들, 그 예외적인 그리고 총체적인 운명들보다 더 많은 계시를 주는 어떤 축도(縮圖)를 생각할 수 있겠는가? 무대에서 내려서면 시지몽은 더 이상 대수로울 게 없다. 두 시간 후엔 그가 밖에서 식사하는 모습이 보인다. 이것을 일러 인생은 하나의 꿈이라 하는 것이다. 그러나 시지몽 뒤에 또 다른 사람이 온다. 의처증으로 괴로워하는 주인공이 복수를 외치는 인간을 대신하게 된다. 이렇게 수많은 세기들과 수많은 정신들을 휩쓸고 자신이 될 수 있는 혹은 자신이기도 한 사람을 흉내 냄으로써, 배우는 그 다른 부조리한 인간인 나그네와 많은 공통점을 갖게 된다. 나그네와 마찬가지로, 그는 무엇인가를 소모시키면서 끊임없이 움직여 나아간다. 그는 시간 속의 나그네이며, 그것도 잘해봤자 영혼들에게 추적당하면서 쫓기는 나그네인 것이다. 양(量)의 윤리가 어떤 지지를 얻을 수 있다면, 그것은 정말 이 기묘한 무대 위에서이다. 배우가 그 인물의 성격으로부터 어느 정도로 덕을 보는지는 말하기 어렵다. 그러나 그것은 중요한 것이 아니다. 중요한 것은, 배우가 대신할 수 없는 그 삶들에 자기 자신을 어느 정도까지 동화시키는가를 아는 것이다. 흔히 배우는 그 인물들을 함께 지니고 다니기도 하고, 그들이 태어났던 시간과 공간의 밖으로 조금 흘러넘치기도 한다. 그 작중 인물들은 배우와 함께 다니며, 배우는 이전의 자신이었던 것으로부터 자신을 아주 쉽게 분리하지는 못한다. 이따금씩 잔 쪽으로 손을 뻗칠 때면, 그는 잔을 들어 올리는 햄릿의 몸짓을 재연하게 된다. 그렇다, 그 자신과 그가 생명을 불어 넣었던 그 인물들 사이에 가로 놓인 거리는 그리 크지 않은 것이다. 배우는, 인간이 되고자 원하는 인물과 실제의 그 사람 사이에는 아무런 경계도 없다는 대단히 암시적인 진리를 매달 혹은 매일 풍성한 실례로써 보여주는 것이다. 언제나 더 잘 연기하려 마음을 쓰는 배우는 연기가 어느 정도까지 존재를 창조하는가를 보여 준다. 완전하게 흉내를 내는 것, 자신의 것이 아닌 삶들 속으로 되도록이면 깊게 자기 자신을 투사시키는 것이 그의 예술이기 때문이다. 그의 노력 끝에 그의 사명이 분명해진다. 그것은, 아무것도 아닌 것이 되는 것 혹은 몇 가지가 되는 것에 온 마음으로 자기 자신을 쏟는 것이다. 그 인물을 창조하기 위해 그에게 할당된 한계들이 좁으면 좁은 것일수록 그의 재능이 더욱더 필요해진다. 그는 오늘 자신이 쓴 가면 아래서 세 시간이 지나면 죽을 것이다. 그 세 시간 안에 그는 한 예외적인 삶 전체를 경험하고 표현해야만 한다. 그것이 소위 자신을 찾기 위해 자기 자신을 잃는다고 하는 것이다. 그 세 시간 동안에 그는 관객 속의 인간이 평생 걸려야 갈 수 있는 막다른 길의 전 노선을 여행하는 것이다.

*

덧없는 것을 흉내 내는 사람인 배우는 오직 외양으로만 자신을 훈련시키고 완성시킨다. 연극의 묵시적인 약속은, 마음은 오직 동작을 통해, 그리고 육체로만 혹은 육체의 것인 만큼 영혼의 것이기도 한 음성을 통해 제 자신을 표현하고 제 자신을 전달한다는 것이다. 이 예술의 규칙은, 모든 것을 확대하고 모든 것을 육적인 것으로 변형시킬 것을 요구한다. 만일 무대 위에서, 사람들이 실제로 사랑하는 것처럼 사랑해야 하고, 대신할 수 없는 저 마음의 음성을 사용해야 하고, 사람들이 실생활에서 깊은 생각에 잠기는 것처럼 묵상해야 한다면, 우리들의 말은 암호에 머물 것이다. 그러나 여기서는 침묵도 귀에 들려야만 한다. 사랑은 더 큰 소리로 말하고, 움직임이 없는 것 자체도 장관(壯觀)이 된다. 육체가 왕인 것이다. 모든 사람이 '연극적'으로 될 수 있는 것은 아니며, 부당하게도 나쁘게 얘기되는 이 '연극적'이라는 말은, 미학적인 것 전체, 그리고 도덕적인 것 전체에 적용된다. 인간의 삶의 절반은, 넌지시 나타내는 데에, 외면해 버리는 데에, 그리고 침묵을 지키는 데에 소비된다. 이 점에 있어 배우는 침입자이다. 그는 그 영혼을 묶고 있는 마법을 깨뜨리고, 그리하여 마침내 그 정열들은 그들의 무대 위로 내달릴 수 있는 것이다. 그 정열들은, 온갖 몸짓으로 이야기하고, 오직 외침과 고함을 통해서만 산다. 이렇게 배우는 작중 인물들을 나타내 보이기 위하여 창조한다. 그는, 그 인물들을 스케치하고 조각하고, 그들의 가상의 형태 속으로 미끄러져 들어가며, 그들의 망령에게 자신의 피를 옮겨 붓는 것이다. 물론 내가 말하고 있는 것은, 위대한 드라마, 배우에게 전적으로 육체적인 그의 운명을 수행할 '기회'를 주는 드라마에 관해서이다. 예를 들어 셰익스피어를 보라. 그 충동적인 드라마 속에서는 육체적 정열들이 그 춤을 이끈다. 그 열정들이 모든 것을 설명한다. 그것들 없이는 모든 게 무너질 것이다. 코딜리어를 추방하고 에드거에게 유죄 판결을 내리는 그 잔인한 제스처가 없다면, 리어 왕은 결코 광기에 의해 정해진 그 약속을 지키지 않을 것이다. 따라서 그 비극의 전개가 광기에 의해 이끌리는 것은 당연하다. 영혼들은 악마와 그들의 춤에 넘겨진다. 네 명이나 되는 광인들,—하나는 직업에 의해, 다른 하나는 의도적으로, 나머지 둘은 괴로움 때문에 미친—네 개의 혼란된 육체, 똑같은 상태의 끔찍스러운 네 가지 모습.

인간의 육체라는 척도는 부적당한 것이다. 가면과 반장화(고대 그리스·로마의 비극 배우가 신던 바닥이 두꺼운 반장화—역주), 얼굴을 그 본질적인 요소들에 조화시켜 강조하는 분장, 과장하고 단순화시키는 의상—그 세계는, 외양에 모든 것을 희생시키고 오직 눈을 위해서 만들어진 세계이다. 어떤 부조리한 기적을 통해, 역시 인식을 가져오는 것은 육체이다. 나는 이아고의 역을 연기해보지 않는 한 결코 그를 진정으로 이해하지 못할 것이다. 이아고가 말하는 것을 듣는 것만으로는 충분치 않다. 오직 그를 보는 순간에만 나는 그를 파악하기 때문이다. 따라서 배우는, 부조리한 인물이 가지는 단조로움과 낯설면서도 동시에 낯익은 그 단일하고 억압적인 실루엣을 갖게 되고, 그리고 그것을 이 주인공에서 저 주인공에게로 거느리고 다닌다. 거기서도 역시, 위대한 드라마 작품은 그러한 색조의 단일함에 기여한다.[2] 바로 여기에서 배우 자신이 자가당착에 빠지게 된다. 즉 동일하면서도 아주 다양한, 아주 많은 영혼들이 단 하나의 육체 속에 뭉뚱그려지는 것이다. 그렇긴 하지만, 모든 것을 성취하고 모든 것을 살고자 하는 이 사람, 그 무익한 시도, 그 헛된 고집은 부조리한 모순 자체이다. 그럼에도 불구하고 언제나 그 자가당착적인 것이 그에게서 합쳐진다. 그는, 육체와 정신이 하나로 모이는 그 지점, 패배에 지친 정신이 자신의 가장 충실한 동맹자를 향해 돌아서는 그 지점에 있는 것이다. 햄릿은 말한다. "그리고 복 있을지어다. 그의 피와 판

---

2) 여기에서 나는 몰리에르의 알세스트에 대해 생각하고 있다(알세스트는 몰리에르의 《인간 혐오》에 나오는 주인공으로서, 성미가 까다롭고 염세적인 벽창호이다. 반면에 필랭뜨는 처세술에 능한 사람, 셀리멘느는 색정적인 여자, 엘리앙뜨는 정숙한 여자로 나타난다-역주). 모든 것이 아주 단순하고 아주 분명하며 아주 투박하다. 알세스트 대 필랭뜨, 셀리멘느 대 엘리앙뜨, 극단으로 흐른 한 성격이 갖는 부조리한 결과와 관련된 그 주제 전체, 그리고 그 운문 자체, 즉 그 인물의 성격의 단조로움과 마찬가지로 별로 두드러질 게 없는 그 '좋지 않은 운문'이다.

단이 하나로 잘 섞여, 운명의 손가락이 제멋대로 울리게 할 수 있는 피리가 되지 않는 자에게."

*

배우들의 이러한 행위를 교회가 어찌 정죄하지 않을 수 있었겠는가? 교회는, 이 예술에서, 그 영혼의 이단적인 증대와 감정의 방탕함과 단 하나의 삶을 사는 것에 반대하여 온갖 형태의 무절제 속으로 스스로를 내던지는 정신의 괘씸한 무엄함을 용인하지 않았다. 교회는, 그러한 것들 가운데서 그 현재를 택하는 태도, 그리고 그 프로메테우스(모습을 제 마음대로 바꾸고 예언하는 힘을 가졌던 바다의 신－역주)의 승리를 배척하였는데, 그것은 그것들이 교회가 가르치는 모든 것들을 부정(否定)했기 때문이었다. 영원이란 하나의 게임이 아니다. 영원보다는 희극을 더 좋아할 만큼 어리석은 정신은 그 구원을 잃어버렸다. '어디서나'와 '영원히' 간에는 타협이 없다. 그 때문에, 대단히 나쁘게 얘기되는 그 직업이 어떤 엄청난 정신적 갈등을 일으킬 수가 있는 것이다. 니체는 말했다. "중요한 것은 영원한 삶이 아니라 영원한 생기(生氣)이다." 모든 드라마는 사실상 이 선택에 있다.

아드리엔 르쿠브뢰르(Adrienne Lecouvreur 1692~1730. 프랑스의 비극 여배우－역주)는 임종의 자리에서 기꺼이 고해를 하고 성체 배수를 하려 했지만, 그러면서도 자신의 직업을 버리길 단호히 거부했다. 그렇게 함으로써 그녀는 고해의 덕을 보지 못하였다. 이것은 결국 신(神)보다는 차라리 빨아들일 듯한 자신의 열정을 택한 것이 아니었을까? 그리고 임종의 고통 속에서도 스스로 자신의 예술이라고 부르는 것을 거부하길 눈물로써 거절하는 이 여인에게는, 그녀가 결코 조명 앞에서는 얻지 못하는 어떤 위대함의 자취가 있었다. 이것이 그녀의 가장 멋진 역이었고, 또한 연기해 내기 가장 힘든 역이었다. 천국과 어떤 엉뚱한 성실성 사이에서 선택하는 것, 영원보다는 혹은 신(神)에게 몰입하기보다는 자기 자신을 택하는 것은, 각자가 자신의 역할을 연기해야만 하는 먼 옛날부터의 비극인 것이다.

그 시대의 배우들은 자신들이 파문당했다는 것을 알고 있었다. 그 직업에 들어선다는 것은 지옥을 택하는 것과 마찬가지였다. 그리고 교회는 배우들을 교회의 최악의 적으로 보았던 것이다. 몇몇 문학가들은 항의한다. "뭐라고! 몰리에르에게 마지막 의식(儀式)을 거절해!" 그러나 그것은 당연한 일이었고, 무대에서 죽은 사람, 그리고 분장을 한 채 전적으로 연극의 보급에 바쳐진 한 삶을 마감한 사람의 경우에는 특히 그러했다. 그러한 사람의 경우에는, 그가 천재라는 것을 끌어다 댄다. 천재는 모든 것의 변명이 되기 때문이다. 그러나 천재는 아무것도 변명하지 않는다. 천재는 변명하길 거부하기 때문이다.

그 당시의 배우들은 자신들에게 어떤 벌이 마련되어 있는지 알고 있었다. 그러나 삶 자체가 그를 위해 예비해 두고 있는 그 최후의 벌에 비한다면 그 막연한 위협들이 무슨 큰 의미를 가질 수 있었겠는가? 그가 미리 느끼고 고스란히 받아들였던 것은 바로 그 최후의 벌이었다. 부조리한 인간과 마찬가지로 배우에게도, 때 이른 죽음은 돌이킬 수 없는 것이다. 그렇지 않다면 그가 편력해 왔던 작중 인물들과 여러 세기(世紀)의 총계를 아무것으로도 메울 수 없는 것이다. 그러나 어떻든 사람은 죽지 않을 수 없다. 배우는 분명 어디에나 있지만, 시간이 그도 함께 휩쓸어 가면서 그에게 영향력을 미치기 때문이다.

한 배우의 운명이 무엇을 뜻하는가를 느끼기 위해서는 조금의 상상력만을 동원하면 된다. 그가 자신의 배역 인물들로 분장하고 하나하나 보여 주는 것은 시간 안에서이다. 그가 그 인물들을 지배하는 것을 배우는 것도 마찬가지로 시간 안에서이다. 그가 살아온 삶의 종류가 많으면 많을수록 그는 그 삶들로부터 더욱더 초연해질 수 있다. 그가 무대를 향해 그리고 세상을 위해 죽어야 할 때가 온다. 그가 이제껏 살아왔던 삶이 그와 마주한다. 그는 분명하게 본다. 그는 그 모험의 비참하고도 되돌릴 수 없는 특질을 느낀다. 그는 알고 있으므로 이젠 죽을 수 있다. 늙은 배우들을 위한 안식처들이 있는 것이다.

3. 정 복

정복자는 말한다. "아니다, 내가 행동을 사랑하기 때문에 생각하는 법을 잊어버린 것이라고 생각지 말라. 반대로, 나는 내가 믿는 것을 완전하게 명시할 수 있다. 나는 그것을 굳게 믿고 그것을 확실하고 분명하게 보고 있기 때문이다. '난 이것을 너무도 잘 알고 있어서 표현할 수가 없다'고 말하는 사람들을 조심하라. 표현할 수 없다면, 그것은 그들이 모르기 때문이거나 아니면 게을러서 그 외면적인 표현에서 그친 것이기 때문이다."

"나는 많은 소신을 갖고 있지 않다. 인생의 끝에 이르러, 인간은 자신이 단 한 가지 진실을 확신하게 되는 데에 세월을 보냈음을 깨닫는다. 그러나 단 한 가지의 진실이라도, 그것이 명백한 것이라면 한 존재를 이끌어 주기에 충분하다. 나로 말하자면, 나는 단연코 개인에 관해 뭔가 할 말을 갖고 있다. 개인에 관해서라면 무뚝뚝하게, 그리고 필요하다면 적당히 경멸적으로 말해야만 한다.

인간은 그가 말하는 것들보다는 그가 남에게 말하지 않는 것들로 하여 더 한층 인간다운 것이다. 내가 남에게 알리지 않을 것들은 많다. 그러나 나는, 개인을 판단해 온 모든 사람들이 그 판단의 근거가 되는 경험들을 우리보다 훨씬 적게 갖고서 판단해 왔다고 굳게 믿고 있다. 지성, 그 감동적인 지성은 어쩌면 무엇에 대해 주목하는 게 중요한 것인지를 예견했었는지도 모른다. 그러나 그 시대, 그 시대의 잔해들, 그리고 그 시대의 피는 분명한 사실들로써 우리를 압도한다. 고대의 민족들이, 그리고 우리의 기계 시대로 내려와 좀 더 최근의 민족들까지도, 사회의 그리고 개인의 힘들을 서로 대비시켜 저울질해 볼 수 있었고, 어느 쪽이 어느 쪽에 봉사해야 할 것인가를 알아낼 수가 있었다. 그럴 수 있었던 첫 번째 이유는, 인간 존재는 봉사를 하거나 봉사를 받도록 창조되었다고 하는 인간 마음속의 저 뿌리 깊은 이상 심리 덕택이다. 그럴 수 있었던 두 번째 이유는, 사회도 개인도 아직은 그들의 모든 능력을 다 드러내지 않았다는 것이다."

"뛰어난 정신의 소유자들이 플랑드르의 피비린내 나는 전쟁이 한창일 적에 태어난 네덜란드 화가(루벤스를 말한다 – 역주)의 걸작들에 놀라움을 표시하고, 무시무시한 30년 전쟁(1618년에서 1648년까지 독일 신성 로마 제국 내의 신 · 구교도 사이에 벌어진 종교 전쟁 – 역주) 동안에 자라난 실레지아 지방 신비주의자들의 기도문에 깜짝 놀라는 것을 나는 보아 왔다. 그들의 놀란 눈앞에선 영원한 가치들이 세속의 혼란보다 더 오래 살아남는 것이다. 그러나 그 이후로 진전이 있어 왔다. 오늘날의 화가들은 그러한 평정을 박탈당한다. 그들이 기본적으로, 창조자들에게 필요한 마음—폐쇄된 마음—을 갖고 있다 하더라도, 그것은 소용이 없다. 성자(聖者) 자신까지도 포함하여 모든 사람들이 동원되기 때문이다. 이것이 내가 가장 심각하게 느껴 온 것이리라. 참호들 속에서 유산되는 모든 형상들에서, 총검 아래 박살나는 모든 초벌 그림과 비유 혹은 기도에서, 영원은 한 판 지고 마는 것이다. 내가 나의 시대로부터 초연할 수 없다는 것을 의식하고서, 나는 나의 시대에 절대로 필요한 한 부분이 되기로 결심하였다. 바로 그러한 까닭에, 나는 단지 개인이란 것이 내게 우스꽝스럽고 굴욕적으로 생각된다는 이유만으로 개인을 중히 여기는 것이다. 승리할 대의명분들이 없다는 걸 알므로, 나는 패배할 대의명분들을 좋아한다. 그것들은 자신의 일시적인 승리들과 마찬가지로, 자신의 패배도 견딜 수 있는 어떤 때묻지 않은 영혼을 필요로 한다. 이 세계의 운명과 묶여 있음을 느끼는 모든 사람에게는, 여러 문명들의 충돌은 뭔가 괴로운 것을 가지고 있다. 나는, 그 괴로움을 함께 하길 원함과 동시에 그것을 나의 것으로 만들어 왔다. 나는, 확실함을 좋아하는 까닭에, 역사와 영원 중에서 역사를 선택했다. 나는 최소한 역사를 확신하고 있거니와, 나를 짓누르는 이 힘을 어떻게 부인할 수 있겠는가?"

"언제든 관조(觀照)와 행동 간에 선택해야만 할 때가 온다. 이것이 곧 인간이 된다고 하는 것이다. 그러한 선택들은 끔찍하다. 그러나 긍지 있는 마음에겐 절충이란 없다. 신(神) 아니면 시간, 저 십자가가 아니면 이 검(劍)이 있을 뿐이다. 이 세계는 그 걱정거리들을 초월하는 보다 높은 의미를 갖고 있거나, 아니면 그러한 걱정거리들 외엔 아무런 진실한 것도 없거나이다. 인간은, 시간과 더불어 살고 시간과 더불어 죽거나, 아니면 보다 위대한 삶을 위해 시간에서 벗어나야만 한다. 타협을 하여, 영원한 것을 믿으면서 이 세상을 살아갈 수 있다는 것을 나는 안다. 그것을 일러 용인이라고 하는 것이다. 그러나 나는 그 말을 혐오하며, 전체 아니면 무(無)를 원한다. 내가 행동을 택한다 해도, 관조(觀照)가 내게 미지(未知)의 나라 같은 것이라고는 생각하지 말라. 그러나 관조가 내게 모든 것을 주지는 못하며, 영원한 것을 빼앗긴 나는 시간과 동맹을 맺고 싶다. 나는 향수도 고통도 고려하고 싶지 않으며, 나는 다만 분명하게 보길 원할 뿐이다. 분명히 말하거니와, 내일 당신은 동의할 것이다. 당신에게 그리고 내게 그것은 하나의 해방이다. 개인은 아무것도 할 수 없지만 그러면서도 모든 것을 할 수 있다. 얽매임이 없는 이 훌륭한 상태 속에서 당신은 왜 내가 개인을 한편으로는 찬양하면서 동시에 짓누르는지를 이해할 것이다. 개인을 짓부수는 것은 이 세계이며, 개인을 해방시키는 것은 나이다. 나는 개인에게 그의 모든 권리를 준다."

*

"정복자들은, 행동은 그 자체로는 무익하다는 것을 알고 있다. 유익한 행동은 단 하나밖에 없으니, 인간과 대지를 개조하는 것이 그것이다. 나는 인간들을 개조하지 못할 것이다. 그러나 우리는 '그럴 수 있는 것처럼' 해야만 한다. 투쟁의 길은 나를 육신으로 이끌기 때문이다. 굴욕적인 것일지라도, 육신은 내게 유일하게 확실한 것이다. 나는 오직 그것으로써만 살 수 있다. 그 피조물이 나의 모국인 것이다. 이것이 바로 내가 이 부조리한 헛된 노력을 선택한 이유이다. 이것이 바로 내가 투쟁 쪽을 택하는 이유이다. 내가 말했듯, 시대가 이것에 전력하는 것이다. 지금까지 한 정복자의 위대함이란 지리적인 것이었다. 그것은 정복된 영토의 넓이로써 평가되었다. 그 어휘의 뜻이 달라져 승리한 장군을 의미하지 않게 된 데에는 이유가 있다. 위대함의 근거가 바뀌었기 때문이다. 위대함은 이제 항거와 대가 없는 희생에 있다. 그때에도 역시 패배가 좋아서 그런 것은 아니다. 승리는 바람직한 것이다. 그러나 승리는 단 하나밖에 없으며, 그것은 영원하다. 그것은 내가 결코 갖지 못할 승리이다. 바로 그것이 내가 넘어지면서도 매달리는 곳이다. 근대적인 정복자들 중의 첫 번째인 프로메테우스의 혁명을 비롯하여, 혁명이란 언제나 신들에 대항하여 성취된다. 그것은 자신의 운명에 대항하여 만들어지는 인간의 요구들이다. 가난한 자의 요구들이란 하나의 핑계일 뿐인 것이다. 그럼에도 불구하고 그러한 정신을 나는 오직 그 역사적 행위 속에서만 파악할 수 있으며, 내가 그러한 정신과 접촉하는 곳도 바로 거기이다. 그러나 내가 그것을 즐기고 있다고는 생각지 말라. 다만, 나는 근본적인 모순에 맞서면서 나의 인간적 모순을 고집하는 것이다. 나는 나의 명징을 부정하는 것 한가운데서 나의 명징을 확고히 한다. 나는 인간을 짓누르는 것 앞에서 인간을 찬양하며, 그때에 나의 자유, 나의 반항, 그리고 나의 열정은 그 긴장과 그 명징과 그 거대한 반복 속에서 합쳐진다."

"그렇다, 인간은 그 자신의 목적이다. 그리고 인간은 그 자신의 유일한 목적이다. 그가 무엇인가 되고자 한다면, 그것은 현세 안에서이다. 이제 그것을 나는 더할 나위 없이 잘 알고 있다. 정복자들은 때때로 정복과 극복에 대해 이야기한다. 그러나 그들이 뜻하는 것은 언제나 '자기 자신을 극복하는 것'이다. 그것이 무엇을 의미하는지 당신은 잘 알고 있다. 모든 사람들이 어떤 순간에는 자신이 어떤 신과 똑같다고 느껴 왔다. 적어도 그런 식으로 표현한다. 그런데 이것은, 어느 한순간에 그가 인간 정신의 놀라운 위엄을 느꼈다는 사실로부터 온다. 정복자들이란 다만, 끊임없이 그러한 절정 위에서, 그리고 그러한 위엄을 완전하게 의식하면서 살아갈 자신이 있을 만큼 자기 자신의 힘을 의식하고 있는 사람들 속에만 있을 뿐이다. 그것은 산술적(算術的)인 다소(多少)의 문제이다. 정복자들은 보다 많은 것을 할 수 있다. 그러나 그들은 하고자 원할 때의 인간 자신보다 많은 것을 할 수는 없다. 바로 이것이, 그들이 인간의 시련의 도가니를 결코 떠나지 않고 소용돌이치는 혁명 혼(塊) 속으로 뛰어드는 이유이다."

"거기에서 그들은 불구가 된 피조물을 발견하지만, 그러나 거기서 또한 자기들이 좋아하고 찬양하는 유일한 가치, 즉 인간과 그의 침묵을 만난다. 이것이 그들의 빈곤함이며 동시에 그들의 부(富)이다. 그들에겐 단 한 가지의 호사스러움, 즉 인간관계의 호사스러움밖에 없다. 상처받기 쉬운 이 우주 속에서, 인간적인 그리고 오직 인간적일 뿐인 모든 것이 보다 생생한 의미를 띠게 된다는 것을 어떻게 깨닫지 못할 수 있겠는가? 긴장된 얼굴들 · 위협받는 우애 · 인간들 사이의 강하고 순수한 우정—이러한 것들은 그것들이 무상한 것인 까닭에 진정한 부(富)인 것이다. 그러한 것들 가운데서 정신은 자신의 힘과 한계를, 말하자면 정신 자신의 유효성을 가장 잘 의식한다. 어떤 사람들은 천재에 관해 말해 왔다. 그러나 천재가 말하긴 쉽겠지만, 나는 지성 쪽을 택한다. 그렇다면 지성은 굉장한 것일 수 있다는 것을 말해야만 한다. 지성은 이 사막을 불 밝히고 그것을 지배한다. 지성은 그 자신의 의무들을 알고 있고 그것들을 예시한다. 지성은 이 육체와 동시에 죽을 것이다. 그러나 그것을 의식하는 것이 지성의 자유를 구성하는 것이다."

*

"우리는 모든 교회가 우리에게 적대적이라는 것을 모르지 않는다. 대단히 고양된 정신은 영원한 것을 회피하지만, 그러나 신적(神的)인 것이든 정치적인 것이든 모든 교회는 영원한 것에 대한 추구를 주장한다. 행복과 용기, 응보나 정의는 교회들에게는 2차적인 목적이다. 그들이 중시하는 것은 어떤 교리이며, 사람은 거기에 복종해야만 한다. 그러나 나는 그러한 관념들이나 영원한 것에는 아무런 관심도 없다. 나의 범주 내에 있는 진실들만이 나의 대상인 것이다. 나는 그 진실들로부터 떨어질 수 없다. 바로 이것이, 당신이 나를 기반으로 해서 아무것도 세울 수 없는 이유이다. 정복자가 갖고 있는 그 어떤 것도 영속되지는 않는다. 그의 주장들까지도."

"어찌 되었든 간에, 그 모든 것의 끝에는 죽음이 있다. 우리는 죽음이 모든 것을 끝낸다는 것도 또한 알고 있다. 유럽의 곳곳에 있는 공동묘지들이—우리들 중 어떤 사람들의 뇌리에서 떠나지 않는—끔찍해 보이는 것도 그 때문이다. 사람들은 자신들이 사랑하는 것만을 아름답게 꾸미는데, 죽음은 우리에게 싫은 느낌을 주며 우리의 인내심을 지치게 한다. 죽음 역시 극복되어야만 할 것이다. 페스트로 인해 텅텅 비고 베니스 사람들에 의해 포위된 파두아(이탈리아 동북부의 도시 – 역주)에 갇혀 있던 한 사람, 그 최후의 까라라인(까라라는 이탈리아 서북부의 도시이다 – 역주)은 아무도 없는 자신의 궁전 홀들을 소리치며 뛰어다녔다. 그는 악마에게 호소하고 있었고, 악마에게 죽음을 청하고 있었던 것이다. 그것은 죽음을 극복하는 한 방법이었다. 그리고 마찬가지로, 죽음이 스스로 존중받고 있다고 생각하는 장소들을 그렇게 추악하게 만들어 놓은 것은 서양(西洋) 특유의 용기의 한 표시이다. 반항인의 세계에서는, 죽음은 불의를 부추긴다. 이 경우 죽음은 최고의 악폐인 것이다."

"다른 사람들은 이 양자를 화해시키지 않고 영원한 것을 택하고, 이 세상의 환상을 비난했다. 그들의 묘지는 수많은 꽃들과 새들 가운데서 미소 짓고 있다. 그것은 정복자에게 알맞으며, 그가 배격했던 것의 어떤 분명한 모습을 그에게 보여 준다. 반면에 정복자는 검은 쇠 울타리나 무연(無緣)의 공동묘지를 택했던 것이다. 신(神)의 사람들 중 가장 나은 사람들은, 이따금씩 자신의 죽음에 대한 그러한 이미지를 갖고 살 수 있는 정신들에 대한 존경과 연민이 뒤섞인 놀라움에 사로잡힌다. 그러나 그러한 정신들은 바로 그것으로부터 자신의 힘과 정당성을 이끌어 낸다. 우리의 운명이 우리 앞에 서 있고, 우리는 그 운명을 도발하는 것이다. —자만심에서라기보다는 우리의 무력한 조건에 대한 자각에서, 우리도 역시, 때로는 우리 자신에 대해 연민을 느끼기도 한다. 그것이 우리에게 받아들여질 수 있을 듯 보이는 유일한 동정이다. 그것은 당신이 거의 이해하지 못할, 그리고 당신에겐 좀처럼 남성적으로 보이지 않을 감정이다. 하지만 우리들 중 가장 대담한 자들은 그러한 감정을 느끼는 사람들이다. 그러나 우리는 명징한 사람들을 남자답다고 부르며, 우리는 명징과 거리가 먼 힘은 원치 않는다."

*

거듭 말하지만, 이러한 이미지들은 도덕률을 제시하지 않으며, 어떠한 판단도 포함하지 않는다. 그 이미지들은 데생일 뿐이다. 그것들은 삶의 한 형태를 나타낼 뿐이다. 연인 · 배우 혹은 모험가는 부조리를 연기한다. 그러나 점잖은 사람 · 관리, 혹은 공화국의 대통령도, 스스로 원하기만 한다면 똑같이 잘 연기한다. 그것은 아는 것만으로, 그리고 아무것도 가리지 않는 것만으로 충분하다. 이탈리아의 박물관에 가면, 때로 신부가 사형수들에게 단두대를 가리기 위해 그들의 얼굴 앞에서 들고 있던 그림이 그려진 작은 가리개를 볼 수 있다. 신(神) 또는 영원 속으로 뛰어들고, 일상의 혹은 관념의 환상에 굴복하는 온갖 형태의 비약—그 모든 가리개들은 부조리를 가리고 있다. 그러나 가리개 없는 관리들도 있으며, 내가 말하고자 하는 사람들은 바로 그들인 것이다.

나는 가장 극단적인 사람들을 택해 왔다. 이 차원에서는, 부조리는 그들에게 어떤 왕권(王權)을 준다. 그 왕자들에게는 왕국이 없다는 것은 사실이다. 그러나 그들은 다른 사람들보다 나은 이 유리함, 즉 모든 왕위(王位)가 허망한 것임을 알고 있다는 유리함을 갖고 있다. 그들이 그것을 알고 있다는 것, 그것이 그들의 모든 고귀함이거니와, 그들에 관해 숨겨진 불행이나 환멸의 재(灰)를 말하는 것은 소용없는 일이다. 희망을 박탈당하는 것이 절망하는 것은 아니다. 지상(地上)의 불길은 분명 천상(天上)의 향기만한 가치가 있는 것이다. 나도 또 그 어느 누구도 여기서 그들을 판단할 수 없다. 그들은 더 나은 사람이 되려고 애쓰지 않는다. 그들은 시종일관성을 갖고자 한다. '현명한 사람'이라는 말이, 자신이 갖고 있지 않은 것에 투기(投機)함 없이 자신이 갖고 있는 것만으로 사는 사람에게 적용될 수 있다면, 그들은 '현명한 사람들'이다. 그들 중의 한 사람, 다만 인식의 영역에서만 정복자 같은 사람, 다만 인식의 돈 후안 같은 사람, 다만 지성의 배우 같은 사람은 이 사실을 누구보다도 더 잘 알고 있다. 즉 "사람은, 자신의 작은 온순한 양을 완벽한 상태로 만들었다고 해서, 지상에서 그리고 하늘에서 어떤 특권을 누리기에 족한 것은 결코 아니다. 그래도 역시 그것은 여전히, 아무리 잘 해야 우스꽝스러운 뿔 달린 작은 양일 것이며, 그 이상의 아무것도 아니다—그가 허영으로 가득 차지 않고, 심판관 같은 태도를 취함으로써 물의를 일으키지 않는다 하더라도."

어쨌거나 중요한 것은, 부조리한 추론에 보다 진정어린 실례(實例)들을 되돌려 주는 것이다. 상상력은 거기에다 시간과 유형(流刑)으로부터 떨어질 수 없는 다른 많은 사람들을 추가시킬 수 있는데, 그들도 마찬가지로 미래 없는 그리고 유약함 없는 세계와 조화를 이루며 사는 방법을 알고 있는 것이다. 그리되면, 이 부조리하고 신(神) 없는 세계는, 분명하게 생각하며 더 이상 희망을 갖지 않는 사람들로 꽉 차게 된다. 그리고 나는 아직 가장 부조리한 인물에 대해 이야기하지 않았는데, 그것은 바로 창조자(創造者)이다.

제3장

부조리한 창조

1. 철학과 소설
2. 키릴로프
3. 덧없는 창조

1. 철학과 소설

부조리의 희박한 공기 속에서 유지되는 이 모든 삶들은, 그 삶에 힘을 부어 주는 어떤 심오하고 변함없는 사상 없이는 견뎌 낼 수 없다. 여기에서는 그것은 충실성이라는 이상한 감정일 수밖에 없다. 우리는 의식적인 사람들이 가장 어리석은 전쟁에서 스스로 모순에 빠졌다는 생각 없이 자신의 임무를 수행하는 것을 보아 왔다. 그것은, 아무것도 회피하지 않는 게 중요한 것이었기 때문이다. 이렇게 세계의 부조리성을 견뎌 낸다는 것에는 어떤 형이상학적인 명예가 있다. 정복이나 연기(演技) · 다수의 사랑 · 부조리한 반항은 인간이 진작 패배한 싸움에서 자신의 존엄성에 바치는 경의인 것이다.

그것은 다만 싸움의 규칙에 충실한 문제이다. 그러한 생각은 한 정신을 지탱시키기에 충분할 것이다. 그것이 전체 문명들을 지탱해 왔고 지금도 지탱하고 있기 때문이다. 전쟁은 부인될 수 없다. 전쟁을 살아 넘기든가 전쟁으로 죽든가 해야 한다. 부조리의 경우에도 그러하다. 그것은 부조리와 더불어 숨 쉬고, 부조리의 교훈들을 인식하고, 그 교훈들의 실체를 되찾는 문제이기 때문이다. 이 점에서 부조리의 최고의 기쁨은 창조이다. 니체는 말했다. "예술, 그리고 오직 예술뿐이다. 우리는 진리로 인해 죽지 않기 위해 예술을 갖고 있는 것이다"라고.

내가 몇 가지 방법으로 묘사하고 강조하고자 하는 경험의 경우, 한 고통이 죽는 곳에서 새로운 고통이 솟는 게 확실하다. 어린애처럼 망각을 추구하고 만족을 호소해도, 이젠 메아리가 없다. 그러나 인간을 세계와 정면으로 마주 서게 하는 그 긴장, 그로 하여금 모든 것을 받아들이도록 강요하는 차분한 광희(狂喜)는 그에게 또 다른 열병을 남긴다. 이 우주 속에서는, 이제 예술작품이 그의 의식을 유지하고 의식의 모험을 새겨 두는 유일한 기회인 것이다. 창조하는 것, 그것은 두 배로 사는 것이다. 프루스트적인 더듬거리는 불안한 탐색, 그가 꽃들 · 벽지, 그리고 불안 등에 지나치게 꼼꼼하게 생각을 집중시키는 것은, 그 외에 다른 아무것도 의미하지 않는다. 동시에 그것은, 배우 · 정복자, 그리고 모든 부조리한 인간들이 나날의 삶 속에서 즐기는 계속적인 그리고 눈에 안 보이는 창조보다 더 많은 의미를 갖고 있는 것도 아니다. 그들 모두가, 그들의 것인 현실을 흉내 내고 반복하고 재창조해보는 것이다. 우리는 언제나, 결국에는, 우리의 진실들에 대한 의양을 획득하는 것으로써 끝난다. 영원한 것에 대해 등을 돌린 사람에게는, 모든 생존이 부조리의 가면을 쓰고 하는 거대한 흉내에 지나지 않는다. 창조는 위대한 흉내인 것이다.

이러한 사람들은, 우선 알고, 그러고 나서 그들이 방금 당도한 그 덧없는 섬을 조사하고 확장하고 풍요롭게 만드는 데에 그들의 온 노력을 바친다. 그러나 그들은 우선 알아야만 한다. 부조리한 발견은, 미래의 열정들이 마련되고 정당화되는 어떤 정지의 순간과 일치하기 때문이다. 복음(福音) 없는 사람들에게도 그들 자신의 감람산(예수가 십자가에 못박히기 전날 밤에 기도드렸던 산—역주)이 있는 것이다. 그리고 그 감람산에서도 잠들어서는 안 된다. 부조리한 인간에게는, 설명하고 해결하는 것이 아닌 체험하고 묘사하는 것이 문제이다. 모든 것이 명징한 초연함으로부터 시작된다.

묘사하는 것—이것이 부조리한 사고(思考)의 마지막 야망이다. 학문도 마찬가지로, 그 역설들의 끝에 다다르면 문제 제기를 그치고, 많은 현상들로 이루어진 언제나 순결한 풍경을 관조하고 스케치하기 위해 멈추는 것이다. 그리하여 우리가 세상의 여러 모습들을 볼 때, 우리를 즐겁게 하는 감정은 세계의 깊이로부터가 아니라 그 모습들의 다양함에서 온다는 사실을 가슴으로 배우게 된다. 설명은 헛되지만 감각은 남고, 그와 더불어 양적으로 무진장한 한 세계의 끊임없는 인력(引力)도 남는다. 예술작품의 위치는 이런 점에서 이해될 수 있을 것이다.

예술작품은, 한 경험의 사멸과 그 증가를 표현한다. 그것은 육체 · 사원(寺院)의 박공판(膊栱板) 위에 새긴 없어지지 않는 조상(彫像) · 형태 혹은 색채 · 선율 혹은 슬픔 등과 같은, 세상에 의해 이미 편곡된 주제들을 단조롭고도 열정적으로 반복하는 것과 같다. 따라서 놀랍고도 어린애 같은 창조자의 세계에서 이 에세이의 주요 주제들을 다시 한 번 만나는 것은, 결론적으로 말해, 대수롭지 않은 일이 아니다. 거기에서 어떤 상징을 본다거나 예술작품을 부조리한 자들의 피난처로 여길 수 있다고 생각한다면, 그것은 잘못일 것이다. 예술작품은 그 자체가 하나의 부조리 현상이며, 우리는 다만 그 묘사에 관심을 갖고 있다. 그것은 지성의 병(病)에 어떤 탈출구를 제공하지 않는다. 오히려 그것은 한 인간의 사고(思考) 전체를 통해 나타나는 그러한 병(病)의 징후 중의 하나인 것이다. 그러나 예술작품은 처음으로 정신을 그 자신에서 벗어나게 하여 다른 정신들의 반대편에 놓는데, 그것은 그 정신으로 하여 길을 잃게 하기 위해서가 아니라, 모든 정신들이 들어선 캄캄한 길을 분명하게 보여 주기 위해서이다. 부조리한 추론에 있어서는, 창조는 초연함과 발견 뒤에 온다. 창조는 부조리의 열정이 솟아오르고 이성의 활동이 멈추는 지점을 가리킨다. 이 에세이 속에서의 창조의 위치는 이렇게 정당화된다.

예술작품 속에서 부조리와 관련된 사상의 모든 모순들을 발견하기 위해서는 창조자와 사상가에게 공통된 몇 가지 주제들을 밝히는 것으로 충분할 것이다. 사실상 여러 정신들이 서로 친척지간임을 증명하는 것은, 동일한 결론들이라기보다는 그 정신들에 공통된 모순들이다.

사상과 창초의 경우에도 그러하다. 동일한 고뇌가 인간을 사상과 창조라는 이 두 가지 자세로 몰아간다는 것은 말할 필요가 없으리라. 바로 여기에서 사상과 창조가 처음으로 일치하는 것이다. 그러나 부조리에서 출발하는 모든 사상들 중에서 아주 소수만이 부조리 내에 머무는 것을 나는 보아 왔다. 그리고 그러한 사상들의 이탈이나 불성실을 통해, 나는 오히려 부조리에 속한 것들을 가장 잘 헤아릴 수 있었던 것이다. 그와 비슷하게, 나는 부조리한 예술작품이란 것이 있을 수 있을까를 미심쩍게 생각하지 않을 수 없다.

*

예술과 철학을 대립시킨 예전의 관념이 독단적이라는 것은 아무리 강조해도 지나치지 않을 것이다. 그러한 대립을 지나치게 제한된 의미로 받아들이길 고집한다면, 그것은 분명 그릇된 것이다. 이 두 분야가 각기 저마다의 고유한 풍토를 갖고 있다는 뜻으로만 말한다면, 그것은 아마 맞는 말이겠지만, 그래도 막연하다. 그러한 대립에 관해 받아들일 수 있는 유일한 논거는, 자신의 체계 '내에' 둘러싸여 있는 철학자와 자신의 작품 '앞에' 위치해 있는 예술가 사이에서 생기는 모순들에 있었다. 그러나 그것은 어떤 형태의 예술과 철학에 합당한 것이었는데, 여기서는 그것을 부차적인 것으로 간주했다. 예술이 그 창조자와 분리되어 있다는 생각은 시대에 뒤떨어지는 것에 그치는 것이 아니다. 그것은 그릇된 생각인 것이다. 예술가와는 반대로 어떤 철학자도 몇 가지 체계를 창조한 적은 없다는 점이 지적된다. 그러나 그것은, 사실상, 어떤 예술가도 한 가지 이상의 것을 서로 다른 모습들로 표현한 적이 없는 경우에 한에서만 사실이다. 예술의 순간적 완성 및 그 갱신(更新)이 불가피하다는 것은 오직 어떤 선입관을 통해 볼 때에만 사실이다. 예술작품도 역시 하나의 건축이며, 위대한 창조자들이 얼마나 단조로울 수 있는가는 누구나 알고 있다. 사상가와 똑같은 이유로 예술가도 자신의 작품 속에다 온 힘을 다 쏟으며 그 자신이 된다. 그러한 삼투성(滲透性)은 미학적 문제들 중 가장 중요한 문제를 제기한다. 더구나 정신은 오로지 한 목적에만 마음을 쏟는다는 것을 확신하는 사람에게는, 방법과 대상을 근거로 한 구분보다 더 헛된 것은 없다. 인간이 이해하고 사랑하기 위해 자기 자신에게 부과하는 원칙들 사이에는 아무런 경계선도 없다. 그것들은 서로 맞물리며, 같은 고뇌에 의해 융합되는 것이다.

우선 이 점부터 밝혀 둘 필요가 있다. 즉 부조리한 예술작품이 가능하기 위해서는 가장 명징한 형태의 사고(思考)가 그 안에 포함되어 있어야만 한다는 점이다. 그러나 동시에, 사고는 통제하는 지성(知性)으로서가 아니고는 드러나 있지 않아야 한다. 이러한 역설은 부조리에 의해 설명될 수 있다. 예술작품은, 지성이 구체적인 것들을 이론적으로 추론하길 거부하는 데에서 태어난다. 그것은 육감적인 것의 승리를 표시한다. 그것을 유발하는 것은 명징한 사고이지만, 바로 그 행위 속에서 그 사고는 자기 자신을 받아들이길 거부한다. 사고는, 묘사되는 것에다 제 자신이 불합리한 것으로 알고 있는 보다 깊은 의미를 덧붙이고자 하는 유혹에 굴하지 않으려 한다. 예술작품은 어떤 지성의 드라마를 구현하지만, 그것을 다만 간접적으로 증명할 뿐이다. 부조리한 작품은 이러한 한계들을 의식하고 있는 예술가를 필요로 하며, 또한 구체적인 것이 그 자체 이상의 어떤 것도 의미하지 않는 예술을 필요로 한다. 예술이 삶의 목적이나 의미 혹은 위안이 될 수는 없다. 창조하건 혹은 창조하지 않건, 아무것도 달라지지 않는다. 부조리한 창조자는 자신의 작품을 중히 여기지 않는다. 그는 자신의 작품과 인연을 끊을 수도 있다. 그리고 실제로 자신의 작품과 인연을 끊기도 한다. 아비시니아 왕국만으로 족한 것이다(랭보의 경우를 염두에 둔 것으로서, 랭보는 후에 창작을 버린 채 아비시니아 왕국에서 교역에 종사했다 — 역주).

동시에 이것에서 어떤 미학적 규칙을 볼 수 있다. 진정한 예술작품은 그 작가의 인간적인 성숙도에 달려 있다. 그것은 본질적으로 '덜' 말하는 작품이다. 예술가의 총체적 체험과 그 체험을 반영하는 작품 간에는, 가령 《빌헬름 마이스터》와 괴테의 성숙 간에는 어떤 관계가 있다. 작품이 어떤 설명 문학의 레이스지(紙) 속에다 그 경험 전체를 전하려 할 때, 그 관계는 좋지 않다. 작품이, 체험에서 도려낸 한 조각, 내부의 광채가 아무런 제한 없이 집약되어 있는 다이아몬드의 한쪽 면에 불과할 때에는, 그 관계는 좋은 것이다. 전자의 경우에는, 과중한 부담이 있고 영원한 것에 대한 과장이 있다. 후자의 경우에는, 암시된 경험 전체에서 그 풍요로움이 어렴풋이 느껴지기 때문에, 기름진 작품이다. 부조리한 예술가에게 문제가 되는 것은 '창작하는 법'을 초월해 있는 이 '사는 법'을 획득하는 것이다. 그리고 결국, 이러한 풍토 하에서는 위대한 예술가란 무엇보다도 위대한 생활체(生活體)인데, 이 경우, 산다는 것은 사고(思考)하는 것 못지않게 체험한다는 뜻으로 이해되어야 한다. 이때에 작품은 어떤 지성의 드라마를 구현한다. 부조리한 작품은, 사고가 그 자신의 위세를 포기하는 것을, 그리하여 외양들을 빚어내고 부조리한 것들을 이미지들로써 뒤덮는 지성에 그치기로 체념하는 것을 잘 보여 준다. 세계가 명확한 것이라면 예술은 존재하지 않을 것이다.

나는 여기서는 그 화려한 내향성 속에 묘사만이 가득 차 있는 형태나 색채로 이루어진 예술들에 관해서는 말하지 않겠다.[1] 표현은 사고가 끝나는 데에서 시작된다. 사원과 박물관을 메우는 그 공허한 눈의 젊은이들—그들의 철학은 그 몸짓 속에 표현되어왔다. 부조리한 인간에게는, 그것이 모든 도서관보다 더 교육적이다. 또 다른 면에서 볼 때, 똑같은 것이 음악에도 해당된다. 교훈들이 결여되어 있는 예술이 있다면, 그것은 분명 음악이다. 음악은 수학과 너무도 가까운 친척지간이어서 수학의 무상성(無償性)을 빌려오지 않을 수 없었다. 고정된 정확한 법칙들에 따라 정신이 자신과 노는 그 게임이 일어나는 곳은 우리에게 속하는 낭랑한 음역(音域) 안에서이지만, 그럼에도 불구하고 그 떨림은 그것을 넘어서 어떤 비인간적인 우주 속에서 만나는 것이다. 그보다 더 순수한 감정은 없다. 이러한 실례들은 너무나도 많다. 부조리한 인간은 이러한 조화들과 이러한 형식들을 자기 자신의 것으로 인식하는 것이다.

그러나 내가 여기서 얘기하고 싶은 것은, 설명하고자 하는 유혹이 가장 크게 남아 있으며, 환각이 저절로 생기고, 결론이 거의 불가피한 작품에 관해서이다. 즉 소설 창작품 말이다. 나는, 부조리

---

1) 가장 지적(知的)인 종류의 회화(繪畵), 즉 현실을 그 본질적인 요소들로 환원시키고자 하는 회화가 결국에는 어떤 시각적 즐거움에 지나지 않음을 보게 되는 것은 이상한 일이다. 그러한 회화가 세계와 관련하여 간직하고 있는 것은 오직 그 색채뿐이다.(이것은 특히 레제의 그림에서 분명히 드러난다.)

한 자들이 거기서도 자기 자신을 유지할 수 있는지 없는지를 조사해 볼 것을 제의한다.

*

생각하는 것은 무엇보다도 먼저 하나의 세계를 창조하는 것이다(혹은 자기 자신의 세계를 한정하는 것으로, 그것 또한 결과적으로는 마찬가지이다). 그것은 인간을 그의 경험으로부터 분리시키는 기본적인 합의로부터 출발하고 있는데, 그것은 자신의 동경에 따라 어떤 공통의 바탕을 발견하기 위해서이다. 즉 여러 가지 이치들로 갇혀 있는, 혹은 여러 가지 유추들로써 밝혀져 있는 한 세계, 그러나 견딜 수 없는 단절을 없앨 기회를 주는 한 세계를 발견하기 위해서이다. 철학자는, 그가 칸트라고 할지라도 하나의 창조자이다. 철학자는 자기의 인물들과 자기의 상징들과 자기의 비밀스러운 사건을 갖고 있다. 그는 그의 구성의 결말을 갖고 있다. 반대로 소설이 시와 에세이보다 우월한 것은, 겉으로야 어떻게 보이든 간에 예술의 보다 큰 지성화(知性化)를 의미할 뿐이다. 이 말에 대해 오해가 없도록 하자. 내가 말하고 있는 것은 가장 위대한 소설들이다. 어떤 문학 형식의 풍요로움과 중요성은 흔히 그것이 포함하고 있는 졸작들에 의해 측정된다. 하찮은 소설들이 많다고 해서 가장 훌륭한 소설들의 가치를 잊어서는 안 된다. 이 가장 훌륭한 소설들은 실로 저마다의 우주를 지니고 있는 것이다. 그러한 소설은 자신의 논리와 자신의 추론과 자신의 직관과 자신의 요구들을 갖고 있다. 소설은 또한 명백함에 대한 요구들을 갖

고 있는 것이다.[2)]

내가 앞서 얘기했던 예술과 철학 간의 고전적인 대립은 이 특정한 경우에는 한결 더 옳지 않다. 그것은 철학을 그 저자들과 분리하기 쉬웠던 시대에는 유효했다. 그러나 사상이 이젠 더 이상 스스로 보편적인 것임을 주장하지 않게 되고 사상의 역사가 가장 잘해 봐야 회한의 역사가 되는 오늘날에 이르러서는, 철학적 체계는 그것이 가치 있는 것일 때에는 결코 그 저자와 분리될 수 없다는 것을 우리는 분명히 알게 된다. 《윤리학》 자체가 어떤 일면에서는 하나의 긴, 그리고 조리 있는 개인적 고백에 불과하다. 추상적 사상은 결국 그 지주(支柱)인 육신으로 되돌아간다. 그리고 그와 비슷하게, 육체와 열정들의 소설적 움직임들은 어떤 세계관의 요청들에 따라 좀 더 통제된다. 작가는 '이야기들'을 말하길 포기하고, 자신의 우주를 창조하는 것이다. 위대한 소설가란, 테제 소설가들의 반대인 철학적 소설가들이다. 그중 몇몇만 예를 들자면, 발자크 · 사드 · 멜빌 · 스탕달 · 도스토옙스키 · 프루스트 · 말로 · 카프카 등이다. 그러나 실은 그들이 조리 있는 주장들보다는 이미지로써 쓰는 것에 편애를 보여 왔다는 사실은 그들에게 공통

---

2) 멈추어 생각해 본다면, 이것이 가장 저질의 소설들을 설명해 준다. 즉 거의 모든 사람들이 자신이 사고할 능력을 갖고 있다고 생각하거니와, 또한 잘하건 못하건 어느 정도는 사고를 한다. 반면에 스스로 시인 혹은 언어를 다루는 예술가라고 생각할 수 있는 사람은 아주 적다. 그러나 사고(思考)가 문체를 끌어들인 순간부터 어중이떠중이들이 소설로 달려들었다.
그것은 사람들이 말하는 것처럼 그렇게 큰 위험은 아니다. 가장 훌륭한 소설가들은 자기 자신에 대해 보다 큰 요구들을 하게 된다. 잊히고 마는 소설가들에 관해 말하자면, 그들은 기억 속에 살아남을 가치가 없는 작가들이었다.

된 어떤 사고(思考)를 드러내고 있는데, 그것은 어떠한 설명 원리도 무익하다는 것을 확신하고 있는, 그리고 감각으로 알 수 있는 겉모습들이 주는 교훈적 메시지를 확신하고 있는 사고이다. 그들은 예술작품을 한 끝과 동시에 시작으로 생각한다. 예술작품은, 흔히 말로 표현되지 않는 어떤 철학의 결과이며, 그 예증이며, 그 극치이다. 그러나 그것은 오직 그 철학의 함축된 뜻을 통해서만 완전해진다. 그것은 결국, 조금의 사고(思考)를 통해서는 삶과 거리가 멀어지지만, 반면에 많은 사고를 통해서는 삶과 화해하게 되는 오래된 주제의 변형을 정당화시킨다. 사고는, 현실적인 것을 순화시킬 수 없어, 그것을 흉내 내는 데에 그치는 것이다. 여기서 문제 되고 있는 소설은 상대적이면서 동시에 무진장한 인식의 도구이며, 사랑의 도구와도 같다. 사랑에 대해, 소설적 창조는 그 최초의 놀라움과 풍요로운 묵상을 갖는다.

*

적어도 이러한 것들이 애당초 내가 소설적 창조에서 보는 매력들이다. 그러나 나는 마찬가지로 그러한 매력들을 그 굴욕의 사상의 왕자들에게서도 보았거니와, 그 뒤 나는 그들의 자살을 목격할 수 있었던 것이다. 정말로 내게 관심 있는 것은, 그들을 공통된 환상의 길로 다시 이끌어 가는 힘을 인식하고 묘사하는 것이다. 그러므로 여기서도 똑같은 방법이 내게 도움을 줄 것이다. 그 방법을 이미 사용한 바 있으므로, 나의 논의를 줄여 그것을 곧바로 한 특정한 실례로써 요약해도 좋으리라. 나는, '구원의 호소 없는 삶'을 받아들이면서 '구원의 호소 없이' 일하고 창조 활동을 할 수 있을 것인가, 그리고 이러한 자유로 인도하는 길은 무엇인가 하는 것을 알고 싶다. 나는, 나의 세계를 그 환영들로부터 해방시켜, 나 자신이 그 존재를 부인할 수 없는 살과 피의 진실들만이 거기에 살게 하고 싶다. 나는 부조리한 작품을 쓸 수 있고, 다른 태도보다 그러한 창조적 태도를 취할 수 있다. 그러나 부조리한 태도는, 그것이 부조리한 상태에 머물러 있기 위해서는, 그 자신의 무상성(無償性)을 계속 의식하고 있어야만 한다. 예술작품의 경우에도 그러하다. 부조리한 자들의 계율들이 존중되지 않는다면, 그 작품이 괴리와 반항을 예시하지 못한다면, 그 작품이 환영들에게 바쳐져 희망을 일으킨다면, 그것은 이젠 무상한 것이 되진 못한다. 그렇게 되면 나는 더 이상 그 작품으로부터 나 자신을 떼어낼 수 없다. 내 삶이 그 안에서 어떤 의미를 발견할는지도 모르지만, 그렇다 해도 그것은 하찮은 것이다. 그 작품은 더 이상 한 인간의 삶의 눈부심과 공허함에 왕관을 씌워 주는 저 초연함과 열정 속에서의 실천이 아니다.

설명하고자 하는 유혹이 가장 강한 창조에 있어서, 인간은 그 유혹을 극복할 수 있을까? 현실 세계에 대한 의식이 가장 날카로운 허구의 세계에서, 나는 판단하고자 하는 욕망에 희생됨이 없이 부조리에 계속 충실할 수 있을까? 마지막 노력으로 고려해 봐야 할 수많은 물음들, 그 물음들이 무엇을 의미하는지는 이미 분명해졌을 것이다. 그것들은, 어떤 최후의 환상을 위하여 자신의 최초의 어려운 교훈을 버리게 될까 두려워하는 한 의식의 마지막

의구심이다. 부조리를 의식한 인간에게 가능한 태도들 중의 '하나로' 여겨지는 창조에게 유효한 것은, 그에게 열린 삶의 모든 방식들에게도 유효하다. 정복자나 배우, 창조자나 돈 후안은, 그들의 삶 속에서의 연습은 그 광적인 성격에 대한 의식 없이는 실행될 수 없다는 것을 잊어버릴 수도 있다. 사람은 그렇게도 빠르게 습성에 길들여지게 마련인 것이다. 인간은 행복해지기 위하여 돈을 벌려고 하며, 모든 노력과 인생의 가장 좋은 부분이 돈을 버는 데에 바쳐진다. 그리하여 행복은 잊혀 버리고, 수단을 목적으로 여기게 되는 것이다. 마찬가지로 이 정복자의 모든 노력도, 전에는 보다 위대한 삶으로 가는 길에 불과했던 야망으로 쏠리게 될 것이다. 마찬가지로 이번에는 돈 후안도 자신의 운명에 굴하여, 오직 반항을 통해서만 가치 있는 고귀함을 갖게 되는 그러한 삶에 만족하게 될 것이다. 전자의 경우에는 그것은 자각이고, 후자의 경우에는 반항이다. 그 두 경우에 모두 부조리는 사라져 버렸다. 인간의 마음속에는 대단히 완고한 희망이 있는 것이다. 가장 희망 없는 사람들도 흔히 환상을 받아들이는 것으로 끝난다. 마음속에서 평온의 욕구에 자극되어 생기는 그러한 긍정은 실존적 동의와 닮은 것이다. 그렇게 하여 빛의 신(神)들과 진흙의 우상들이 있게 된 것이다. 그러나 중요한 것은 인간의 모습으로 이르는 중간의 길을 발견하는 것이다.

지금까지, 부조리의 절박한 요구의 실패들 자체가 우리에게 그 요구가 무엇인가를 가장 잘 알려 주었다. 똑같은 방법으로, 만일 우리가 알아야만 한다면, 허구적 창조가 특정 철학들과 똑같은 양

면성을 나타낼 수 있다는 사실에 주목하는 것만으로 충분하다. 그러므로 나는, 그 예증으로서, 부조리에 대한 의식을 나타내는 모든 것이 포함되어 있는, 그리고 어떤 분명한 출발점과 어떤 명철한 풍토를 가진 한 작품을 선택할 수 있다. 그 결과들이 우리를 교화해 줄 것이다. 만일 그 안에서 부조리가 존중되지 않는다면, 우리는 어떤 편법을 통해 환상이 들어서는가를 알게 될 것이다. 그것들을 위해서는, 특정한 한 예 · 한 주제 · 창조자의 성실성만으로 충분할 것이다. 여기에는 이미 보다 상세하게 전개되었던 바로 그 분석이 포함된다.

나는 도스토옙스키가 즐겨 다루는 주제를 검토하고자 한다. 물론 다른 작품들을 연구해도 좋았을 것이다.[3] 그러나 이 작품 속에서는, 이미 논의했던 실존적 철학들의 경우와 마찬가지로, 숭고함과 감동의 의미에서, 그 문제가 직접적으로 다루어져 있다. 이러한 비교가 나의 목적을 뒷받침해 준다.

3) 예를 들면, 앙드레 말로의 작품. 그러자면 불가피하게 부조리의 사상이 사실상 회피할 수 없는 사회적 문제(그 사상이 몇 개의 서로 아주 다른 해결책들을 제시할는지 모른다 해도)를 동시에 다루어야만 했을 것이다. 그러나 여기서는 스스로 한계를 정해 놓아야만 한다.

2. 키릴로프

도스토옙스키의 작품의 주인공들은 모두가 인생의 의미에 대하여 의문을 품는다. 이 점에 있어 그들은 현대적이다. 즉 그들은 남들의 조롱을 두려워하지 않는다. 현대적 감수성과 고전적 감수성을 구분하는 것은, 후자는 도덕적 문제들을 먹고 자라고, 전자는 형이상학적 문제들을 먹고 자란다는 사실이다. 도스토옙스키의 소설들 속에서는, 극단적인 해결들을 불러들일 수밖에 없을 만큼 그 문제가 강렬하게 제기된다. 존재는 허망하거나 '아니면' 영원해야 한다. 만일 도스토옙스키가 이러한 탐구에 만족했다면, 그는 철학자일 것이다. 그러나 그는 그러한 지적(知的)인 놀이가 한 인간의 삶 속에서 가질 수 있는 결과들을 예시(例示)하며, 그 점에서 그는 예술가인 것이다. 그러한 결과들 가운데서 그의 관심은 특별히 마지막 결과, 즉 《작가 일기》 속에서 그 자신이 '논리적 자살'이라고 부르고 있는 것에 사로잡혀 있다. 1876년 12월분의 일기들 속에서 그는 과연 '논리적 자살'의 추론을 상상하고 있다. 이 절망적인 사람은, 불멸에의 신념이 없는 사람들은 누구나가 인간의 존재가 완전한 부조리임을 확신하고는 다음과 같은 몇 가지 결론에 도달한다.

"행복에 관한 나의 질문들에 대한 대답으로서, 내 의식의 중재를 통해 내가 들은 것은, 위대한 전체와의 조화를 통해서가 아니면 내가 행복해질 수 없다는 것이지만, 나는 그 위대한 전체를 생각할 수가 없고, 또한 결코 생각할 만한 위치에 있지도 못할 것이므로 분명히……"

"이러한 관계에서 결국 나는 원고와 변호인, 피고와 재판관의 역할을 동시에 맡게 되는 까닭에, 그리고 나는 자연에 의해 저질러진 이러한 코미디를 전적으로 어리석다고 여기는 까닭에, 그리고 내가 황송스럽게도 그 코미디를 연기하는 것은 굴욕적이라고까지 생각되는 까닭에……"

"원고이면서 동시에 변호인이며, 피고인이면서 동시에 재판관이라는 이론의 여지가 없는 나의 자격으로서, 나는, 그토록 뻔뻔스러운 용기로 나를 고생하도록 태어나게 한 그 자연에게 나와 더불어 소멸할 것을 선고한다."

이러한 태도에는 조금의 유머가 남아 있다. 이 자살자는 형이상학적 차원에서 '울화가 치밀어' 자살하는 것이다. 어떤 의미에선 그는 복수를 하고 있는 것이다. 그것은 그가 당하지 않겠다는 것을 확인하는 그의 방식이다. 하지만 똑같은 주제가 가장 놀라운 보편성을 갖고서, 마찬가지로 논리적 자살의 신봉자인 《악령》 속의 키릴로프에게 구현되어 있다는 것은 알려진 사실이다. 기사(技士) 키릴로프는 어떤 대목에서, 자신이 목숨을 끊고자 하는 것은, 그것이 자신의 '이념'이기 때문이라고 선언한다. 분명, 그 말은 그 본래의 의미로 받아들여야 한다. 그가 죽음을 준비하고 있는 것은, 하나의 이념, 하나의 사상을 위해서인 것이다. 이것은 우월적인 자살이다. 일련의 장면들 속에서 키릴로프의 정신이 점차 밝아지면서, 그를 몰아치는 죽음의 사상이 차츰 우리에게 드러난다. 키릴로프는 결국 《작가 일기》의 주장들로 되돌아간다. 그는 신은 필요하며, 신이 존재해야만 한다고 느낀다. 그러나 그는 신이 존재하지 않으며 존재할 수 없다는 것을 알고 있다. 그는 외친다. "어째서 당신은 깨닫지 못하는가, 이것만으로도 자살을 할 충분한 이유가 된다는 것을!" 그러한 태도는, 그의 경우에도 역시, 부조리의 결과들 중 어떤 것을 수반한다. 무관심을 통하여, 그는 자기의 자살이 자기가 경멸하는 한 목적에 유리하게 이용되도록 하는 것을 묵인한다. "지난밤에 나는, 아무래도 내겐 괜찮다고 마음을 정했다." 그리고 마침내 그는 반항과 자유가 뒤섞인 감정으로 자신의 행위를 준비한다. "나는, 나의 불복(不服)과 나의 새로우면서도 무시무시한 자유를 확인하기 위해 자살할 것이다." 이제 그것은 더 이상 복수의 문제가 아니라 반항의 문제이다. 그러므로 키릴로프는 부조리한 인물이다. —거기엔 그가 자살한다고 하는 본질적인 유보 조건이 있긴 하지만. 그러나 그 스스로 그러한 모순을 설명하고 있으며, 그렇게 함으로써 동시에 그는 부조리한 비밀을 아주 순수하게 드러낸다. 실제로 그는, 자신의 죽음의 논리에 비상한 야망을 덧붙임으로써 그 인물의 전모를 드러내게 되는 것이다. 즉 그는 신이 되기 위하여 자살하고자 하는 것이다.

그 추론은 고전적인 명쾌함을 갖고 있다. 즉 신이 존재하지 않는다면, 키릴로프가 신이다. 신이 존재하지 않는다면, 키릴로프는 자살해야만 한다. 따라서 키릴로프는 신이 되기 위해 자살해야만 한다. 그러한 논리는 부조리하지만, 바로 그것이 필요한 것이다. 그러나 흥미로운 것은, 지상에 끌려온 신에게 어떤 의미를 부여하는 것이다. 그것은 결국, "신이 존재하지 않는다면 내가 신이다"라는 전제를 밝히는 것이 되는데, 그것은 그것이 여전히 좀 모호하게 남아 있기 때문이다. 보란 듯이 그런 무모한 주장을 해대는 그 사람이 실로 이 세상에 속해 있는 사람이라는 사실에 처음부터 주목하는 것이 중요하다. 그는 건강을 유지하기 위해 아침마다 체조를 한다. 그는 아내를 되찾는 샤토프의 기쁨에 감동한다. 자신의 사후(死後)에 발견될 종이 위에다 그는 '그 사람들'에게 혀를 날름 내밀고 있는 얼굴을 그리고 싶어 한다. 그는 어린애 같고, 성 잘 내고, 열정적이고, 꼼꼼하고, 예민하다. 초인의 것으로는 그는 그 논리와 고정 관념 외엔 아무것도 갖고 있지 않은 반면에, 인간의 것으로는 그는 온갖 것을 다 갖고 있다. 그런데도 바로 그가 자신이 신이라는 것에 대해 침착하게 이야기하는 것이다. 그는 미치지 않았거니와, 그렇지 않다면 도스토옙스키가 미친 것이다. 따라서 그를 흥분시키는 것은 어떤 과대망상적인 환상이 아니다. 그리고 그 말들을 그 본래의 의미로 받아들인다면, 이 경우엔 우스꽝스러운 일이 될 것이다.

키릴로프 자신이 우리가 이해하는 데 도움을 준다. 스타브로긴에게서 나온 한 질문에 대한 대답으로서, 그는 자기가 얘기하고 있는 것이 신인(神人)이 아니라는 것을 분명히 밝힌다. 이것은 자신을 그리스도와 분리하려는 깊은 배려에서 나온 것이라고 생각할 수도 있다. 그러나 실은, 그것은 그리스도와 통합시키는 행위이다. 키릴로프는 실제로, 한동안은 예수가 죽을 적에 '천국에 가 있었던 것은 아니다'라고 상상한다. 그때에 예수는 자신의 고통이 헛된 것이었음을 발견하는 것이다. 기사(技士)는 말한다. "자연의 법칙은, 그리스도를 거짓의 가운데에서 살고 거짓을 위해 죽게 하였다." 오로지 이러한 의미에서 예수는 실로 인간 드라마 전체를 구현한다. 예수는 가장 부조리한 조건을 실행한 사람이기 때문에, 완전한 인간이다. 그는 신인(神人)이 아니라 인신(人神)이다. 그리고 그와 마찬가지로, 우리들 각자도 십자가에 못 박혀 죽임을 당할 수 있고, —그리고 지금도 얼마간은 그러하다.

그러므로 문제의 신성(神性)은 전적으로 지상적인 것이다. 키릴로프는 말한다. "3년 동안, 나는 나의 신성(神性)의 속성을 찾아왔고, 마침내 그것을 발견했다. 내 신성의 속성은 독립이다." "신이 존재하지 않는다면 내가 신이다"라는 키릴로프의 전제의 의미를 우리는 이제 알 수 있다. 신이 된다는 것은 다만, 이 지상에서 자유로워진다는 것, 어떤 불멸의 존재도 섬기지 않는다는 것일 뿐이다. 물론 그것은, 무엇보다도 그 고통스러운 독립으로부터 그 모든 결론들을 이끌어 내는 것이다. 만일 신이 존재한다면, 모든 것이 신에게 달려 있으며, 우리는 신의 뜻에 어긋나는 것은 아무것도 할 수가 없다. 그러나 만일 신이 존재하지 않는다면, 모든 것이 우리에게 달려 있다. 니체와 마찬가지로 키릴로프에게도, 신을 죽이는 것은 그 자신이 신이 되는 것이다. 그것은 복음서(福音書)

가 얘기하는 영생을 이 지상에서 실현하는 것이다.[4]

그러나 인간 완성을 위해 이 형이상학적 범죄로 충분하다면, 어째서 자살을 덧붙이는가? 어째서 자유를 획득한 뒤에 자신을 죽이고, 이 세상을 버리는가? 그것은 모순이다. 키릴로프는 그 점을 잘 알고 있고, 그래서 이렇게 덧붙이는 것이다. "만일 당신이 '그것'을 느낀다면, 당신은 하나의 황제이며, 자살하기는커녕 당신은 영광에 뒤덮여 살 것이다." 그러나 대개의 사람들은 알지 못한다. 그들은 '그것을' 느끼지 못한다. 프로메테우스의 시대에서 그랬던 것처럼, 그들은 맹목적인 희망들을 품는다.[5] 그들에게는 길을 가르쳐 줘야 할 필요가 있고, 그들은 설교 없이는 해 나갈 수가 없다. 따라서 키릴로프는 인류를 위한 사랑으로 하여 자살하지 않을 수 없다. 그는 자신이 첫 번째로 가게 될 당당하고 어려운 길을 자기의 형제들에게 보여 주어야만 하는 것이다. 그것은 교육적인 자살이다. 그렇다면 키릴로프는 자기 자신을 희생하는 것이다. 그러나 그가 십자가에 못 박힌다 할지라도 그는 속임을 당하지는 않을 것이다. 그는 계속 인신(人神)으로 남을 것이다. —미래 없는 죽음을 확신하고, 복음주의적 우울함에 젖은 인신으로. "나는 나의 자유를 표명하지 않으면 '안 되는' 까닭에 불행하다"라고 그는 말한다. 그러나 일단 그가 죽고 인간들이 마침내 깨우치

---

4) 스타브로긴—"당신은 내세에서의 영생을 믿는가?"
키릴로프—"아니, 하지만 이 세상에서의 영생은 믿는다."

5) "인간은 단지 자살하지 않기 위하여 신(神)을 만들어 냈다. 이것이 이 순간까지의 우주의 역사의 요약이다."

게 되면, 이 지상은 황제들로 가득하고 인간의 영광으로 환히 빛날 것이다. 키릴로프의 피스톨 총성은 최후의 혁명의 신호가 될 것이다. 이렇게 그를 죽음으로 몰아가는 것은, 절망이 아니라 그 자신을 위한 그의 이웃 사랑이다. 피를 묻힌 채 형언할 수 없는 정신적 모험을 끝마치기 전에, 그는 인간의 고통만큼이나 오래된 한 마디 말을 한다. "모든 것이 만족하다."

도스토옙스키의 작품 속에 나오는 이 자살의 주제는, 사실상 부조리한 주제이다. 이야기를 더 진행해 나아가기 전에, 스스로 부수적인 부조리한 주제들을 제기하는 다른 인물들 속에 키릴로프가 다시 나타난다는 점만 언급하기로 하자. 스타브로긴과 이반 카라마조프는 부조리한 진리들을 실생활에서 충분히 시험해 본다. 그들은 키릴로프의 죽음에 의해 해방된 사람들이다. 그들은 황제가 되는 일로 각기 수완을 시험해 본다. 스타브로긴은 '냉소적'인 삶을 영위하는데, 그것이 어떠한 점에서 그러한지 우리는 잘 알고 있다. 그는 주위에 증오를 일으킨다. 그런데 그 인물을 푸는 열쇠는 그의 유서 속에서 발견된다. —"나는 아무것도 증오할 수 없었다." 그는 무관심의 황제이다. 이반도 마찬가지로, 정신의 왕권들을 넘겨 버리길 거부함으로써 황제가 된다. 그의 형제처럼, 믿기 위해서는 자기 자신을 낮추는 게 중요하다는 것을 자신의 삶으로써 입증하는 사람들에게, 이반은 그러한 조건이란 치욕스러운 것이라고 대답할는지도 모른다. 그를 푸는 열쇠가 되는 말은, 약간 비애의 그늘이 어린, "모든 것이 허용된다"라는 말이다. 물론 신의 암살자들 중 가장 유명한 니체처럼, 이반은 결국 미치고 만다.

그러나 그것은 위험을 무릅써 볼 만한 가치가 있는 모험이며, 그러한 비극적 종말에 마주쳤을 때, 부조리한 정신의 본질적인 충동은 "그것은 무엇을 입증하는가?"라고 묻는 것이다.

*

이렇게 그의 소설들은 《작가 일기》와 같이 부조리한 문제를 제기한다. 그 소설들은, 죽음 · 광희(狂喜) · '무시무시한 자유' · 황제들의 영광 등이 인간의 것이 되는 논리를 확립한다. 모든 것이 허용되고 아무것도 증오스럽지 않다—이것은 부조리한 판단들이다. 그러나 불인 동시에 얼음인 그 등장인물들을 우리에게 그토록 친근해 보이게 하는 것은 얼마나 놀라운 창조인가! 그들의 가슴속에서 우르릉거리는 그 격렬한 무관심의 세계는 우리에게 결코 기괴해 보이지 않는다. 우리는 그 안에서 우리의 나날의 불안들을 인식한다. 그리고 도스토옙스키만큼 부조리한 세계에 그토록 친근하면서도 괴로운 매력들을 부여할 수 있었던 작가는 아마 없을 것이다.

그럼에도 불구하고, 그의 결론은 무엇인가? 다음의 두 인용문은, 작가를 다른 계시들로 이끌어 가는 완전한 형이상학적 반전(反轉)을 보여 줄 것이다. 논리적 자살을 행하는 사람의 주장이 비평가들의 항의를 일으키게 되자, 도스토옙스키는 《작가 일기》의 다음 연재분 속에서 자신의 입장을 설명하면서 이렇게 결론짓는다. "불멸에 대한 믿음이 인간 존재에게 그렇게 필요한 것이라면 (그것 없이는 자살할 지경이 될 만큼), 그것은 곧 인간의 정상적인 상태임에 틀림없다. 사정이 그러한 이상, 인간 영혼의 불멸성은 의심할 바 없이 존재하는 것이기 때문이다." 그 뒤에 다시, 그의 최후의 소설 마지막 페이지들 속에서 신과의 그 거대한 투쟁이 끝나갈 즈음에, 몇몇 아이들이 알료샤(《카라마조프가의 형제들》의 한 인물 – 역주)에게 묻는다. "카라마조프, 종교에서 말하는 게 사실인가요? 우리가 다시 살아나, 서로 다시 만나게 된다는 것 말이에요." 그리고 알료샤는 이렇게 대답한다. "분명히 우린 서로 다시 만나고, 전에 있었던 모든 일들을 즐겁게 서로 얘기할 거야."

이렇게, 키릴로프 · 스타브로긴, 그리고 이반은 패배하고 만다. 《악령》에 대하여 《카라마조프가의 형제들》이 응답하는 것이다. 그리고 그것이 실로 하나의 결론이다. 알료샤의 경우는 무슈킨 공작(《백치》의 남자 주인공 – 역주)의 경우처럼 모호하지는 않다. 병든 공작은 미소와 무관심을 띈 채, 어떤 영속적인 현재 속에서 살고 있고, 그리고 그 지복의 상태야말로 그 공작이 말하는 영생(永生)일는지도 모른다. 반대로, 알료샤는 분명하게 말한다. "우리는 서로 다시 만날 거야"라고. 자살이나 미친다는 것은 더 이상 문제가 안 된다. 불멸과 그것의 기쁨을 확신하고 있는 사람에게 그게 무슨 소용이 있겠는가? 인간은 자신의 신성(神性)을 행복과 바꾼다. "우리는 전에 있었던 모든 일들을 즐겁게 서로 얘기할 것이다." 그리하여 다시금 러시아의 어디에선가 키릴로프의 피스톨이 총성을 울렸지만, 세계는 계속 그 맹목적인 희망들을 깊이 간직하였다. 사람들은 '그것을' 이해하지 못했던 것이다.

그러므로, 우리를 향해서 말하고 있는 것은 부조리한 소설가가 아니라 실존적 소설가이다. 여기서도 역시, 그 비약은 감동적이고, 그것을 우러나게 하는 그 예술에 숭고함을 부여한다. 그것은 많은 의혹들로 구멍이 난, 불확실하고 열렬한, 어떤 애처로운 순종이다. 《카라마조프가의 형제들》에 관해 말하면서, 도스토옙스키는 이렇게 썼다. "이 책 전체에 걸쳐 추적하게 될 주요한 문제는 내가 평생토록 의식적으로나 무의식적으로 괴로워했던 바로 그 문제, 즉 신의 존재의 문제이다." 한 편의 소설만으로 평생의 괴로움을 즐거운 확신으로 바꾸기에 충분했다는 것은 믿기 어렵다. 한 해설자[6]는 도스토옙스키가 이반의 편에 있으며, 긍정적인 장(章)들은 3개월간의 노력이 들은 반면, 그가 '신의 모독'이라고 부르는 것은 흥분 상태에서 3주 만에 씌었다는 점을 정확히 지적하고 있다. 그의 인물들 중에는, 그러한 몸의 가시를 갖고 있지 않은 사람, 그것을 더욱 악화시키거나 아니면 관능 혹은 부도덕한 짓에서 치료책을 찾지 않는 사람은 하나도 없다.[7] 어쨌거나 우리는 이 의혹 내에 머물기로 하자. 여기, 낮의 햇빛보다 더욱 눈길을 끄는 어떤 명암의 배합을 통해 우리에게 희망들과 싸우는 인간의 투쟁을 볼 수 있게 해 주는 한 작품이 있다. 그런데 그 끝에 이르러, 작가는 자신의 인물들에 어긋나는 선택을 하는 것이다. 따라서 그러한 모순에 의해 한 가지 구분이 가능해진다. 즉 그것은, 이 글에서 관련 있는 부조리한 작품이 아니라, 부조리한 문제를

---

6) 보리스 드 슈레제르.

7) 지드의 흥미롭고 통찰력 있는 언급—도스토옙스키의 주인공들은 모두가 일부다처 주의자(一夫多妻主義者)이다.

제기하는 작품인 것이다.

도스토옙스키의 대답은, 굴복, 스타브로긴의 표현으로는 '치욕'이다. 반면에 부조리한 작품은 대답을 내놓지 않는다. 이것이 엄청난 차이이다. 마지막으로 이 점에 주목하기로 하자. 즉 이 작품에서 부조리한 자들을 반박하는 것은, 이 작품의 기독교적 성격이라기보다는 이 작품이 어떤 미래의 삶을 알리고 있다는 사실이다. 기독교도이면서 부조리할 수도 있다. 미래의 삶을 믿지 않는 기독교도의 예가 많다. 따라서 예술 작품과 관련하여, 앞서의 페이지들에서 예상할 수 있었던 부조리한 분석 방향들 중의 하나를 규정할 수가 있을 것이다. 그것은 '복음서의 부조리성'을 제기하는 것으로 이어진다. 그것은 어떤 확신도 쉽게 믿지 못하는 것을 막지는 못한다는, 풍부한 울림을 가진 이 생각을 밝혀 준다. 반대로, 이러한 길들을 잘 알고 있는 《악령》의 저자가 결국에는 전혀 다른 길을 택했다는 것을 쉽게 알 수 있다. 자신의 주인공들에 대한 그 작가의, 키릴로프에 대한 도스토옙스키의 그 놀라운 대답은 사실상 이렇게 요약될 수 있을 것이다. "존재는 허망하다. '그리고' 그것은 영원하다."

3. 덧없는 창조

그러므로 나는 이 지점에 이르러서, 희망을 영원히 피할 수는 없으며, 희망으로부터 자유로워지고자 하는 사람들에게까지도 희망이 엄습할 수 있다는 것을 깨닫는다. 이것이 지금까지 논의했던 작품들 속에서 내가 발견하는 흥미로운 점이다. 물론 나는, 최소한 창초의 영역에서는 진짜 부조리한 작품들을 얼마간 열거할 수도 있다.[8] 그러나 모든 것에는 반드시 시작이 있게 마련이다. 이 탐구의 대상은 어떤 성실성이다. 교회가 이단자들에게 그렇게 가혹해 왔던 것은, 탈선한 자식보다 더 나쁜 적(敵)은 없다고 생각했기 때문이다. 그러나 그노시스교도(특수한 영적 직관을 중요시한, 초기 그리스도교 시대의 신비주의적 이단자들-역주)의 뻔뻔함과 마니교파(3~7세기에 번성한 이단적 교파로, 빛과 암흑, 신과 악마 등의 이원론을 믿음-역주)의 고집스러움의 기록은 정통 교리의 확립에 그 모든 기도들보다 더 많은 공헌을 해 왔다. 이것을 충분히 참작한다면, 똑같은 것이 부조리한 자들에게도 적용된다. 인간은 자신의 행로로부터 빗나가는 여러 길들을 발견함으로써 자신의 행로를 인식하게 되는 것이다. 부조리한 추론의 최종

---

8) 멜빌의 《백경(白鯨)》.

결론에 이르렀을 때, 그 논리가 지시하는 여러 입장들 중의 한 입장 속에서, 희망이 가장 감동적인 변장을 한 모습으로 되돌아와 들어 있는 것을 발견한다면, 그건 어떻게 되어도 상관없는 문제는 아니다. 그것은 부조리한 '고행'의 어려움을 보여 준다. 무엇보다도 그것은 끝없이 의식이 깨어 있어야 할 필요성을 보여 주고, 따라서 이 에세이의 전반적인 계획을 확인해 준다.

그러나 부조리한 작품들을 열거하기에는 아직도 너무 이르다면, 최소한 부조리한 존재를 완성시킬 수 있는 것들 중의 하나인 창조적 태도에 관해 하나의 결론에 이를 수는 있을 것이다. 어떤 부정적 사고만큼 예술에 잘 이바지할 수 있는 것은 없다. 흑(黑)이 백(白)을 위해 필요한 것처럼, 위대한 작품의 이해를 위해서는 이 부정적 사고의 어둡고 굴욕적인 작용들이 필요하다. '아무것도 아닌 것'을 위해 일하고 창조하는 것, 진흙으로 조각을 하는 것, 자신의 창조에 미래가 없음을 아는 것, 자신의 작품이 하루 만에 파괴되는 것을 보면서 다른 한편으로는 그것이 여러 세기(世紀)에 걸쳐 세워지는 건축물만큼 중요치 않은 일임을 의식하는 것—이것은 부조리한 사고가 용인하는 어려운 지혜이다. 한편으로는 부정하면서 다른 한편으로는 찬양하는 두 가지 일을 동시에 수행하는 것이 부조리한 창조자에게 열려 있는 길이다. 그는 허공에다 그것의 색채를 부여해야만 하는 것이다.

이것은 예술 작품에 대한 어떤 특수한 개념으로 이어진다. 한 창조자의 작품을 일련의 서로 독립된 증언들로 간주하는 경우가 아주 흔하다. 그리하여 예술가와 문학가를 혼동하게 되는 것이다. 심오한 사상은 끊임없는 변화의 상태에 있다. 그러한 사상은 한 삶의 체험을 차용하고, 그 모양을 취한다. 마찬가지로 한 인간의 독창적인 창조는 그것의 계속적이고 다각적인 모습들, 즉 그의 작품들 속에서 굳세어진다. 그것들은 서로 보완하고, 서로 수정하거나 압도하며, 또한 서로 모순되기도 한다. 무엇인가가 창조를 끝나게 한다면, 그것은, "나는 모든 것을 말했다"라는 눈먼 예술가의 의기양양한 착각에서 나온 외침이 아니라, 그의 경험의 막을 내리고 그의 재능의 책을 덮어 버리는 창조자의 죽음이다.

그러한 노력, 그러한 초인적인 의식이 독자에게 반드시 드러나는 것은 아니다. 인간의 창조에는 신비가 없다. 의지가 그런 기적을 행하는 것이다. 그러나 적어도, 비결 없는 진정한 창조란 없다. 물론, 계속되는 작품들은 똑같은 사상의 일련의 근사치들에 불과할 수도 있다. 그러나 나란히 늘어놓으면서 해 나가는 또 다른 유형의 창조자를 생각해 볼 수 있다. 그들의 작품들은 상호 연관성을 결하고 있을지도 모른다. 어느 정도까지는 서로 모순되기도 한다. 그러나 모두 합쳐서 본다면, 그 작품들은 그들의 자연적인 조화를 되찾는다. 예를 들어, 그 작품들은 죽음으로부터 그들의 중대한 의미를 얻는다. 그 작품들은 그 저자의 삶 자체로부터 가장 분명한 빛을 얻게 된다. 죽음의 순간에 이르면, 그의 일련의 작품들은 실패들의 집적에 불과하다. 그러나 그 실패들 모두가 똑같은 울림을 갖고 있다면, 그 창조자는 자기 자신이 가진 조건의 이미지를 반복해서, 그리고 자신이 소유하고 있는 결실 없는 비결이 대기에 울려 퍼지도록 해냈던 셈이다.

여기서 억제하기 위한 노력은 주목할 만한 것이다. 그러나 인간의 지성은 그보다 훨씬 많은 것을 할 수 있다. 그것은 다만 창조의 자의적(自意的) 측면을 분명하게 보여 줄 것이다. 다른 어디에선가 나는 인간의 의지에는 의식을 유지하는 것 외에는 다른 목적이 없다는 사실을 밝힌 바 있다. 그러나 그것은 단련 없이는 될 수 없다. 인내심과 명징의 그 모든 단련장들 중 창조가 가장 효과적이다. 그것은 또한, 인간의 유일한 위엄, 즉 자신의 상태에 대항하는 완고한 반항, 헛된 것으로 여겨지는 어떤 노력을 끈기 있게 밀고 나아가는 것에 대한 놀라운 증거이다. 그것은 나날의 노력 · 극기 · 진리의 한계에 대한 정확한 판단 및 측정 능력과 힘을 요구한다. 그것은 하나의 고행(苦行)을 구성한다. ―그것도, '무(無)를 위해' 되풀이하고 제자리걸음을 하기 위하여. 그러나 아마도 위대한 예술작품이 갖는 중요성은, 작품 그 자체보다는 그것이 인간에게서 요구하는 모진 시련, 그리고 인간이 자신의 환상들을 극복하고 자신의 적나라한 현실에 좀 더 가까이 다가갈 수 있도록 제공해 주는 그 기회에 더 많을 것이다.

*

미학 면에서 오해가 없도록 하라. 여기서 내가 요구하고 있는 것은, 어떤 명제에 대한 끈질긴 연구나 끝없고 무익한 예증이 아니다. 나의 뜻이 분명하게 이해되었는지는 몰라도, 오히려 그 반대이다. 명제 소설, 모든 소설들 중에서 가장 혐오스러운, 무엇인가를 증명하고자 하는 작품은 흔히 '잘난체하는' 사상에서 나온 작품이다. 스스로 소유하고 있다고 자신하는 진리는 과시하려는 경향이 있다. 그러나 그것들은 사람들이 내동댕이치는 관념들이고, 관념이란 사상의 반대인 것이다. 그러한 창조자들은 철학자들이며, 자신을 수치스러워한다. 내가 말하고자 하는, 혹은 내가 상상하는 사람들은 반대로 명징한 사상가들이다. 사상이 제 자신에게 등을 돌리는 어느 시점에서, 그들은, 한정되고 생명이 유한하며 반항적인 한 사상의 분명한 상징들처럼 자신의 작품의 이미지들을 고양시키는 것이다.

그 작품들도 아마도 무언가를 증명할 것이다. 그러나 그러한 증명들이란, 그 소설가들이 세계 일반을 위해서라기보다는 자기 자신들을 위해 제공되는 것들이다. 중요한 것은, 소설가들은 확고하게 승리를 거두며, 이것이 그들의 고귀함이 된다는 점이다. 전적으로 육적(肉的)인 이 승리가 소설가를 위해 준비되는 것은, 한 사상 속에서 그 추상적인 힘들이 굴복됨으로써이다. 그 추상적인 힘들이 완전히 굴복될 때, 그와 동시에 살〔肉〕이 그 모든 부조리의 광채 속에서 창조를 빛내며 나타나게 하는 것이다. 결국 아이러니컬한 철학이 열정적인 작품을 만들어 내는 것이다.

단일성을 배격하는 모든 사상은 다양성을 찬미한다. 그리고 다양성이야말로 예술의 고향인 것이다. 정신을 해방시키는 유일한 사상은 자신의 한계들과 종말이 임박해 옴을 알면서도 정신에 간섭하지 않는 그런 사상이다. 어떠한 교리도 그 사상에겐 유혹이 되지 않는다. 그 사상은 작품과 삶의 성숙을 기다린다. 그 사상으로부터 떨어져 나오면, 작품은 희망으로부터 영원히 해방된 영혼에게 다시 한 번 분명하게 표명할 것이다. 아니면 그것은 어떤 것에게도 표명하지 않을 것이다. 창조자가 자신의 일에 지쳐 돌아서 버리고자 한다면 말이다. 그것은 똑같은 것이다.

*

그러므로, 내가 부조리한 창조에게 요구하는 것은, 내가 사상(思想)에게 요구했던 것, 즉 반항 · 자유, 그리고 다양성이다. 이윽고 그것은 자신의 철저한 무용성(無用性)을 분명하게 드러내리라. 지성과 열정이 서로 혼합되고 즐거워하는 그 나날의 노력 속에서 부조리한 인간은 자신의 힘들 중 가장 위대한 것을 이루게 될 어떤 규율을 발견한다. 따라서, 거기에 필요한 근면함과 고집스러움과 명징은 정복자의 태도와도 흡사하다. 창조하는 것 역시 자신의 운명에 한 형태를 부여하는 것이다. 그 모든 인물들에게 있어서 그들의 작품은, 최소한 그것이 그 인물들에 의해 표명되는 것만큼 그 인물들을 나타낸다. 배우(俳優)는 우리에게 이러한 점을 가르쳐 준 바 있다. 즉 참모습과 외형 사이에는 아무런 경계가 없다는 것이다.

다시 한 번 반복하자. 이 모든 것 중 아무것도 아무런 현실적인 의미도 갖고 있지 않다. 이 자유로 향한 길에서는, 아직도 또 하나의 진전이 이루어져야만 한다. 즉 이러한 상호 연관된 정신들, 즉 창조자 혹은 정복자를 위한 최후의 노력은, 자신들이 시작한 일들로부터도 역시 자기 자신을 해방시키는 것이다. 말하자면, 정복이든 사랑이든 혹은 창조든 간에, 작품 그 자체는 존재하지 않아도 좋다는 것을 인정하는 데에 성공하는 것, 그리하여 어떠한 개인적 삶이든 그 철저한 무용성을 완성한다는 것이다. 사실, 그것이 그 작품을 실현하는 데에 있어서 그들에게 보다 많은 자유를 준다. —삶의 부조리성을 의식하게 된 것이 그들에게 그 속에 극단적으로 뛰어들 수 있는 권한을 주었던 것처럼.

남은 것은 오직 죽음의 결과만을 갖고 있는 어떤 운명뿐이다. 죽음이라는 그 유일한 숙명 외에는 모든 것이, 즉 기쁨이나 행복까지도 자유이다. 인간이 유일한 주인일 뿐인 세계가 남는다. 그를 구속했던 것은 다른 세상〔내세〕에의 환상이었다. 그의 사상의 결과는, 더 이상 체념하지 않고, 이미지 속에서 꽃 핀다. 그것은 신화 속에서 즐겁게 뛰논다. —그러나 그것은, 인간적인 고통의 깊이 외엔 다른 아무런 깊이도 갖고 있지 않은 신화, 그리고 인간적인 고통과 마찬가지로 다함이 없는 신화이다. 그것은, 어물어물 속이고 눈멀게 하는 신적(神的)인 신화가 아니라 어떤 어려운 지혜와 덧없는 열정이 요약되어 있는 인간적인 얼굴 · 몸짓, 그리고 드라마이다.

제4장

시지프 신화

1. 시지프 신화

신들이 시지프에게 내린 형벌은 바위 하나를 산꼭대기로 끊임없이 굴려 올리도록 한 것이었는데, 그것은 산꼭대기에서는 돌이 제 무게로 다시 떨어져 내리곤 하기 때문이었다. 신들이 헛되고 희망 없는 노동보다 더 끔찍한 형벌은 없다고 생각한 것엔 뭔가 일리가 있었다.

호메로스의 말을 빌린다면, 시지프는 인간들 중에서 가장 지혜롭고 가장 신중한 사람이었다. 또 다른 설화에 의하면, 그에겐 항상 강도짓을 할 마음이 있었다. 나는 여기에서 아무런 모순도 보지 못한다. 그가 하계(下界)에서 헛 노동을 하는 신세가 된 이유에 대해서는 의견들이 서로 다르다. 우선, 그는 신들에 대해 어떤 경박한 행동을 했다는 이유로 형벌을 받고 있다. 그가 신들의 비밀을 훔쳤다는 것이다. 아소포스의 딸 아이기나를 제우스 신이 유괴해 갔다. 그 아버지는 딸의 실종에 충격을 받고, 시지프에게 하소연했다. 그 유괴에 대해 알고 있던 시지프는, 코린트 성에 물을 대 준다면 그 일에 대해 알려 주겠다고 아소포스에게 제안했다. 그는 하늘의 벼락보다 물의 혜택에 더 이끌렸던 것이다. 그는 이 일로 하계에서 벌을 받았다. 호메로스는 또한 우리에게, 시지프가 죽음의 신을 쇠사슬로 묶어 두었다는 얘기를 전한다. 플루토(하계(下界)의 왕－역주)는 텅텅 비어 고요한 자신의 왕국을 더 이상 보고만 있을 수 없었다. 그는 전쟁의 신을 파견하여 죽음의 신을 그의 정복자의 손에서 해방시키게 하였다.

또한, 시지프는 죽음이 가까웠을 때, 경솔하게도 자기 아내의 사랑을 시험해 보고자 했다는 설화가 있다. 그는 아내에게 자신의 시체를 묻지 말고 공공 광장 한가운데 던져 버리라고 명했다. 시지프는 지옥에서 깨어났다. 그리고 거기서, 그는 아내가 인간의 사랑에 그리도 어긋나게 그대로 따른 것에 화가 나, 그녀를 혼내주려고 지상으로 되돌아가기 위한 허락을 플루토에게서 얻어 냈다. 그러나 이 세계의 모습을 다시 보고, 물과 태양, 따뜻한 바위와 바다를 즐기게 되었을 때, 그는 이젠 지옥의 암흑 속으로 되돌아가고 싶지 않았다. 플루토가 그를 하계로 다시 불렀으나, 성난 표정도 경고도 아무 소용이 없었다. 그는 여러 해를 만(灣)의 굴곡과 반짝이는 바다와 대지의 미소들을 대하며 살았다. 신들의 판결이 불가피했다. 메르쿠리우스(신들의 사자(使者)-역주)가 와 그 염치없는 사람의 멱살을 잡고 그를 그의 기쁨들로부터 낚아채, 바위가 기다리고 있는 지하 세계로 강제로 다시 데려갔던 것이다.

시지프가 부조리의 주인공이라는 것을 당신은 이미 알아차렸을 것이다. 그의 열정뿐 아니라 고통으로 인해 그는 부조리의 주인공인 것이다. 신들에 대한 그의 경멸, 죽음에 대한 증오, 삶에 대한 열정이 그에게 무(無)를 성취하는 데에 온 존재를 써야 하는 이루 말할 수 없는 그 형벌을 안겨 주었던 것이다. 이것이 이 지상에서의 열정을 위해 치러야만 하는 값이다. 지하에서의 시지프에 관해선 아무것도 전해진 게 없다. 신화들이란 상상력이 그 안에 생기를 불어 넣도록 만들어져 있다. 이 신화에 관해서는 우리는 다만, 한 육체가 커다란 바위를 들어 올려, 백 번을 거듭 그 바위를 언덕 위로 굴려 밀어올리려 애쓰는 그 온갖 노력을 볼 뿐이다. 찡그린 얼굴, 바위에 꽉 댄 뺨, 흙 묻은 그 돌덩어리를 떠받치고 있는 어깨, 그것을 버티고 있는 두 다리, 팔을 뻗쳐 다시 시작하는 모습, 우리는 흙 묻은 그 두 손에서 전적으로 인간적인 든든함을 본다. 하늘 없는 공간과 깊이 없는 시간에 의해 측정되는 그 오랜 노고가 끝나는 바로 그때에 그 목적은 성취된다. 그때에 시지프는 바위가 금방 하계(下界)로 급히 굴러 내려가는 것을 지켜보고, 거기서부터 그 바위를 다시 꼭대기로 밀어올려야만 하는 것이다. 그는 다시 평지로 내려간다.

나의 관심을 끄는 것은, 바로 이렇게 돌아올 때의, 휴식할 때의 시지프이다. 바위에 그렇게 가까이 붙어서 고생하는 그의 얼굴은 이미 바위 그 자체이다. 나는, 그 사람이 스스로 그 끝을 결코 알지 못할 고뇌를 향해 무거우면서도 고른 걸음걸이로 내려오는 것을 본다. 그의 고통만큼이나 틀림없이 되돌아오는 숨돌릴 틈과 같은 그 시간, 그것은 바로 의식의 시간이다. 그가 산의 정상을 떠나 신들이 쉬는 곳을 향해 서서히 내려가는 매 순간마다 그는 자신의 운명을 넘어선다. 그는 그의 바위보다 더 강한 것이다.

이 신화가 비극적이라면, 그것은 그 주인공이 의식적이기 때문이다. 한 걸음 옮길 때마다 성공한다는 희망이 그를 떠받쳐 준다면, 그의 고통이 대체 어디에 있겠는가? 오늘날의 노동자들은 그의 삶 속에서 날마다 똑같은 일을 하는데, 이 운명도 역시 못지않게 부조리하다. 그러나 그 운명은 그것이 의식적인 게 되는 드문 순간들에만 비극적이다. 무력하고 반항적인, 신들의 프롤레타리아인 시지프는 자신의 비참한 조건의 전 범위를 알고 있다. 그가 산을 내려오는 동안 생각하는 것이 바로 그 조건인 것이다. 그의 고통을 이루고 있는 그 명징이 동시에 그의 승리에 왕관을 씌워준다. 경멸에 의해 극복될 수 없는 운명이란 없다.

*

그의 하산(下山)이 이렇게 때론 슬픔 속에서 행하여진다면, 그것은 또한 기쁨 속에서 행해질 수도 있다. 그 말은 지나친 게 아니다. 시지프가 자기의 바위를 향해 되돌아가는 것을 나는 다시금 상상하고, 그 슬픔이 시작에 있었음을 안다. 대지의 여러 모습들이 기억에 너무도 꼭 매달려 있을 때엔, 행복의 손짓이 너무도 집요할 때엔, 인간의 마음속에서 우수가 일게 되는 것이다. 그것은 바위의 승리이며, 그것은 바위 그 자체이다. 끝 모를 비애는 너무 무거워 견딜 수 없다. 그러한 것들이 우리의 겟세마네의 밤인 것이다. 그러나 압도적인 진실들은, 그것이 인식될 때 소멸된다. 그래서 오이디푸스도 처음에는 운명을 알지 못한 채 그 운명에 복종했다. 그러나 자신의 운명을 알게 되는 그 순간부터 그의 비극은 시작된다. 그러나, 그와 동시에 눈멀고 절망한 채로 그는 자기를 세계와 연결해 주는 유일한 것은 한 처녀(그의 딸을 가리킴－역주)의 차가운 손뿐임을 깨닫는다. 그때에 굉장한 한 마디 말이 울려 나오는 것이다. "그 많은 시련들에도 불구하고, 나의 노령(老

齡)과 내 영혼의 고귀함이 나로 하여금 모든 것이 좋다는 결론을 내리게 한다." 도스토옙스키의 키릴로프처럼 소포클레스의 오이디푸스도 이렇게 부조리의 승리를 위한 비결을 제시한다. 고대의 지혜가 현대의 영웅주의를 확인시켜 주는 것이다.

부조리를 발견하면, 우리는 행복으로의 안내서를 쓰고 싶은 유혹을 받지 않을 수 없다. "뭐야! 이렇게 좁은 길들을 통해서?" 그러나 오직 하나의 세계밖엔 없다. 행복과 부조리는 하나의 대지에서 나온 두 자식인 것이다. 그 둘은 분리될 수 없다. 행복이 꼭 부조리의 발견에서 생긴다고 말한다면, 그건 잘못일 것이다. 부조리의 감정이 행복으로부터 생길 수도 있는 것이다. "모든 것이 좋다고 나는 결론짓는다"라고 오이디푸스는 말하거니와, 그 말은 신성하다. 그 말은 거칠고 한계 지어진 인간의 세계 속에서 울려 퍼진다. 그것은, 모든 것이 다 소진되지 않으며, 소진된 적이 없다는 것을 가르친다. 그것은 불만과 무익한 고통에 대한 편애와 함께 이 세계 속으로 들어왔던 한 신(神)을 이 세계의 밖으로 몰아낸다. 그것은 운명을 인간들 사이에서 해결되어야만 하는 인간의 문제로 만든다.

시지프의 말 없는 모든 기쁨이 그 안에 들어 있다. 그의 운명은 그의 소유이다. 그의 바위는 그의 것이다. 마찬가지로, 부조리한 인간은 자신의 고통을 응시할 때, 모든 우상들을 침묵하게 한다. 그 침묵을 갑자기 회복한 세계 속에서 대지의 무수한 놀라운 작은 목소리들이 솟아오른다. 그 모든 모습들로부터의 무의식적이며 은밀한 부름들 · 초대들, 그것들은 불가피한 역전이며 승리의 대가이다. 그림자 없는 태양은 없으며, 그것은 밤을 인식하기 위해 필수적이다. 부조리한 인간은 이것을 인정하며, 그의 노력은 그 후부터 그치지 않을 것이다. 개인적인 운명이라는 게 있다면, 보다 고귀한 숙명이란 없을 것이며, 아니면, 최소한 피할 수 없고 경멸할 만한 것이라고 그 스스로 결론짓는 숙명밖엔 없을 것이다. 그 외에는, 그는 자신의 삶의 주인임을 알고 있다. 인간이 자신의 삶을 뒤돌아 훑어보는 그 미묘한 순간에, 시지프는 자신의 바위를 향해 되돌아가면서, 그 단조롭고 끝없는 회전 속에서, 자신에 의해 창조되고 자신의 기억의 눈을 통해 결합되며 머지않아 자신의 죽음에 의해 봉인될 자신의 운명으로 변하는 서로 관계없는 행위들의 연속을 응시한다. 이렇게 인간과 관련된 모든 것에는 인간적인 기원이 있음을 확신하면서, 몹시 보길 원하지만 그 밤엔 끝이 없다는 걸 알고 있는 눈먼 사람인 그는 여전히 바위를 굴려 올리고 있다. 바위는 여전히 굴러 내리고 있다.

나는 그 산기슭에서 시지프를 떠난다! 인간은 언제나 자기 자신의 짐을 다시 발견하게 된다. 그러나, 시지프는 신들을 부정하고 바위를 밀어올리는 보다 고귀한 성실성을 가르쳐 준다. 그 역시 모든 것은 좋다고 결론짓는다. 이제부터 주인 없는 이 세계가 그에겐 결코 메마르게도 헛되게도 보이지 않는다. 그 바위의 원자 하나하나, 밤으로 가득한 그 산의 광석 조각 하나하나가 그 자체로써 하나의 세계를 형성한다. 산꼭대기를 향한 그 투쟁 자체가 한 인간의 가슴을 채우기에 충분하다. 우리는 시지프가 행복하다고 상상할 수밖에 없다.

부록 I

프란츠 카프카의 작품에 나타난 희망과 부조리

1. 프란츠 카프카의 작품에 나타난 희망과 부조리

1. 프란츠 카프카의 작품에 나타난 희망과 부조리

카프카의 예술은 그 전체가 독자로 하여금 어쩔 수 없이 다시 읽게 한다. 그의 작품의 결말들, 혹은 결말의 부재(不在)는 여러 가지 설명들을 암시하지만, 그것들이 분명한 언어를 통해 드러나지는 않으며, 또한 그것들이 타당한 것으로 보이려면 그 이야기를 다른 관점에서 읽는 게 요구된다. 때로는 이중으로 해석될 가능성이 있고, 거기서 두 번 읽어야 할 필요성이 생겨난다. 그것이 바로 그 작가가 원했던 것이다. 그러나 카프카의 작품에서 모든 것을 세세하게 해석하려 한다면, 그것은 잘못일 것이다. 상징이란 언제나 흔히 있는 것이며, 그 해석이 아무리 정확한 것이라 할지라도, 예술가는 거기에 그 활기밖에 되살려 줄 수가 없다. 한 마디로 낱말을 하나하나 축어적으로 표현할 수는 없는 것이다. 게다가 상징적인 작품보다 더 이해하기 어려운 것은 없다. 상징이란 언제나 그것을 사용하는 사람을 넘어서며, 자신이 의식하고 표현하는 것보다 실제로 더 많은 것을 말하게 만든다. 이러한 점에서, 상징을 파악하는 가장 확실한 방법은, 그 상징을 들쑤시지 말 것, 선입관 없는 태도로써 그 작품을 대할 것, 그리고 그 숨겨진 흐름들을 찾지 않을 것 등이다. 특히 카프카의 경우에는, 카프카의 원칙들에 동의하고서, 드라마를 대할 때에는 그 외면적인 것을 통해,

소설은 그 형식을 통해 접근하는 것이 공정하다.

얼핏 볼 때엔, 그리고 일반 독자에게는, 그의 작품들은 덜덜 떨면서도 끈질긴 그 등장인물들로 하여금 그들이 합리적으로 해명할 수 없는 문제들을 추적하게 하는 불안스러운 모험들로 보일 것이다. 《심판》에서 요제프 K.는 고소를 당한다. 그러나 그는 무슨 죄목인지 알지 못한다. 그는 기어이 자기 자신을 변호하려 열심이지만, 그는 그 이유를 알지 못한다. 변호사들은 그의 소송 사건이 힘들다는 것을 알게 된다. 그러는 동안에도 그는 사랑하고 먹고 혹은 신문 보는 일 따위를 게을리하지 않는다. 이윽고 그는 판결을 받게 된다. 그러나 법정은 아주 어둡다. 그는 잘 이해할 수가 없다. 그는 다만 자기에게 유죄 판결이 내려지는 거라고 추측할 뿐, 그것이 어떤 선고일지는 거의 궁금해하지도 않는다. 때때로 그래도 의혹을 품긴 하지만, 그는 계속 살아간다. 얼마 후, 단정한 옷차림의 정중한 두 신사가 그를 데리러 와서 자기들을 따라오라고 청한다. 아주 정중하게 그들은 그를 어느 음침한 교외로 끌고 가, 그의 머리를 돌에 짓찧고 그의 목을 벤다. 죽기 전에, 이 선고받은 사람은 다만 이렇게 말할 뿐이다. "개 같이"라고.

자연스러운 것이 공교롭게도 가장 분명한 특질이 되는 한 이야기에서 상징을 운운하기는 힘들다는 것을 우리는 알게 된다. 그러나 자연스러움이란 이해하기 힘든 범주이다. 그 사건이 독자에게 자연스러워 보이는 그런 작품들이 있다. 그러나 이야기 속의 인물이 자기에게 일어나는 일을 자연스러운 것으로 생각하는 다른 작품들도 있다(물론, 훨씬 드물지만). 그러한 작품 속에선, 이상하지만 그러나 분명한 어떤 역설에 의해, 그 인물의 모험이 엉뚱하면 엉뚱할수록 그 이야기의 자연스러움은 더욱더 두드러지는 것이다. 즉 그것은, 한 인간의 삶의 생소함과 그 사람이 그것을 받아들일 때의 단순함 간에 느껴지는 그 벌어진 거리에 비례하는 것이다. 이 자연스러움이 바로 카프카의 자연스러움인 것 같다. 그리고 틀림없이, 사람들은《심판》이 의미하는 것을 잘 알고 있다. 사람들은 인간의 상태를 하나의 이미지라고 말해 왔다. 물론이다. 그러나 그것은 그보다 단순하면서 동시에 그보다 더 복잡하다. 내 말은, 그 소설의 의미가 카프카 자신에게 좀 더 특수하고 좀 더 개인적인 것이라는 뜻이다. 그가 우리의 얘기를 털어놓는 것이라 할지라도, 그 얘기를 하는 사람은 어느 정도까지는 그 자신인 것이다. 그는 살고 있고, 그는 유죄 판결을 받는다. 그는 현세에서 자기가 추구하고 있는 소설의 처음 부분에서 그것을 알게 되는데, 그래도 그는 크게 놀라지 않고 이에 대처한다. 그는 그 놀라움 없음에 결코 충분한 놀라움을 보이지 않을 것이다. 바로 그러한 모순들에 의해, 우리는 그 부조리한 작품의 첫 징후들을 알아보게 된다. 정신이 그 영혼의 비극을 구체적인 것 속에 투사시키는 것이다. 그리고 정신이 그렇게 할 수 있는 것은, 오직 색채에게 공허를 표현할 힘을, 일상적인 몸짓에 영원한 야망들을 새길 힘을 부여하는 어떤 영속적인 역설에 의해서일 뿐이다.

마찬가지로,《성(城)》은 아마도 행동 속의 한 신학(神學)일 터이지만, 그것은 무엇보다도 제 자신의 고귀함을 추구하는 한 영혼의 개인적인 모험이며, 이 세상의 대상들에게서 그 고귀한 비밀을 찾고 여자들에게서 그들 속에서 잠자고 있는 신의 표적들을 찾는 한 인간의 개인적인 모험이다. 다음으로, 《변신》은 분명 어떤 명징함의 윤리에 대한 끔찍한 이미지를 그리고 있다. 그러나 그것은 또한 자신이 쉽사리 짐승으로 변하는 것을 의식할 적에 인간이 느끼는 그 엄청난 경악의 산물이기도 하다. 카프카의 비밀은 이러한 근본적인 다의성(多義性)에 있다. 자연적인 것과 비자연적인 것, 개인적인 것과 보편적인 것, 비극적인 것과 일상적인 것, 부조리한 것과 논리적인 것 사이를 끊임없이 오락가락하는 이러한 모습은 그의 작품 전체에 걸쳐 발견되며, 또한 그의 작품에 그 공명(共鳴)과 그 의미를 부여해 준다. 이러한 것들은, 이 부조리한 작품을 이해하기 위해 낱낱이 열거되어야 할 역설들이며, 증강되어야 할 모순들이다.

실제로 하나의 상징은, 두 개의 차원을, 관념과 감각이라는 두 개의 세계를, 그리고 그들 간의 교감의 사전(辭典)을 가정한다. 이 어휘집은 작성하기가 가장 힘든 물건이다. 그러나 서로 마주 보는 그 두 세계에 눈뜨는 것은 그들의 비밀스러운 관계의 실마리를 얻는 것과 마찬가지이다. 카프카에게 있어서, 이 두 세계는, 한쪽은 일상생활의 세계이며 다른 한쪽은 초자연적인 불안의 세계이다.[1]

---

1) 주목할 만한 것은, 카프카의 작품들은 똑같이 전적으로 정당하게 사회 비판적 의미에서 해석될 수 있다는 점이다(예를들면, 《심판》). 게다가 선택할 필요가 없을 듯하다. 두 가지 해석이 똑같이 옳기 때문이다. 우리가 보아 왔듯이 부조리의 입장에서는, 인간에 대한 반항은 '또한' 신에 대한 반항이기도 하다. 위대한 혁명은 언제나 형이상학적인 것이다.

우리는 여기서, "중대한 문제들은 어디에나 있다"라는 니체의 말이 끝없이 이용되는 것을 목격하고 있는 것 같다.

인간의 조건(이것은 모든 문학의 상투적인 주제이다) 속에는 기본적인 부조리성과 함께 가차 없는 고귀함이 있다. 이 양자는 당연한 듯이 일치한다. 거듭 말하거니와, 이 양자 모두가, 우리의 영혼의 과도함과 육체의 덧없는 기쁨을 갈라놓는 그 어이없는 단절 속에서 나타난다. 부조리한 것은, 그렇게 당치 않게도 육체를 초월해 버리는 것이 바로 그 육체가 가진 영혼이라는 점이다. 이 부조리를 표현하고 싶어 하는 사람은, 서로 대응되는 일련의 대비들을 통해 그 부조리에 생기를 주어야만 한다. 그리하여 카프카는, 일상적인 것으로써 비극을, 논리적인 것으로써 부조리를 표현하게 되는 것이다.

배우에게 어떤 비극적인 특성을 더 많이 부여하면 할수록, 그는 그것을 과장하지 않기 위해 좀 더 조심한다. 그가 절제 있는 사람이라면, 그때 그가 유발하는 무시무시함은 극단적인 것이 될 것이다. 이러한 점에서, 그리스 비극은 우리에게 많은 교훈을 준다. 한 비극 작품에서, 운명은 언제나 논리적이고 자연스러운 모습을 띨 때 한결 더 잘 느껴진다. 오이디푸스의 운명은 미리 알려진다. 그가 살인과 근친상간을 범하리라는 것은 초자연적으로 정해져 있다. 이 비극의 온 노력은, 그 주인공의 불행을 연역에서 연역으로 완성시켜 가는 그 논리적 체계를 보여 주는 것이다. 단지 그러한 흔치 않은 운명을 우리에게 알려 준다는 것만으로는 별로 무시무시할 게 없다. 그런 운명은 쉽게 있을 법하지 않기 때문이다. 그러나 그 운명의 필연성이 일상적인 생활 · 사회 · 국가 · 익숙한 감정들의 틀 안에서 우리에게 실연(實演)된다면, 그때 그 무시무시함은 신성한 것이 된다. 인간을 혼란시키고, 인간으로 하여금 "그것은 있을 수 없다"라고 말하게 하는 그 반항 속에는 '그것이' 있을 수 있다는 절망적인 확신의 한 요소가 들어 있는 것이다.

이것이 그리스 비극의 전 비결이며, 아니면 최소한 그 측면의 비결이다. 왜냐하면 또 다른 비결이 있기 때문인데, 이것이 반대의 방법으로 우리가 카프카를 더 잘 이해하도록 도움을 줄 것이다. 인간의 마음은, 오직 자신을 짓누르는 것에만 운명이라는 이름을 붙이려는 묘한 경향을 갖고 있다. 그러나 행복 역시 그 나름대로 이성을 초월하여 있다. 행복도 필연적인 운명이기 때문이다. 그렇긴 하지만, 그것을 인정하지 않을 수 없을 때엔, 현대인은 행복을 자기 공로로 돌린다. 반대로, 그리스 비극의 특권적인 운명들에 관해서는, 그리고 율리시스처럼 최악의 모험들 한가운데서 자신의 운명으로부터 구원되는 전설 속의 총아들에 관해서는 많은 말을 할 수 있을 것이다. 이타카(율리시스의 고향-역주)로 되돌아가는 것은 그렇게 쉬운 일이 아니었다.

어쨌거나 잊지 말아야 할 것은, 논리적인 것과 일상적인 것을 비극적인 것에 결합시키는 그 비밀스러운 연관 관계이다. 《변신》의 주인공 잠자(Samsa)가 떠돌이 세일즈맨인 것도 그 때문이다. 그가 벌레로 변하게 되는 그 기이한 모험 속에서도 그의 마음을 불안하게 하는 것은 그의 사장(社長)이 그가 없는 것에 화를 낼 것이라는 사실뿐인 것도 그 때문이다. 그에게서 다리와 더듬이들이 자라나고, 등은 둥글게 굽어지고, 배에 흰 반점들이 나타나고, 그런데도—나는 이것에 그가 놀라지 않는다고 말하지는 않겠다. 그러면 그 효과가 엉망이 될 테니까—그것이 그에게 '약간의 짜증' 밖에 일으키지 않는다. 카프카의 전 예술이 그러한 특이성에 있다. 그의 주요 작품인 《성(城)》에서는, 일상생활의 세부적인 묘사가 뛰어난데, 그럼에도 불구하고 아무런 결론도 나오지 않고 모든 것이 다시 시작되는 이 이상한 소설 속에 그려져 있는 것은, 자기 자신의 고귀함을 추구하는 한 영혼의 본질적인 모험인 것이다. 문제를 그렇게 실제적인 한 사건으로 옮겨 놓는 것 및 보편적인 것과 특수한 것의 그러한 일치는, 위대한 창조자라면 누구나 지니고 있는 작은 기교들 속에서도 역시 인식되는 것들이다. 《심판》에서 주인공에게 슈미트나 프란츠 카프카라는 이름을 붙일 수도 있었을 것이다. 그러나 그 주인공은 요제프 K.라는 이름이다. 그의 이름은 카프카가 아니지만, 역시 그는 카프카이다. 그는 보통의 유럽인이다. 그는 다른 모든 사람들과 똑같다. 그러나 그는 또한 이 살과 피의 방정식의 χ인 실체 K.인 것이다.

마찬가지로, 만일 카프카가 부조리를 표현하고자 한다면, 그는 논리적 연관을 이용할 것이다. 당신은 목욕탕에서 낚시질하는 미치광이 이야기를 알 것이다. 정신병 치료에 일가견이 있는 한 의사가 그에게 '고기가 낚이는가?' 하고 물었는데, 이 질문에 의사는 '물론 안 낚이지, 이 바보야, 여기는 목욕탕이니까'라는 거친 대답을 받았다. 이 이야기는 바로크 타입에 속한다. 그러나 부조리의 효과가 얼마만큼이나 과도한 논리와 연관되어 있는지 분명하게 파악할 수 있을 것이다. 카프카의 세계는, 사실상 아무것도 낚이지 않을 것을 알면서도 목욕탕에서 낚시질을 하는 괴로운 사치를 인간이 스스로에게 허락하는 그러한 세계이다.

따라서 나는 여기서, 그 원칙들에 있어서 부조리한 하나의 작품을 인식하게 된다. 예를 들어 《심판》에 관해서, 나는 정말로 그 작품이 완전한 성공이라고 말할 수 있다. 육신이 승리를 얻는 것이다. 여기에는 아무것도 결여된 것이 없다. ―표현되지 않는 반항도(그러나 이 반항을 쓰고 있는 것이다), 명철하고 소리 없는 절망도(그러나 이 절망이 창조하고 있는 것이다), 그리고 그 소설의 인물들이 최후의 죽음에 이를 때까지 실례로써 보여 주는 그 놀라운 행동의 자유까지도.

*

그렇지만 이 세계는 보이는 것처럼 그렇게 꼭 닫혀 있는 것은 아니다. 카프카는 진전 없는 이 세계 속으로 이상한 형태로 희망을 끌어들이려 하고 있다. 이점에 있어 《심판》과 《성(城)》은 똑같은 방향을 따르지 않는다. 이 두 작품은 서로를 보완한다. 전자에서 후자로 가는 간신히 알아볼 수 있는 그 진전은 도피의 영역에서의 어떤 굉장한 극복을 나타낸다. 《심판》은 한 문제를 제기하며, 《성(城)》이 그것을 어느 정도 해결한다. 전자는 유사 과학적 방법으로 묘사하고 결론을 내리지는 않는다. 후자는 어느 정도까지 설명을 한다. 《심판》은 진단을 하고, 《성(城)》은 한 치료법을 상상한다. 그러나 여기서 제시된 치료법은 병을 고치지는 않는다. 그것은 다만 병을 정상적인 생활 속으로 되돌릴 뿐이다. 그것은 병을 받아들이도록 돕는다. 어떤 의미에서는(키에르케고르를 생각하자), 그것은 사람들로 하여금 그 병을 소중하게 여기도록 만든다. 《성(城)》의 측량 기사 K.는 자신을 괴롭히고 있는 불안 외의 다른 불안은 상상할 수 없다. 그의 주위의 사람들까지도 그 공허와 그 이름 없는 고통에 애착을 갖게 되어, 마치 이 경우엔 고통이 어떤 특권적인 모습을 띄고 있기라도 한 것 같다. "난 당신이 몹시 필요해요." 프리다는 K.에게 말한다. "당신을 알게 된 이후로, 당신이 나와 함께 있지 않을 때엔 너무도 쓸쓸한 기분이 들어요." 우리로 하여금 우리를 짓누르는 것을 사랑하게 만들고 출구 없는 세계에서 희망을 솟아오르게 만드는 이 미묘한 치료법, 모든 것을 바꾸어 놓는 이 돌연한 '비약'은, 실존적 혁명의 비밀이며, 《성(城)》 자체의 비밀이다.

그 전개에 있어서 《성(城)》보다 더 엄격한 작품은 별로 없다. K.는 성의 측량 기사로 임명받고 그 마을에 도착한다. 그러나 마을에서 성으로 연락을 취하는 것이 불가능하다. 이 작품의 수백 페이지에 걸쳐 K.는 집요하게 자기 길을 찾아보고, 온갖 접근을 해보고, 온갖 계교와 편법을 쓰면서도 결코 화를 내지 않으며, 어이없을 정도의 호의로 자기에게 위임되는 임무들을 맡으려 애쓴다. 각 장(章)은 새로운 좌절이다. 그리고 또한 새로운 시작이다. 그것은 논리가 아니라 일관된 방법이다. 그 집요함의 정도가 이 작품의 비극적인 특질을 이룬다. K.가 성에 전화할 때, 그는 엇갈리는 뒤섞인 음성들과 분명치 않은 웃음소리들과 멀리서 부르는 소리들을 듣는다. 그것만으로도 그의 희망을 키우기에 족하다. 마치 여름 하늘에 나타나는 몇몇 가지 전조들처럼, 혹은 우리가 살아야 할 이유를 만들어 주는 저녁의 이런저런 기대들처럼. 여기서 카프카에 특유한 우울의 비결을 볼 수 있다. 그것은 사실상, 프루스트의 작품이나 플로티노스(205?~270? 이집트 태생의 그리스 · 로마 신플라톤학파 철학자-역주)의 풍경 속에서 볼 수 있는 것과 똑같은 것이다. 즉 잃어버린 낙원에 대한 동경인 것이다. 올가는 말한다. "나는 아주 슬퍼져요. 바르나바스가 아침에 내게 성에 갈 거라고 말할 때면 말이에요. 아마도 헛걸음일 터이고, 하루가 낭비되는 것이고, 아마도 헛된 희망일 테니까요." '아마도'라는 말에 내포된 뉘앙스에 카프카는 자신의 전 작품을 건다. 그러나 아무것도 소용이 없다. 영원한 것에 대한 추구는 여기서는 지나치게 철저하다. 그리하여 카프카의 인물들인 이 영감(靈感)받은 자동인형들은, 만일 우리가 우리의 여러 가지 기분전환[2]을 빼앗긴다면, 그리고 신(神)이 주는 굴욕들에 완전히 내맡겨진다면, 그때의 우리의 모습이 어떠할 것인가에 대한 정확한 이미지를 우리에게 제공한다.

《성(城)》에서는 일상적인 것에 대한 그러한 순종이 하나의 윤리가 된다. K.의 커다란 희망은 성(城)으로 하여금 자기를 채용하도

---

2) 《성(城)》에서는 파스칼적 의미에서의 '기분전환'은 K.의 마음을 그의 불안으로부터 전환시키는 조수들에 의해 나타나는 것 같다. 프리다가 결국 그 조수들 중의 한 명의 정부(情婦)가 된다면, 그것은 그녀가 진실보다는 무대 장치를, 고뇌를 나누는 것보다는 일상적인 생활을 더 좋아하기 때문이다.

록 하는 것이다. 혼자의 힘만으로는 그것을 이룰 수가 없기 때문에, 그는 온 노력을 기울여 그 마을의 한 주민이 됨으로써, 그리고 모든 사람이 그로 하여금 느끼게 만드는 이방인이라는 신세를 털어 버림으로써 그 은전(恩典)을 입으려 한다. 그가 원하는 것은 직업 · 가정 · 건전하고 정상적인 인간의 생활이다. 그는 자신의 미친 짓을 더 이상 견딜 수 없다. 그는 합리적인 사람이 되고자 한다. 그는 자기를 그 마을의 이방인으로 만드는 이상한 저주를 털어 버리고 싶어 한다. 이러한 점에서 프리다 이야기는 의미심장하다. 성(城)의 관리들 중의 하나와 알고 지내는 이 여자를 그가 정부(情婦)로 삼는다면, 그것은 그녀의 과거 때문이다. 그는 그녀에게서 자기의 힘을 넘어서 있는 어떤 것을 얻어 내지만, 한편으로는 무엇이 그녀를 영원히 성(城)에 어울리지 않는 사람으로 만드는가를 의식하고 있다. 이것은 우리에게 레기나 올젠에 대한 키에르케고르의 기이한 사랑을 생각하게 한다. 어떤 사람들의 경우엔, 그들을 삼켜 버리는 영원의 불길이 그들과 가장 가까운 사람들의 마음까지 불태워 버릴 만큼 큰 것이다. 신의 것이 아닌 것을 신에게 바친다는 이 중대한 잘못이 역시 《성(城)》 중의 이 에피소드의 주제이다. 그러나 카프카에게는 그것이 잘못이 아닌 듯하다. 그것은 하나의 교리이며 하나의 '비약'이다. 신의 것이 아닌 것은 아무것도 없다는 것이다.

측량 기사가 바르나바스 자매들에게로 가기 위해 프리다와 결별한다는 사실은 한층 더 의미심장하다. 바르나바스 가족은 그 마을에서는 성(城)과 마을 자체로부터 완전히 버림받은 유일한 가족이기 때문이다. 언니인 아말리아는 성(城)의 관리들 중의 하나가 그녀에게 했던 치욕스러운 유혹들을 거절했었다. 그 뒤에 이어진 부도덕한 악담이 그녀를 영원히 신의 사랑으로부터 추방시켰다. 신을 위해 자기 자신의 명예를 잃을 수 없다는 것은, 곧 스스로 신의 은총을 받을 자격이 없는 사람이 되는 것과 마찬가지이다. 여기서 실존적 철학에 익숙한 한 주제, 즉 도덕과 어긋나는 진리라는 주제를 인식할 수 있다. 이 시점에서 사태는 더욱 진전된다. 카프카의 주인공이 프리다로부터 바르나바스 자매까지 거쳐 온 길은, 믿는 사랑으로부터 부조리의 신격화에 이르는 바로 그 길이기 때문이다. 여기서 다시금 카프카의 사상은 키에르케고르와 평행으로 달린다. '바르나바스 이야기'가 책 끝부분에 놓여 있는 것도 놀라울 게 없다. 측량 기사의 마지막 시도는, 신을 부정하는 것을 통해 신을 되찾고, 우리의 선(善)과 미(美)의 범주들에 따라서가 아니라 신의 무관심 · 신의 부당함 · 신의 증오 등의 공허하고 무시무시한 모습들의 배후에서 신을 인식하는 것이다. 성(城)에 자신을 채용해 줄 것을 청하는 이방인이 그의 여정의 끝에 이르러 좀 더 멀리 추방되는데, 이것은, 이번에는 그가 오직 광적인 희망만을 갖고서 신의 은총의 사막 안으로 들어가기 위해 자기 자신에게 불성실하여 도덕과 논리와 지적인 진리들을 저버리기 때문이다.[3)]

3) 이것은 분명 카프카가 우리에게 남겨 놓은 미완성 판의 《성》에 대해서만 맞는 말이다. 그러나 그 작가가 자신의 소설의 한결같은 어조를 마지막 장(章)에 가서 파괴했으리라는 것은 의심스럽다.

*

여기서 사용된 '희망'이라는 말은 우스꽝스러운 게 아니다. 반대로 카프카가 묘사하는 상황이 비극적이면 비극적일수록 그 희망은 더욱더 굳건해지고 공격적인 것이 된다. 《심판》이 좀 더 진정으로 부조리한 것일수록 《성(城)》의 열렬한 '비약'은 좀 더 감동적이고 비논리적인 것으로 보인다. 그러나 우리가 여기서 발견하는 것은 역시 어떤 순수한 상태에서의 실존적 사상의 역설인데, 그것은 예를 들어, 키에르케고르에 의해 이렇게 표현되는 것과 같은 것이다. "지상의 희망을 죽여야만 한다. 그럴 때에야 비로소 진정한 희망에 의해 구원받을 수 있는 것이다."[4] 이것은 이렇게 바꾸어 말할 수 있다. "《심판》을 쓴 사람만이 《성(城)》을 시도할 수 있다."

카프카에 대해 말해 온 사람들 대부분이, 사실상 그의 작품을 인간에게 어떠한 구원도 남아 있지 않은 절망적인 외침이라고 규정해 왔다. 그러나 이것은 재고(再考)를 요한다. 그의 작품엔 희망과 희망이 있는 것이다. 앙리 보르도의 낙천적인 작품은 내게는 이상하게도 비관적으로 보인다. 그것은, 거기엔 서로 차이를 둘 만한 게 아무것도 없기 때문이다. 반면에 앙드레 말로의 사상은 항시 고무적이다. 그러나 이 양자에 있어, 똑같은 희망도 똑같은 절망도 쟁점이 되어 있지 않다. 나는 다만 그 부조리한 작품 자체가 내가 피하고 싶은 불성실로 이어질 수도 있다는 것을 볼 뿐이

4) 마음의 순수함.

다. 결실 없는 상태의 공연한 반복, 덧없음에 대한 명징한 찬미에 불과했던 그 작품이 이제 환상의 요람이 되는 것이다. 그 작품은, 분명히 밝혀 설명하고, 희망에 어떤 형태를 부여한다. 그 작품의 작가는 이젠 그 작품으로부터 자신을 분리시킬 수 없다. 그 작품은, 이제는 과거에 그랬던 것처럼 비극적인 게임이 아닌 것이다. 그것은 그 저자의 삶에 어떤 의미를 부여한다.

어쨌거나 이상한 것은, 카프카나 키에르케고르나 셰스토프의 작품들처럼 서로 관련된 영감에서 나온 이 작품들, 요컨대 전적으로 부조리와 그 결과들 쪽으로 방향을 정해 놓은 실존적 소설가들과 철학자들의 작품들이 결국에는 엄청난 희망의 외침으로 이어진다는 점이다.

그들은 자기들을 파먹는 신을 껴안는다. 희망이 생겨나는 것은 겸허를 통해서이다. 이 실존의 부조리가 그들에게 초자연적인 존재를 좀 더 확신케 하기 때문이다. 이 삶의 길이 신에게로 통한다면, 결국 한 가지 결과가 있다. 그리하여 키에르케고르 · 셰스토프, 그리고 카프카의 주인공들이 그들의 여정을 되풀이하는 그 인내심과 집요함은, 그러한 확신을 고양시키는 힘에 대한 특별한 보증이 된다.[5)]

카프카는 자기의 신에게서 도덕적인 고귀함 · 믿을 만한 근거 · 미덕 · 일관성을 부인하지만, 그것은 다만 신의 품안으로 좀 더 잘

5) 《성》에서 희망을 갖지 않는 유일한 인물은 아말리아이다. 측량 기사가 가장 심한 적대 감정을 갖는 것은 그녀이다.

뛰어들기 위해서이다. 부조리를 인식하고 받아들이고, 인간이 그 것에 몸을 내맡기지만, 그때부터 우리는 그것은 더 이상 부조리가 아니라는 것을 안다. 인간 조건의 여러 가지 한계들 내에서, 그 조건으로부터의 도피를 허용하는 희망보다 더 큰 희망이 무엇이겠는가? 내가 다시 한 번 고찰해 보건대, 실존적 사상은 이점에서, 그리고 요즘 시대의 견해와는 반대로, 어떤 거대한 희망에 깊이 빠져 있다. 그것은 초기 기독교와 복음 전파의 시대에 고대 세계를 흥분시켰던 바로 그 희망이다. 그러나 모든 실존적 사상의 특징을 이루는 그러한 비약 속에서, 그 집요함 속에서, 그리고 모습 없는 한 신에 대한 그러한 탐구 속에서, 어떻게 명징한 의식이 스스로를 포기하는 자취를 보지 않을 수 있겠는가? 그것은 자만심이 자신을 구원하기 위해 물러서는 것뿐이라고 주장한다. 그러한 포기에는 풍성한 결실이 있을 것이다. 그렇다고 해서 달라지는 것은 없다. 내가 보기엔, 명징함을 모든 오만과 마찬가지로 결실 없는 것이라고 부른다 해서 그것의 도덕적 가치가 감소되지는 않는다. 진리 또한, 그 의미 자체로 보아 결실 없는 것이기 때문이다. 모든 진실들이 그러하다. 모든 것이 주어져 있으되 아무것도 설명되지 않는 세계에서 어떤 가치 혹은 어떤 형이상학의 풍요는 의미 없는 개념이다.

어쨌거나 여기서 우리는 카프카의 작품이 어떤 전통의 사상에 그 위치를 정하고 있는지를 알게 된다. 《심판》에서 《성(城)》으로의 진전을 불가피한 것으로 여기는 것은 정말로 현명한 일일 것이다. 요제프 K.와 측량기사 K.는 다만 카프카를 끌어당기는 양

극일 뿐이다.[6] 나는 카프카가 이야기하는 것처럼 이야기할 수 있고, 그의 작품은 아마도 부조리한 작품이 아닐 거라고 말할 수 있을 것이다. 그러나 그것이 방해가 되어 우리가 그의 작품의 고귀함과 보편성을 보지 못해서는 안 된다. 그 고귀함과 보편성은, 그가 희망에서 비탄으로, 절망적인 지혜에서 의도적인 맹목으로 옮겨 가는 일상적인 통로를 그렇게 완전하게 표현해 냈다는 사실에서 온다. 그의 작품은, 믿어야 할 이유들을 자신의 모순들로부터 끌어내고 희망을 가져야 할 이유들을 자신의 온갖 상상에서 오는 절망들로부터 끌어내며, 자신의 무서운 죽음의 도제(徒弟) 수련을 삶이라 부르면서 인류로부터 도망치는 인간의 감정적인 감동을 주는 모습을 표현할 정도로 보편적이다(정말로 부조리한 작품은 보편적이지 않다). 그의 작품이 보편적인 것은, 그 영감이 종교적인 것이기 때문이다. 모든 종교들에 있어서처럼 인간은 자기 자신의 삶의 짐으로부터 자유로워지는 것이다. 그러나, 내가 그것을 알고 있다 할지라도, 심지어 그것을 찬미할 수 있다 하더라도, 나는 또한 내가 추구하고 있는 것이 보편적인 것이 아니라 진실한 것임을 알고 있다. 이 양자가 서로 일치하지 않는 것은 당연하다.

진정으로 희망 없는 사상은 공교롭게도 그 반대의 기준에 의해 규정되며, 비극적인 작품이란 모든 미래의 희망이 추방된 뒤에 행복한 인간의 삶을 묘사하는 것이라고 내가 말한다면, 이러한 특

---

6) 카프카 사상의 두 가지 측면에 관해서는, 카이에 뒤 시드 출판사가 출판한 그의 《유형지에서》에 나오는 "유죄('인간의 유죄'로 이해된다)는 결코 의심스러울 게 없다"와 《성(城)》의 한 단편(못무스의 말)에 나오는 "측량 기사 K.의 유죄는 확정 짓기 어렵다"를 비교하라.

수한 견해는 좀 더 잘 이해될 것이다. 삶이 고무적인 것일수록 그 삶을 잃는다는 생각은 더욱더 부조리하다. 이것이 아마도 니체의 작품 속에서 느껴지는 그 도도한 메마름의 비밀일 것이다. 이러한 맥락에서, 니체는 어떤 부조리 미학의 극단적인 결과들을 끌어낸 유일한 예술가인 것처럼 보이는데, 그것은 그의 최후의 메시지가 메마르고 정복자적인 명징함에 있으며, 그 어떤 초자연적인 위안도 완강하게 거부하는 데에 있기 때문이다.

그럼에도 불구하고, 이 에세이의 틀 안에서 차지하는 카프카의 으뜸가는 중요성을 밝히기 위해서는, 앞서 말한 것만으로도 충분할 것이다. 여기서 우리는 인간의 사고의 한계(限界)들로 이끌려 간다. 아주 넓은 의미에서, 그의 작품 안의 모든 것들이 본질적인 것이라고 말할 수 있다. 어쨌거나 그의 작품은 부조리의 문제를 전적으로 제기한다. 이러한 결론들을 우리가 처음에 언급했던 것들과 대비시키고, 그 내용을 형식과, 《성(城)》의 비밀스러운 의미를 그 작품이 형성되는 그 자연스러운 기법과, K.의 열정적이고 당당한 탐구를 그것이 일어나는 일상적인 배경과 대비시켜 보기만 한다면, 그 작품의 위대함이 어떤 것인지를 깨닫게 될 것이다. 동경이 인간의 특징이라면, 그러한 회한의 망령들에게 그만한 살과 부피를 주었던 사람은 단 한 사람도 없을 것이기 때문이다. 그러나 그와 동시에 부조리한 작품이 요구하는 탁월한 고귀성이 어떤 것인지를 알아차리게 될 터인데, 그러한 고귀함은 아마도 그의 작품에서는 발견되지 않을 것이기 때문이다. 예술의 본질이, 보편적인 것을 특수한 것과 결합하고 물 한 방울의 덧없는 영원을 그 물의 빛들의 유희와 결합시키는 것이라면, 부조리한 작가의 위대함은 그 두 세계 간에 그가 끌어넣을 수 있는 거리에 의해 평가된다는 것은 더더욱 맞는 말이다. 부조리한 작가의 비결은, 그 두 세계가 가장 큰 불균형 상태로 서로 만나는 정확한 지점을 발견할 줄 아는 것에 있다.

그리고 사실은, 인간과 비인간적인 것으로 이루어진 이 기하학적 지점은, 가슴이 순수한 사람에게는 도처에서 보인다. 파우스트와 돈키호테가 탁월한 예술 창조물인 것은, 그들이 지상의 손으로 우리에게 가리켜 보여 주는 그 한없는 고귀함 때문이다. 그러나 그 손들로 만질 수 있는 진실들을 정신이 부정하는 때가 반드시 온다. 창조가 더 이상 비극적으로 받아들여지지 않고 다만 진지하게 받아들여질 뿐인 때가 온다. 그때에 인간은 희망과 관계를 갖게 된다. 그러나 이것은 그가 할 일이 아니다. 그의 일은 희망의 속임수로부터 등을 돌리는 것이다. 그러나 카프카가 온 우주를 상대로 제기하는 그 격한 소송의 결말에 이르러 내가 발견하는 것은 바로 희망의 속임수인 것이다. 그의 믿기 어려운 판결은 바로 그 두더지들조차도 감히 희망을 갖는 무시무시하고 구역질나는 이 세계인 것이다.[7]

---

7) 위에서 제시된 것은, 분명 카프카의 작품에 대한 한 해석이다. 그러나, 그 어떤 해석과도 별도로 순수한 미학적 관점에서, 그의 작품을 고려하지 못하도록 막는 것은 아무것도 없다는 것을 덧붙이는 게 올바른 일이리라. B. 그뢰투이젠은《심판》에 붙인 그의 훌륭한 서문에서, 우리들보다 좀 더 현명하게 스스로 한계를 그어, 아주 놀랍게도 그가 몽상가라고 부르는 사람의 괴로운 환상들을 따라가는 데에만 그치고 있다. 모든 것을 제공하면서 아무것도 단정하지 않는 것이 그 작품의 운명이자 위대함일 것이다.

부록 Ⅱ

철학 에세이

1. 알제(Algiers)에서 보낸 여름
2. 미노토르—오랑에서의 체류
3. 헬레네의 추방
4. 티파사로 돌아오다
5. 예술가와 그의 시대

1. 알제(Algiers)에서 보낸 여름

– 자크 외르공을 위하여

우리가 한 도시와 함께 하는 사랑들은 흔히 비밀스러운 사랑들이다. 파리 · 프라하, 심지어는 플로렌스 같은 오래된 성벽으로 된 도시들은 그 자체에 에워싸여 있고, 따라서 자기 자신에 속한 세계를 한정시키고 있다. 그러나 알제(알제리의 수도－역주)는—바닷가의 도시 같은 다른 특권적인 장소들과 함께—하나의 입처럼 혹은 하나의 상처처럼 하늘을 향해 벌어져 있다. 알제에서 사람들은 평범한 것—어느 거리 끝에나 있는 바다, 웬만큼 풍성한 햇빛, 그 종족의 아름다움—을 사랑한다. 그리고 언젠가 그렇듯, 그렇게 부끄러움 없이 내놓는 것들 속에는 어떤 비밀스러운 향기로움이 있다. 파리에서는 어떤 장소와 날개치는 소리가 그리워 향수에 젖을 수 있다. 여기서는, 적어도 인간의 모든 소원이 채워지고, 인간은 자신의 욕망들을 확실히 알며, 마침내 자신이 가진 것들을 측정할 수 있다.

무절제한 자연의 혜택이 인간을 얼마나 마비시킬 수 있는 것인지를 깨닫기 위해서는, 아마도 얼마 동안은 알제에서 살아야 할 것이다. 배우고, 자기 자신을 교육하고, 혹은 자신을 향상시키고자 하는 사람들에게 도움 될만한 것은 이곳엔 아무것도 없다. 알제는 가르쳐 줄 교훈을 아무것도 갖고 있지 않다. 이 도시는 장래를 약속하지도 않고, 일별을 허용하지도 않는다. 이 도시는, 주는 것에, 그것도 풍성하게 주는 것에 만족한다. 이 도시는 눈으로 완전히 접근할 수 있고, 당신이 이 도시를 즐기는 순간 당신은 이 도시를 알게 된다. 이 도시의 쾌락엔 치료약이 없고, 이 도시의 기쁨엔 희망이 없다. 그 무엇보다 이 도시는, 통찰력 있는, 말하자면 위안 없는 영혼들을 필요로 한다. 이 도시는 마치 신앙의 행위를 수행하듯 통찰력의 행위를 수행할 것을 요구한다. 자신이 먹여 키우는 사람들에게 화려함과 비참함을 주는 이상한 도시! 이 지역의 민감한 사람에게 허락되는 관능적인 풍요가 극심한 궁핍과 일치한다는 사실은 놀라울 게 없다. 어떤 진실에나 그 진실의 가혹함이 들어 있는 법이다. 그렇다면, 내가 이 도시를 마주할 때 그중에서 가장 가난한 사람들에게 가장 큰 애착을 느낀다면, 그게 무슨 놀라움이겠는가?

청년기 전체를 통하여 사람들은 이곳에서 자신들의 아름다움에 비례하는 삶을 발견한다. 이윽고, 그다음부터는 내리막 언덕길이며 불투명함이다. 그들은 육체에 도박을 걸었다. —자기들이 질 것임을 알면서도. 알제에서는 젊고 활기 있는 사람이라면, 자기의 성역과 승리의 기회들을 도처에서 발견한다. —가령 만(灣)과 태양과 바다로 향한 테라스 위의 붉은색과 흰색의 여자들, 꽃들과 스포츠 스타디움, 미끈한 다리의 처녀들에게서. 그러나 젊음을 잃어버린 사람들에게는, 매달릴 게 아무것도 없으며, 필연적으로 우울만이 따라붙게 마련이다. 다른 곳들, 이를테면 이탈리아의 테라스들 · 유럽의 수도원들, 혹은 프로방스 지방의 언덕들, 이곳들은 모두가 자신의 인간성으로부터 달아나, 점잖게 자신을 자신으로부터 해방시킬 수 있는 곳들이다. 그러나 알제에선 모든 것이 고독과 젊은이들의 피를 요구한다. 괴테는 임종의 침대에서 빛을 달라고 했거니와, 이것은 역사에 남을 만한 말이다. 벨쿠르와 바벨웨드에서 카페 깊숙이 앉은 늙은이들은 머리에 기름을 덕지덕지 바른 젊은이들이 자랑삼아 떠드는 것에 귀를 기울인다.

알제에서 여름은 이러한 시작들과 끝들을 우리에게 드러낸다. 그 몇 달 동안 그 도시엔 인적이 없다. 그러나 가난한 사람들과 하늘은 남아 있다. 젊은이들이 항구를 향해, 그리고 사내들의 보물, 즉 물의 따스함과 여자들의 갈색 육체를 향해 내려갈 때에, 우리는 그들과 합류한다. 저녁이면, 그러한 풍요로움에 한껏 취해, 그들은 그들의 인생의 전체 무대를 구성하는 천막과 석유램프로 되돌아온다.

*

알제에서는 누구도 "수영하러 간다"라고 말하지 않고, 차라리 "수영에 빠진다"라고 말한다. 그 말의 속뜻은 분명하다. 사람들은 항구에서 수영하고 구명부대(救命浮袋) 위로 쉬러 간다. 예쁜 처녀가 햇볕을 쬐고 있는 구명부대 곁을 지나가는 사람은 누구나 그의 친구들에게 외친다. "저건 갈매기란 말이야." 이러한 것들은 건강한 즐거움들이다. 그러한 즐거움들이 그 젊은이들의 이상을 이루고 있는 게 틀림없다. 그 젊은이들 대부분이 햇빛 속에서 조촐한 점심을 들기 위해 매일 정오에 옷을 벗으며, 겨울에도 똑같은 생활을 계속하니까 말이다. 그들이 육체의 프로테스탄트인 저 나체주의자들의 따분한 설교를 읽어서가 아니다(정신의 이론 못지않게 꽤나 지겨운 육체의 이론도 있다). 그들은 단지 '햇빛 속에서 편안해지기' 때문이다. 우리 시대에 있어 이 관습의 중요성은 아무리 과장해도 지나치지 않는다. 2천 년 동안에 처음으로, 육체가 벌거벗은 모습으로 해변에 나타난 것이다. 이십 세기 동안, 인간은 희랍(고대 그리스)적인 오만함과 '순진함'에 품위를 주고, 육체를 줄이고 옷을 복잡하게 만들고자 애써 왔다. 그러한 역사에도 불구하고, 오늘날 지중해 해변을 달리는 젊은이들은 델로스 섬(아폴로와 아르테미스가 태어났다고 하는 에게 해(海) 서남부에 있는 섬 – 역주)의 육상 선수들의 몸짓을 반복하고 있는 것이다. 그리고 이렇게 육체들 사이에서, 그리고 자신의 육체를 통해 살다 보면, 인간은 육체도 그 자신의 내포(內包)와 그 자신의 삶과 —되지도 않는 말일는지 모르지만— 그 자신의 심리학을 갖고 있음을 알게 된다.[1] 육체의 진화도, 정신의 진화와 마찬가지로, 그 역사와 그 흥망성쇠와 그 진보와 그 결핍을 갖고 있다. 그러나 그

---

1) 여기서 내가 앙드레 지드가 육체를 찬양하는 그 방식이 마음에 들지 않는다고 말하는 엉뚱한 입장을 취해도 될까? 그는 육체로 하여금 육체 자신의 욕망을 억제하도록 요구함으로써, 그것을 더욱 강렬하게 만든다. 그리하여 그는 사창굴 은어로 변태적이라고 불리는 사람들 혹은 정신노동자들과 위험스러울 만큼 가까워진다. 기독교 또한 정욕을 억제할 것을 요구한다. 그러나 보다 당연하게도, 기독교는 그것을 하나의 고행으로 본다. 나의 친구 방상은 술통 만드는 사람이고, 주니어급 개구리헤엄 챔피언인데, 보다 분명한 견해를 갖고 있다. 그는 목이 마르면 물을 마시고, 한 여자를 원하면 그녀와 자려고 하고, 그리고 그 여자를 사랑한다면 그녀와 결혼할 것이다(그런 일은 아직 일어나지 않았지만). 그 뒤에는 그는 언제나 "기분이 한결 낫다"라고 말하는데, 이것이야말로 만끽을 옹호할 수 있는 모든 변명을 박력 있게 요약하고 있다.

색깔의 차이는 있다. 여름에 해변에 자주 가 보면, 흰색에서부터 햇볕에 탄 황금색에 이르기까지의 모든 피부들이 결국에는 육체가 할 수 있는 변화의 노력의 극한을 표시하는 담배 색깔로 끝나게 되는 그 동시적인 진행을 알게 된다. 항구 위로는 홍등가의 흰 입방체들의 무리가 서 있다. 수면 높이에서 볼 때면, 그 아랍 도시의 날카로운 흰빛을 배경으로 하여 해변의 육체들은 구릿빛의 장식 띠 모양을 나타낸다. 그리고 8월이 깊어 가면서 햇볕이 강해짐에 따라, 집들의 흰빛은 더욱더 눈을 멀게 하고, 피부는 더욱 어두운 열기를 띠게 된다. 이렇게 되면, 태양과 계절에 가락을 맞춘 돌과 살[肉]의 대화에 어떻게 참여하지 않을 수 있겠는가? 아침을 꼬박 다이빙하고, 물을 철벅거리면서 웃음을 터뜨리고, 붉은색과 검은색의 화물선들—온갖 목재의 향내를 풍기며 노르웨이에서 온 것, 기름 냄새로 가득한 독일에서 온 것, 해안을 오르락내리락하면서 포도주와 낡은 포도주 통 냄새를 풍기는 것 등—주위를 카누를 타고 힘차게 물을 젓는 것으로 보낸다. 태양빛이 하늘의 모든 구석에서 일시에 넘쳐흐르는 시각이 되면, 갈색 육체들을 태운 오렌지빛의 카누가 미친 듯한 급류로 해서 우리를 집으로 데려다 준다. 그리고 노(櫓)의 밝은 색 양 끝이 물을 치는 고른 소리가 갑자기 중단되고, 우리가 안쪽 항구의 잔잔한 물결을 타고 천천히 미끄러질 때, 내가 부드러운 물결을 통해 신들—그들에게서 나는 나의 형제들을 알아본다—의 미개한 뱃짐을 안내하고 있다는 기분을 어떻게 느끼지 않을 수 있겠는가?

그러나 그 도시의 다른 쪽 끝에서, 여름은 이미 대조적인 방법으로 우리에게 다른 풍요로움을 내놓고 있다. 여름의 침묵과 권태로움이 그것이다. 그 침묵은 언제나 똑같은 성질의 것은 아니고, 그늘에서 생긴 것인가 아니면 햇볕에서 생긴 것인가에 따라 다르다. 총독부 광장에는 정오의 침묵이 있다. 광장을 둘러싼 나무 그늘 밑에서, 아랍인들이 오렌지 꽃으로 풍미를 곁들인 5수우짜리 얼음 레몬수를 판다. 빈 광장을 가로질러 "시원한 레몬수요, 시원해요." 하는 그들의 외침 소리가 들린다. 그들의 외침 뒤엔, 타오르는 태양 밑으로 또다시 침묵이 내린다. 행상인들의 물 주전자 속에서 얼음들이 흔들리고, 나는 얼음이 찰랑거리는 소리를 들을 수 있다. 시에스타(점심 후의 낮잠)의 침묵이 있다. 해병대 거리와 더러운 이발소들 앞에서는, 속 빈 갈대로 만든 휘장들 뒤편에서 파리들이 선율적으로 윙윙거리는 소리를 들을 수 있다. 다른 곳, 즉 홍등가의 무어쉬(Moorish) 카페들 안에서는, 육체가 제 자신을 찢어 버리지 못하고, 그 찻잔을 떠나지 못하고, 제 자신의 피의 고동침으로 시간을 되찾을 수 없어 침묵하고 있다. 그러나 무엇보다도, 여름 저녁들의 침묵이 있다.

낮이 밤 속으로 허물어져 들어가는 그 짧은 순간들은, 분명 나의 알제 사람들에게는, 자기들과 아주 가깝게 얽혀 있는 비밀스러운 징조들과 부름들로 가득 차 있을 것이다. 나는, 그 도시와 멀리 떨어진 곳에서 얼마 동안 지내면, 그 도시의 황혼을 행복의 약속으로 상상하게 된다. 그 도시 위의 언덕에는 유향나무들과 올리브나무들 사이로 오솔길이 있다. 그런데 그러한 순간들엔 내 마음은 그 오솔길로 향한다. 푸른 수평선을 배경으로 하여 검은 새들의 떼가 솟아오르는 것을 나는 본다. 갑자기 태양을 빼앗긴 하늘에선 무엇인가가 느슨해진다. 자그마한 붉은 구름 왕국 전체가 뻗쳐 나가다가 이윽고 대기 속으로 흡수된다. 그리고 나면 거의 즉시, 그동안 하늘 깊숙한 곳에서 모양과 농도를 갖추고 있던 첫 번째 별이 나타난다. 그리고는 돌연 밤이 모든 것을 삼켜 버린다. 금세 사라지는 알제의 저녁들은 어떤 예외적인 특질을 갖고 있기에 나의 내부의 그 많은 것들을 풀어 줄 수 있는 것일까? 나는 알제의 저녁이 밤 속으로 사라지기 전에 내 입술에 남겨놓는 그 달콤한 맛에 싫증을 낸 적이 없다. 그것이 알제의 저녁이 오래오래 살아남는 비결일까? 이 나라의 정(情)은 압도적이고 은밀하다. 그러나 그 정이 살아 있는 순간 동안에는 사람의 마음은 어쨌든 완전히 그것에 굴복하게 된다. 파도바니 해변에서는 매일 댄스홀이 열린다. 그리고 한쪽 측면 전체가 바다 쪽으로 트인 그 거대한 칸막이 안에서, 이웃의 가난한 젊은 사람들은 저녁때까지 춤을 춘다. 나는 자주 거기에서 어떤 예외적인 아름다움의 순간을 기다리곤 했다. 낮 동안에는 그 홀은 나무로 만든 비스듬한 차양들에 의해 차단된다. 해가 지면 그 차양들은 올려진다. 그러면 홀은 하늘과 바다의 이중의 껍질에서 태어난 희한한 푸른빛으로 가득 찬다. 창문에서 멀리 떨어져 앉아 있을 때에는, 하늘과 그 하늘을 배경으로 그림자가 져서 나타나는, 잇달아 지나가는 춤추는 사람들의 얼굴만이 보인다. 때때로 왈츠가 연주되고 있을 때면, 그 푸른빛을 배경으로 하여, 거무스름한 몇몇 얼굴들이 마치 전축 턴테이블에 붙어 있는 오려낸 실루엣처럼 끈질기게 돌고 돈다. 그리고 나서 밤은 빨리 오고, 그와 더불어 불들이 켜진다. 그러나 나는 그 미묘한 순간이 나를 위해 간직하고 있는 그 전율과 비밀스러움에 대해 얘기할 수 없다. 나는, 최소한 그 오후 내내 춤추었던 굉장히 키 큰 한 여자를 머리에 떠올린다. 그녀는 꽉 죄는 푸른 드레스에 재스민 꽃묶음을 달고 있었고, 허리 부분에서 다리까지 땀으로 젖어 있었다. 그녀는 춤출 때에 웃고 있었고, 머리를 뒤로 젖히고 있었다. 테이블들을 지나칠 때에는, 그녀는 꽃과 살이 뒤섞인 냄새를 뒤에 남겼다. 저녁이 왔을 때, 나는 파트너에게 꼭 달라붙은 그녀의 몸을 더 이상 볼 수 없었지만, 하늘을 배경으로 하얀 재스민과 검은 머리칼의 엇갈리는 점들은 빙빙 돌았고, 그녀가 부풀어 오른 가슴을 뒤로 젖힐 때면, 나는 그녀의 웃음소리를 듣고, 또 그녀의 파트너의 얼굴이 갑자기 앞으로 숙여지는 것을 보곤 했다. 내가 순진무구함에 대하여 갖고 있는 관념은 그러한 저녁들 덕분에 얻은 것이다. 어쨌거나, 나는, 넘치는 정력으로 터질 것 같은 그 사람들을 그들의 욕망이 난무하는 하늘과 떼어 놓을 수 없음을 배우게 된다.

*

알제의 인근 영화관에서는 때때로 마름모꼴의 박하 과자를 파는데, 거기엔 사랑을 불러일으키는 데에 필요한 모든 것이 붉게 새겨져 있다. 즉 (1) 질문들—'언제 나와 결혼할 거예요?' '나를 사랑해요?' 그리고 (2) 대답들—'미치도록', '내년 봄에.' 그 방법을 마련한 뒤에 사람들은 그것을 이웃 젊은이에게 일러 주고, 그러면 그 사람은 똑같은 식으로 응해 오거나 아니면 전혀 귀 기울이지 않는다. 벨쿠르에선 이런 식으로 결혼들이 성립되어 왔고, 단순히 마름모꼴의 박하 과자를 교환함으로써 한평생을 서약해 왔다. 그리고 이것이 정말로, 이 지역 사람들의 어린애 같은 면을 보여 주는 것이다.

젊음의 두드러진 특징은, 아마도 손쉽게 기쁨을 얻을 수 있는 어떤 굉장한 재능일 것이다. 그러나 무엇보다도 그 특징은 낭비에 가깝게 성급하게 사는 것이다. 벨쿠르에서는 바벨웨드에서처럼, 사람들은 어려서 결혼한다. 그들은 일찍 일을 시작하고, 그리하여 10년 안에 한평생의 경험들을 다해 버린다. 서른 살의 근로자가 자신의 손안에 든 카드들을 이미 다 써 버리는 것이다. 그는 아내와 자식들 사이에서 종말을 기다린다. 그의 기쁨들은, 그의 삶이 그래 왔던 것처럼, 갑작스럽고 냉혹한 것이 되어 왔다. 사람들은 자기가 태어난 이 나라는 모든 것을 주었다가 다시 빼앗아 간다는 사실을 깨닫게 된다. 그 풍요로움과 풍성함 속에서, 삶은 갑작스럽고 가혹한, 그리고 너그럽고 커다란 열정의 휩쓸림을 따라간다. 그러한 삶은, 이룩되기 위한 것이 아니라 불태워지기 위한 것이다. 생각하기 위해서 멈춘다거나 더 좋은 처지가 되는 것은 전혀 불가능하다. 예를 들어, 지옥의 관념은 여기서는 다만 웃기는 농담에 지나지 않는다. 그러한 상상적인 것들은 아주 덕스러운 사람들에게나 허락되어 있다. 그리고 나는, 정말로 알제리 전체에서 '덕'이란 무의미한 것이라고 생각한다. 이 사람들에게 행동 강령이 없다는 것은 아니다. 그들은, 그들의 율법을, 그것도 아주 특이한 율법을 가지고 있다. 가령, 그들은 자기 어머니에게는 절대 무례하게 굴지 않는다. 또 자기의 아내가 항간에서 존경받도록 노력한다. 그들은 임신한 여자를 위해 준다. 상대에게 갑자기 공격 행위를 가하지 않는다. '그것은 정당한 행위로 보이지 않기' 때문이다. 이러한 기본적인 계율들을 지키지 않는 사람은 누구도 '인간이 아니며', 그리고 그런 문제는 단호하다. 내게는 이런 것이 합당하고 갸륵하게 여겨진다. 그래도 내가 유일하게 공평한 계율로 알고 있는 이러한 항간의 율법을 당연하다는 듯이 지키고 있는 사람들이 우리들 중에 많이 있다. 하지만 그와 동시에 상점 주인의 윤리는 이해하지 못하는 것이다. 나는 언제나 내 주위의 사람들이, 두 명의 경찰관 사이에 끼인 한 사람을 보고, 동정심으로 가득 차는 것을 보아 왔다. 그리고, 그 사람이 물건을 훔친 것인지, 아니면 자기 아버지를 죽인 것인지, 아니면 단순히 비국교도인지 알기도 전에 그들은 말하는 것이다. "가엾은 사람이로군"이라고. 혹은 약간 찬탄하는 어조로, "저 사람은 해적이야, 확실해"라고.

자부심과 삶을 위해 태어난 종족들이 있다. 그들은 이상한 권태로움의 재능을 키우는 종족들이다. 죽음에 대한 태도가 가장 냉담한 것도 또한 그러한 종족들 가운데서이다. 관능적인 쾌락들은 별도로 하고서, 이러한 종족의 즐거움들은 가장 하찮은 것들 가운데에 있다. 크리켓 투수 협회 · 단체 연회 · 3프랑짜리 영화 및 교구(敎區) 축제들이 오랫동안 30세를 넘은 이 사람들의 놀이를 마련해 왔다. 알제의 일요일은 가장 불길한 것 축에 낀다. 그런데 어떻게, 영성(靈性)이 없는 이 종족이 자신들의 삶의 깊은 공포를 신화들로 옷 입힐 수 있겠는가? 죽음과 관련된 모든 것들이 여기서는 우스꽝스러운 것이거나 혹은 혐오스러운 것이다. 종교도 없고 우상도 없는 이곳 서민들은 군중에 휩쓸려 살고 난 후에 혼자서 죽는다. 세계에서 가장 아름다운 풍경들 중의 하나와 마주한 불바르브뤼의 공동묘지보다 더 끔찍한 곳을 나는 알지 못한다. 검은 울타리들 가운데에 집적된 음산한 분위기가, 죽음이 진정한 죽음다운 모습을 보여 주는 이곳으로부터 어떤 끔찍한 우울을 솟아오르게 한다. 심장 모양의 봉납물에는 이렇게 씌어 있다. '모든 것이 사라져 간다, 기억 외에는.' 그리고 모든 것들이, 우리를 사랑하는 사람들의 가슴이 우리에게 값싸게 공급해 주는 그 하찮은 영원을 강조하고 있다. 똑같은 문구가 모든 절망에 적용된다. 고인(故人)에게 말을 할 때 그들은 2인칭으로 말한다(우리의 기억은 결코 '당신'을 버리지 않을 것이다). 그것은 고작해야 어떤 검은 액체에 한 육체와 욕망들이 있는 체하는 가련한 위장이다. 다른 어디에서는, 대리석으로 만든 꽃들과 새들이 풍성한 한가운데에 이런 대담한 단언도 있다. '당신의 무덤에는 결코 꽃이 없는 때가 없으리라.' 그러나 결코 염려하지 말라—금빛의 치장 벽토로 만든 꽃다발이 그 비명(碑銘)에 둘러싸여 있으니, 살아 있는 자에겐 시간이 대단히 절약된다—움직이는 버스에 뛰어드는 사람들의 감사하는 마음 덕분에 그런 건방진 이름을 얻은 부조화(不凋花:꺾어도 얼마 동안 시들지 않기 때문에 무덤에 바치는 꽃이다. 이 단어의 원어인 immortelle는 본래 '불사의, 불멸의' 따위의 뜻을 갖고 있다-역주)처럼. 시대에 맞춰 사는 게 중요한 일이기 때문에, 고

전적인 새는, 때때로 바보 같은 한 천사가 논리를 무시하고서 조종하는, 말하자면 인상적인 한 쌍의 날개가 갖춰진 눈부신 진주 비행기나 마찬가지이다.

그럼에도 불구하고, 그러한 죽음의 이미지들이 삶으로부터 결코 분리되지 않는다는 것을 어떻게 밝혀낼까? 이 점에 있어서는 그 가치들이 서로 긴밀한 연관을 갖고 있다. 빈 영구차를 몰고 갈 때 알제리의 장의사들이 잘하는 농담은, 길에서 마주치는 모든 예쁜 처녀들에게 "아가씨, 한번 타보고 싶어?"라고 외치는 것이다. 그 농담 속에 어떤 상징적 의미가 들어 있음은 명백하다. 약간 고약스러운 것이긴 하지만. 마찬가지로, 한 죽음을 알리는 말에 왼쪽 눈을 깜박거리며 대답하는 것 역시 불경스러워 보일는지도 모른다. —"가엾은 사람, 이제 다신 노래 부르지 못하겠군." 혹은 자기 남편을 결코 사랑하지도 않았던 오랑(Oran)의 그 여자처럼, "신이 내게 그를 주었고, 신이 내게서 그를 앗아 갔다"라고 대답한다면. 그러나 아무리 해도, 나는 죽음에서 아무런 신성한 것도 보지 못하며, 그리고 또 한편으로는 두려움과 경외(敬畏) 간에는 거리가 있다는 것을 잘 알고 있다. 여기서는 모든 것이, 사람에게 살고 싶은 마음을 일으키는 나라에서 죽는 것에 대한 공포를 암시하고 있다. 그럼에도 불구하고, 바로 이 공동묘지의 담 아래서 벨쿠르의 젊은이들은 밀회의 약속을 하고, 처녀들은 키스와 애무에 자신의 몸을 내던지는 것이다.

그러한 종족이 모든 사람들에게 다 받아들여질 수는 없다는 것을 나는 잘 알고 있다. 여기에는 이탈리아에서처럼 지성이 있을 곳이 없다. 이 종족은 정신에는 무관심하다. 그들은 육체 숭배 사상을 갖고 있다. 거기서 그들의 힘과 그들의 순진무구한 냉소적인 태도가 나오며, 그들이 어째서 그렇게 혹독한 평가를 받는지를 설명해 주는 철없는 허영이 나오는 것이다. 그들은 흔히, 그들의 '심성', 말하자면, 보고 사는 방식 때문에 비난받는다. 그런데 삶에 대한 어떤 열정은 부당함과 구별될 수 없는 게 사실이다. 그러나 여기에, 과거도 없고 전통도 없고, 그럼에도 불구하고 시(詩)가 없지 않은 한 종족이 있다. 그러나 내가 그 특질을 익히 아는 그 시는, 거칠고, 육감적이고, 부드러움과는 거리가 멀며, 바로 그들의 하늘의 시로서, 사실상 유일하게 나를 감동시키며, 내게 내적(內的)인 평화를 가져다주는 것이다. 문명국가의 반대는 창조적인 국가이다. 그래서 나는, 해변에서 빈둥거리는 이 미개인들이, 아마도 자신들이 그러는 줄도 모르면서, 인간의 위대함이 마침내 그 진정한 위대함의 모습을 발견하게 될 한 문화의 이미지를 실제로 본뜨고 있는 거라는 미친 희망을 갖고 있다. 전적으로 현재 속으로 내던져진 이 종족은 신화도 없이 위안도 없이 살아간다. 그들은 자신들이 가진 것들을 모두 이 지상에 놓았고, 그래서 그들은 죽음에 대한 방어물 없이 남아 있다. 그 모든 육체적인 아름다움의 선물들이 그들에게 마음껏 주어져 왔다. 그리고 그와 더불어, 미래 없는 그러한 풍요로움에 늘 수반 되게 마련인 이상한 탐욕도. 여기서 행해지는 모든 것들은, 안정된 상태에 대한 혐오와 미래에 대한 무시를 보여 준다. 사람들은 살아가기에 급급하므로, 만일 여기서 어떤 예술이 태어난다면, 그것은 도리스인들로 하여금 그들의 최초의 원주(圓柱)를 나무로 만들게 한 영속성에 대한 혐오감에 굴복할 것이다. 그러나 이 종족의 격정적이고 날카로운 얼굴에서, 우리는 무절제함과 함께 절도 있음도 발견할 수가 있다. 그리고 부드러움이라고는 전혀 없는 이 여름 하늘에서도. 이 여름 하늘 앞에서 모든 진실들을 털어놓을 수 있으며, 이 하늘 위에서 어떤 기만적인 신(神)도 희망의 혹은 구원의 징후들을 찾아내지 못했다. 이 하늘과 하늘로 향한 그들의 얼굴 사이에는, 어떤 신학 · 문학 · 윤리 혹은 종교를 매달아 둘 것이 아무것도 없고, 다만 돌 · 살(肉) · 별, 그리고 손으로 만질 수 있는 진리들만이 있다.

*

어떤 지역에 애착을 느끼고 어떤 집단의 사람들에게 사랑을 느낀다는 것, 자신의 가슴이 평안을 느끼게 될 곳이 늘 있음을 안다는 것—이러한 확신들은, 단 한 사람의 삶을 위해서는 대단한 것이다. 그런데도 그것으로 충분하지 않다. 하지만 어떤 순간에는 모든 것이 그 정신적 고향을 갈망하게 된다. "그렇다, 우리는 그곳으로 돌아가야만 한다. —정말로 그곳으로." 플로티노스가 갈망했던 그 합일을 지상에서 발견한다고 해서 이상할 게 무엇인가? 합일은 여기서는 태양과 바다에 의해서 표현된다. 그 비통함과 그 웅대함을 구성하는 어떤 살의 향내를 통해 가슴은 그 합일을 쉽게 느낄 수 있다. 나는, 초인간적인 행복은 없다는 것과 일상의 범위를 벗어나는 영원은 없다는 것을 배운다. 이 얼마 안 되면서도 본질적인 부속물들, 이 상대적인 진실들은 나를 감동시키는 유일한 것들이다. 다른 것들, 즉 '관념적'인 진실들에 대해서는, 나는 그러한 것들을 이해할 만한 영혼을 갖고 있지 않다. 인간이 짐승이 되어야 하기 때문이 아니라, 나는 천사들의 행복에서 아무런 의미도 발견하지 못하기 때문이다. 나는 다만 이 하늘이 나보다 더 오래 영속될 것임을 알 뿐이다. 그리고 내가 죽은 뒤에도 지속될 것 말고 그 무엇을 영원이라 부르겠는가? 나는 여기서 자기 자신의 상태에 대한 인간의 만족을 표현하고 있는 게 아니다. 그것은 전혀 다른 문제이다. 인간이 된다는 것은 언제나 쉽지는 않고, 순수한 인간이 된다는 것은 더더욱 그러하다. 그러나 순수하다는 것은, 인간이 세상의 관계를 느낄 수 있고, 인간의 맥박 치는 소리가 두 시의 태양의 격한 떨림과 일치하는 그 정신적 고향을 되찾는 것이다. 자기의 고국은 언제나 그것을 잃어버리는 순간에 절실하게 인식하게 된다는 것은 잘 알려진 얘기다. 자기 자신에 대해 지나치게 불안해하는 사람들에게는, 그들의 모국은 그들을 부인하는 존재이다. 나는 잔인해 보이거나 허풍쟁이로 보이고 싶진 않다. 그러나 결국, 이 세상에서 나를 부인하는 것은 무엇보다도 나를 죽이는 것이다. 삶을 고양시키는 것은 동시에 그 삶의 부조리성을 증대시킨다. 알제리의 여름에서, 나는 고통보다 더 비극적인 것은 단 한 가지뿐이며, 그것은 바로 행복한 인간의 삶이라는 것을 배운다. 그러나 속임수에 이르지 않기 때문에 그것은 또한 보다 위대한 삶으로 가는 한 방법 일는지도 모른다.

많은 사람들이, 사실은 사랑 그 자체를 기만하기 위해 삶에 대한 사랑을 위장한다. 그들은 즐거움을 누리는 것에, 그리고 '여러 가지 경험에 탐닉하는 것'에 자기 재주를 피워 본다. 그러나 그것은 착각이다. 관능주의자가 되려면 어떤 진기한 소질이 필요하다. 한 인간의 삶은, 그의 정신의 도움 없이도, 그 전진과 후진, 그와 동시에 그 고독과 그 실재(實在)로써 성취된다. 벨쿠르의 이 사람들이 아무런 불평 없이 일하고 자기의 처자식들을 훌륭하게 보호하는 것을 보면, 사람들이 남모르게 부끄러움을 느낄 수도 있을 거라고 나는 생각한다. 확실히, 나는 그것에 대해 아무런 환상도 갖고 있지 않다. 내가 말하고 있는 그런 삶들 속에는 많은 사랑이 있지 않다. 아니, 많이 남아 있지 않다고 말해야만 할 것이다. 그러나 최소한, 그들은 아무것도 기만하지 않았다. 내가 결코 이해하지 못한 말들이 있는데, 이를테면 '죄'와 같은 말이다. 그런데도 나는 이 사람들이 삶에 대해 결코 죄를 짓지 않았다고 믿는다. 삶에 대한 죄라는 게 있다면, 그것은 삶에 절망하는 것에 있다기보다는 내세에 대한 희망과 이 현세의 냉혹한 위압을 피하는 데 있기 때문이다. 이 사람들은 속이지 않았다. 삶에 대한 그들의 열정에 의해, 그들은 스무 살에 여름의 신(神)들이 되었고, 모든 희망을 빼앗긴 채 지금도 그러하다. 나는 그들 중 두 명이 죽는 것을 보아 왔다. 그들은 공포심으로 가득 차 있었지만, 아무 말이 없었다. 그것이 차라리 더 낫다. 인간의 모든 악들이 들끓고 있던 판도라의 상자로부터 그리스인들은 다른 모든 악들에 뒤이어 그중에서 가장 무시무시한 것인 희망을 끌어냈다. 나는 이보다 감동적인 상징을 알지 못한다. 일반적인 신념과는 반대로, 희망은 체념과 같은 것이기 때문이다. 그런데 산다는 것은 체념하는 것이 아니다.

이것은 적어도 알제리의 여름이 주는 쓰라린 교훈이다. 그러나 이미 계절은 흐트러지기 시작하고 있고, 여름은 비틀거린다. 그 격렬함과 무자비함 끝에 내린 9월의 첫 비는, 마치 며칠 동안 이 나라가 자신의 부드러움의 솜씨를 시험해 본 양, 해방된 대지의 첫 눈물과도 같다. 그런데도 같은 기간 동안 캐럽나무들은 알제리 전체를 사랑의 향기로 뒤덮는다. 저녁에, 혹은 비온 후에, 온 대지는, 그리고 쓰디쓴 아몬드를 연상케 하는 씨앗으로 촉촉한 대지의 자궁은, 여름 내내 태양에게 자신을 바쳤던 끝에 휴식을 취하게 된다. 그리고 다시금 그 향기는 인간과 대지의 결합을 신성한 것으로 만들고, 이 세상에서 유일하게 정말로 힘찬 사랑을 우리의 내부에 불러일으킨다. 덧없는 사랑, 고귀한 사랑을.

(1936)

2. 미노토르-오랑에서의 체류

– 피에르 갈린도를 위하여

이 에세이는 1939년으로 거슬러 올라간다. 오늘날의 오랑에 대해 판단하기 위해서는 이 사실을 염두에 두어야 한다. 그 아름다운 도시로부터의 열띤 항의들이 내게 사실상 그 결함들은 이미 개선되었거나 고쳐질 것이라는 확신을 준다. 또 한편으로는, 이 에세이에서 격찬된 그 아름다움들은 질투심어린 찬미를 받아 왔다. 행복하고 현실적인 도시인 오랑은 작가들을 더 이상 필요로 하지 않는다. 오랑은 관광객들을 기다리고 있다.

(1953)

이제 더 이상 사막은 없다. 이제 더 이상 섬도 없다. 그럼에도 불구하고 그것들은 인간에게 필요하다. 세계를 이해하기 위해서 인간은 때로는 세계로부터 등을 돌려야 한다. 사람들에게 더 나은 도움이 되기 위해서 인간은 얼마 동안 사람들과 거리를 두어야만 한다. 그러나 활력을 얻기 위해 필요한 고독을, 그리고 정신이 스스로를 가다듬고 용기가 자신의 힘을 측정하는 심호흡을 어디서 찾을 수 있을까? 대도시들이 남아 있다. 단, 거기엔 어떤 조건들이 요구된다.

유럽이 우리에게 제공하는 도시들은 과거의 소음들로 지나치게 가득 차 있다. 숙련된 귀라면 날개들의 파닥거림과 영혼의 퍼덕거림 소리를 분간해 낼 수 있다. 거기에서 수많은 세기와 혁명과 명성의 어지러운 선회를 느낄 수 있다. 거기에서는 서구(西歐)가 일련의 소란으로 용해되었다는 사실을 잊어서는 안 된다. 그 모든 것이 충분한 침묵을 조성해 주지는 않는다.

파리는, 종종 마음을 위한 하나의 사막이 되지만, 어떤 순간에는 페르 라셰즈(파리의 유명한 공동묘지－역주) 언덕으로부터 혁명의 바람이 불어와 그 사막을 갑자기 깃발들과 무너진 영광들로 가득 채우는 것이다. 스페인의 어떤 도시들 및 플로렌스나 프라하도 그러하다. 모차르트가 없다면 잘츠부르크는 평온할 것이다. 그러나 때때로, 지옥을 향해 뛰어드는 돈 후안의 커다란 오만한 부르짖음이 잘자크 위로 울려 퍼진다. 비엔나는 좀 더 침묵하고 있는 것처럼 보인다. 비엔나는 도시들 중에서 젊은이이다. 그 도시의 주춧돌들은 3백 년도 되지 않아서, 그 돌들의 젊음은 우수를 모른다. 그러나 비엔나는 역사의 십자로에 위치해 있다. 비엔나의 주위에서는 여러 제국들이 맞부딪치는 소리가 메아리친다. 하늘이 피로 뒤덮이는 저녁에는 링(Ring) 기념비들 위의 석조 마상(馬像)은 날아갈 듯이 보인다. 모든 것이 권력과 역사를 회고하게 하는 그 짧은 순간, 폴란드 기마대의 돌격을 받아 오스만 제국이 요란한 소리를 내며 무너지는 소리를 분명하게 들을 수 있다. 그것도 역시 충분한 침묵을 조성해 주지 않는다.

분명, 사람들이 유럽의 대도시 속으로 찾으러 오는 것은 바로 저 타인들 한가운데서의 고독이다. 최소한, 인생에 어떤 목적을 둔 사람들은 말이다. 거기서 그들은 그들의 교제를 선택하고 그것을 받아들이거나 혹은 버릴 수 있다. 호텔 방과 일르 생 루이의 오래된 돌들 사이를 오가면서 얼마나 많은 정신들이 누그러졌는가! 거기서 고독으로 죽어 간 사람들도 있는 게 사실이다. 어쨌거나 전자에 관해서 말하자면, 그들은 그런 도시에서 자신을 성장시키고 자기 자신을 나타내야 할 이유들을 발견하였다. 그들은 혼자인 동시에 혼자가 아니었다. 수 세기의 역사와 아름다움, 과거의 숱한 삶의 열렬한 증언이, 센 강을 따라 그들과 함께 가면서 그들에게 여러 가지 전통과 정복에 대하여 얘기해 주는 것이다. 그러나 그들에게 그런 말벗을 청하도록 다그친 것은 바로 그들의 젊음이었다. 그러나 어느 때가 오고 어느 기간이 오면, 그것도 그들에게 달갑지 않게 된다. "우리 둘뿐이다!" 파리의 거대한 진부함과 마주하여, 라스티냐크는 외친다. 둘, 그렇다. 그러나 그것도 너무 많은 것이다.

사막 자체가 중요한 의미를 띠고 있다. 그래서 사막은 시(詩)로 가득 채워져 왔던 것이다. 세계의 모든 슬픔들에 대해, 사막은 신성한 장소이다. 그러나 어떤 순간에는 가슴은 시기 없는 장소를 가장 원치 않는 것이다. 데카르트는, 명상하기로 계획하고 자신의 사막을 선택하였다. 그가 택한 것은 그의 시대에서 가장 상업적인 도시였다. 거기서 그가 찾은 것은 자신의 고독이었고, 우리의 힘찬 시들 중의 아마도 가장 위대한 시를 쓸 기회를 찾았다. 그 위대한 시란 '첫 번째 〔교훈〕은 그것이 분명히 진실이라는 것을 내가 알지 못하는 한 그 어떤 것도 결코 진실한 것으로 받아들이지 않는다'라는 것이었다. 야심을 덜 가지면서도 그와 똑같은 동경을 가질 수 있다. 그러나 지난 3세기 동안 암스테르담은 알을 낳듯 박물관들을 많이 지어 놓았다. 시(詩)로부터 달아나면서도 돌의 평온을 되찾기 위해서는, 다른 사막들, 영혼도 없고 유예도 없는 다른 장소들이 필요하다. 오랑(Oran)이 그중 하나이다.

오랑의 거리

나는 오랑의 사람들이 종종 이렇게 불평하는 것을 들었다. "여기선 재미있는 모임이 아무것도 없단 말이야"라고. 물론, 없다! 그런 것을 필요로 하지 않을 테니까! 사고가 건전한 사람들 몇몇이 함께 집단을 이루지 않고는 예술이나 사상을 발전시킬 수가 없다는 원칙에 충실한 다른 세계의 관습들을 이 사막에 도입하고자 노력했다.[2] 그 결과 생겨난 유일하게 유익한 모임은 포커 하는 사람들 · 권투 애호가들 · 크리켓 애호가들의 모임과 그 지방 단체들뿐이었던 것이다. 거기서는 애오라지 단순 무지한 사람들이 우세하다. 말하자면, 고상한 것에 도움이 되지 않는 어떤 고귀함도 존재하는 것이다. 그러한 고귀함은 본질상 사상이나 창조의 능력이

2) 오랑에서는 고골리의 클레슈타코프(그의 소설 《검찰관》에 나오는 인물-역주)를 만나게 된다. 그는 하품을 하고는 "난 곧 뭔가 고상한 것에 관심을 가져야겠어." 하고 말한다.

없는 것이다. 그리고 그런 고귀함을 찾고자 하는 사람은 그 모임들을 떠나 거리 속으로 들어가는 것이다.

오랑의 거리들은 먼지와 자갈돌과 열기의 운명에 처해 있다. 비가 오면 대홍수가 나고 진흙 바다가 된다. 그러나 비가 오건 해가 나건, 상점들은 똑같이 낭비가 심하고 부조리한 모양을 하고 있다. 유럽과 동양의 모든 악취들이 용케도 그 속에 하나로 모여 있는 것이다. 거기서 우리는 뒤죽박죽을 발견한다. —대리석으로 만든 사냥개들, 백조와 함께 있는 발레리나들, 초록빛 갈랄리트(셀룰로이드의 일종－역주)로 만든 사냥의 여신 다이아나를 변형시킨 모양들, 원반 던지는 사람들과 추수하는 사람들, 생일과 결혼선물에 쓰이는 모든 것들, 벽난로 장식으로 쓰이는 장삿속의 그리고 장난기 어린 마귀에 의해 끊임없이 일그러지는 고통스러운 표정의 온갖 종류의 상(像)들. 그러나 그러한 악취미의 끈질김이 어떤 바로크적인 모습을 띄고 있어, 우리는 그 모든 것을 너그럽게 봐 주게 된다. 여기, 한 쇼윈도의 내용물들이 먼지를 뒤집어쓴 채 전시되어 있다. 끔찍한 석고 모형의 기형(畸形) 발들, 바가지 씌우기 위한 농간으로 '각 150프랑에 염가 봉사'라고 쓴 렘브란트의 그림들, 세 가지 빛깔로 된 지갑들, 18세기 바텔스 그림 하나, 플러시 천으로 만든 기계 작동식 당나귀, 초록색 올리브 열매들을 저장하기 위한 프로방스 물병들, 나무로 만든 음탕한 미소를 띠고 있는 가련한 처녀상(누구의 눈에나 잘 띄게 '경영자 측'은 그 밑의 대에다 '목각 마리아 상'이라고 쓴 카드를 받쳐 놓았다).

오랑에서 볼 수 있는 것들.

(1) 때 묻어 번들거리는 계산대에 파리의 다리들과 날개들이 여기저기 흩어져 있고, 늘 텅 비어있는데도 주인은 언제나 미소를 띠고 있는 카페들. 작은 잔은 12수우, 큰 잔은 18수우를 받는 블랙커피.

(2) 감광지의 발명 이래 아무런 기술 발전도 없었던 사진관들. 그 사진관에는, 벽에 붙은 작은 테이블에 기대어 선 가짜 선원에서부터 맵시 없는 옷차림에 팔을 축 늘어뜨린 채 숲의 배경 앞에 서 있는 혼기에 달한 처녀에 이르기까지, 거리에서 볼 수 없는 이상한 동물군(動物群)이 전시되어 있다. 이것들이 실물 사진이 아니라는 것은 쉽게 짐작할 수 있다. 그것들은 모조품들인 것이다.

(3) 교훈이 될 만큼 많은 장의사들. 나는, 다른 곳보다 오랑에서 사람이 더 많이 죽기 때문이 아니라 어쩌다 보니 더 많은 장의사가 세워진 것이라고 상상할 뿐이다.

상인들로 이루어진 이 국민의 매력적인 순진함은 그들의 광고에서까지 잘 드러난다. 나는 오랑의 한 영화관의 광고 쪽지에서 3류 영화를 위한 광고를 읽는다. 나는 '호화로운' · '눈부신' · '뛰어난' · '경탄할 만한' · '놀라운' · '엄청난' 등의 형용사들을 본다. 그 끝에서 경영자 측은 이 놀라운 '실감(實感)'을 선사하기 위해 상당한 희생을 감수했다는 것을 대중에게 알리고 있다. 그럼에도 불구하고 입장료는 오르지 않을 것이다.

이것이 단지 남부 특유의 그 과장성을 분명하게 드러낸 것이라고 추측한다면 잘못이다. 오히려, 이 놀라운 광고를 쓴 사람들은 심리학에 대한 그들의 지각 능력을 과시하고 있는 것이다. 두 개의 쇼, 두 개의 직업, 그리고 심지어는 흔히 두 여자 중 한쪽을 선택하는 문제가 있을 때, 이 나라 사람들에게서 느껴지는 무관심과 깊은 무감각을 이겨내는 게 중요한 일인 것이다. 사람들은 불가피한 상황에 닥쳐서야 자신들의 마음을 결정한다. 그리고 광고하는 사람들은 바로 이 점을 잘 간파하고 있는 것이다. 그것은 미국적인 입장을 취할 것이다. 여기서나 거기서도, 절박한 상황에 대해서는 같은 이유들을 갖고 있으므로.

오랑의 거리들은 우리에게 이 지방 젊은이들의 두 가지 중요한 즐거움에 대해 알려 준다. 그것은 자기 구두를 윤이 나도록 닦게 하고, 그리고서 바로 그 구두를 거리에서 과시하는 것이다. 그 두 가지 즐거움 중 첫 번째 것을 분명히 알기 위해서는, 일요일 아침 열 시에 갈리에니가(街)에서 구두닦이에게 구두를 맡겨 보아야만 한다. 높은 안락의자에 걸터앉아 있노라면, 자기 직업을 사랑하는 사람들을—오랑의 구두닦이들이 분명 그러한 것처럼—봄으로써 순진한 문외인들까지도 느낄 수 있는 그 독특한 만족감을 즐길 수 있다. 구두닦이들은 모든 일을 세세하게 반복한다. 서너 차례의 솔질, 세 종류의 헝겊, 휘발유를 섞은 광택제. 부드러운 솔질에 더할 나위 없는 광택이 살아날 때면 일이 다 끝났다 싶은 생각이 들 것이다. 그러나 한결같이 끈덕진 손이 반들거리는 구두 표면을 다시 광택제로 덮고 문질러 광택을 누그러뜨리고는, 크림이 가죽 속에까지 스며들게 하였다가, 이윽고 똑같은 솔질로, 가죽 깊은 곳으로부터 나오는 두 배나 번뜩이는 광택을 마지막 손질로 끌어내는 것이다.

이렇게 해서 얻은 그 놀라운 물건을 그다음에는 감정가들에게 내 보이는 것이다. 그러한 거리의 쾌락들을 이해하기 위해서는, 그 도시의 대동맥 위에서 매일 저녁 일어나는 젊은이들의 가장무도회를 보아야만 한다. 16세에서 20세 사이의 오랑 '사교계'의 젊은이들은, 미국 영화로부터 자신의 우아한 모델을 빌려 와, 만찬에 나가기 전에 자기의 무도복을 걸친다. 오른쪽 눈 위쪽은 똑바로 세우고 왼쪽 귀 위쪽은 비스듬하게 내려오도록 쓴 펠트 모자 밑으로 삐져나온 웨이브 진 기름 바른 머리칼, 흐트러진 머리칼을 집어넣을 수 있을 만큼 큰 카라로 감싸인 목, 고정핀으로 고정시켜 세심하게 맨 넥타이 매듭, 허벅지 길이의 코트와 엉덩이 가까이 내려온 조끼, 밝은 빛깔에 유난히 짧은 바지, 눈부시게 빛나는 삼중 바닥의 구두, 이런 차림으로 매일 저녁 이 젊은이들은 끝에 금속을 붙인 구두창으로 포도(鋪道)를 울리게 만드는 것이다. 모든 것에 있어서 그들은 영화배우 클라크 게이블의 행동거지와 단도직입적인 태도와 거만함을 흉내 내기에 열중해 있다. 그런 이유 때문에 그 지방의 험담가들은 그 젊은이들을 보통 되는 대로 발음하여 '끌라르끄'라는 별명으로 부른다.

어쨌거나, 오랑의 큰 거리는 오후가 되면, 건달처럼 보이려 무척 애를 쓰는 한 떼거리의 매력적인 젊은이들의 침입을 받는다. 오랑의 처녀들 역시, 전통적으로 이 마음 여린 악당들에게 끌림을 느끼는 까닭에, 미국 여배우들의 화장과 우아한 태도를 흉내 내어 과시한다. 그래서 앞서의 그 입바른 사람들은 그런 처녀들을 '마를렌느'라고 부른다. 그리하여 종려나무에서 새들의 울음소리가 하늘로 솟아오르는 저녁의 거리에서, 수많은 끌라르끄들과 마를렌느들이 만나 힐끔거리고 서로를 재보면서, 자신들이 살아 있다는 것과 이채로운 모습을 하고 있는 것에 행복해하고, 한 시간 동안 완벽한 실존의 도취에 빠지는 것이다. 그러면, 이들을 질투하는 사람들이 미군 장교 회합 같다고 말하는 것을 볼 수 있다. 그러나 그 말에는, 그들과 어울릴 수 없는 서른 살 넘은 사람들의 괴로운 마음이 담겨 있다. 그들은 날마다의 그러한 젊음과 낭만의 집회를 즐기지 못하기 때문이다. 그러한 집회들은, 사실 힌두 문학에서 볼 수 있는 새들의 의회이다. 그러나 오랑 거리에서 열리는 새들의 의회들은, 그 어느 것도 존재의 문제를 토론하거나 완성에 이르는 길에 대해 걱정하지 않는다. 거기엔 다만, 날개를 치는 소리, 치장하고 뽐내며 걷기, 애교 어린 혹은 의기양양한 점잔 빼는 태도들, 그리고 커다랗게 터져 나와 밤과 함께 사라져 버리는 근심 없는 노랫소리밖에 없다.

이곳으로부터 나는 클레슈타코프의 말을 들을 수 있다. "난 곧 뭔가 고상한 것에 관심을 가져야겠어"라는. 아아, 그는 정말 그럴 수 있는 것이다! 그를 다그친다면, 그는 불과 몇 년 내에 이 사막에 사람이 들썩거리게 할 것이다. 그러나 우선 당장은, 화장은 했지만 감정까지 분장할 수는 없어, 꾸며낸 것임이 당장 드러날 만큼 아주 어설프게 부끄러움을 가장하는 처녀들이 뽐내는 이 적응하기 쉬운 도시에서, 좀 비밀스러운 영혼은 자기 자신을 풀어 주어야만 한다. 뭔가 고상한 것에 관심을 갖는다고! 그렇다면 좀 보라. —암석을 깎아서 만든 산타 크루즈 · 산들 · 길게 누운 바다 ·

센 바람과 태양 · 항구의 커다란 기중기들 · 기차들 · 격납고들 · 부두들, 그리고 이 도시의 암반 위로 올라가는 거대한 경사로(傾斜路)들, 그리고 이 도시 자체 안에 있는 이러한 기분전환 거리들, 이 권태, 이 시끄러운 소음, 그리고 이 고독을. 아마도, 실은 그 모든 게 충분히 고상하지는 못할 것이다. 그러나 그렇게 인구밀도가 높은 섬들이 갖고 있는 큰 가치는, 그 섬들 속에서는 가슴이 옷을 벗고 맨몸이 된다는 사실이다. 시끄러운 도시들 속에서가 아니고는 침묵은 더 이상 가능하지 않다. 암스테르담에서, 데카르트는 노년의 구에즈 드 발자크에게 이렇게 써 보냈다. "나는 날마다 혼란스러운 거대한 군중 가운데로 나가 산책합니다. 당신이 당신의 호젓한 정원 오솔길에서 그럴 수 있는 것만큼 자유롭고 평온하게."[3]

오랑의 사막

어쩔 수 없이 아주 훌륭한 풍경과 마주하여 살아야만 하는 오랑의 사람들은, 그들의 도시를 아주 보기 흉한 건축물들로 뒤덮음으로써 그러한 무서운 시련을 극복해 왔다. 사람들은, 저녁 미풍에 씻기고 새로이 힘을 얻는, 바다를 향해 트여 있는 한 도시를 발

---

3) 분명, 이 훌륭한 말을 기념하여 오랑의 강연 및 토의 그룹이 '코기토 클럽'이라는 이름으로 만들어졌다(코기토는 사유하는 존재에 대한 직관을 가리키는 것으로서, 데카르트 철학의 제1원리이다-역주).

견하리라 기대할 것이다. 그러나 사람들이 발견하는 것은, 스페인 구역인 프롱 드 메르를 제외하고는, 바다에 등을 돌린, 그리고 달팽이처럼 제 껍질을 등에 지도록 세워진, 담으로 둘러싸인 도시이다. 오랑은, 위로는 육중한 하늘이 뒤덮인 원형의 거대한 노란색 담이다. 오랑에 처음 온 사람은, 아리아드네의 표지처럼 바다를 찾아 그 미로를 헤매게 된다(아리아드네는 테세우스와 사랑하는 사이로서 그에게 실 뭉치를 주어 길 표지로 삼도록 함으로써 그가 미궁에서 탈출하는 것을 도왔다—역주). 그러나 그 맥빠진 갑갑한 거리들을 계속 돌게 되고, 결국은 오랑의 사람들은 미노토르(몸뚱이는 사람이고 머리는 소인 괴물로서, 크레테 섬의 미궁에 갇힌 그에게 9년마다 14명의 아테네 젊은 남녀들을 산 제물로 바쳤는데, 후에 테세우스에 의해 죽임을 당했다고 함—역주)에게 먹힌다. 그 미노토르는 바로 권태이다. 오랑의 시민들은 어느 때부터인가 헤매는 것을 포기했다. 그들은 먹히는 것을 순순히 받아들였다.

오랑에 와 보지 않고서는 돌이 무엇인지 알 수 없다. 가장 먼지가 많은 이 도시에선 돌멩이가 왕이다. 돌들을 대단히 귀하게 생각하여, 가게 주인들은 종이를 눌러 두기 위하여 돌들을 쇼윈도에 내놓거나, 혹은 전시용으로 내놓기도 한다. 거리를 따라 돌무더기들이 쌓여 있기도 하다. 그것은 눈을 즐겁게 하기 위해서인데, 왜냐하면 일 년 뒤에도 돌무더기들은 여전히 그대로 거기 있으니까 말이다. 다른 곳에서라면 식물계로부터 자신의 시(詩)를 끌어내는 것들 모두가 여기서는 돌의 모양을 취하고 있다. 상업 구역에서 볼 수 있는 백여 그루의 나무들은 철저하게 먼지로 뒤덮여 왔다. 그것들은 가지에서 톡 쏘는 먼지 냄새를 풍기는 석화(石化)된 식물들이다. 알제리에서 아랍인들의 공동묘지는 잘 알려진 어떤 원숙함을 갖고 있다. 오랑에는 하늘과 맞닿은 반듯한 푸른 바다와 마주해 있는 라젤 아엥 골짜기 위에, 백악질의 잘 부서지는 자갈밭들—태양이 그 불길로 눈을 멀게 할 듯한—이 있다. 이 드러난 대지의 뼈들 한가운데서 이따금씩 자줏빛 제라늄 한 송이가 자신의 생명과 신선한 피를 그 풍경에 바친다. 그 온 도시가 어떤 돌의 모체(母體) 속에서 굳어져 왔다. 레 플랑퇴르에서 보면, 그 도시를 둘러싼 절벽들의 깊이가 너무도 커서 그 풍경이 현실의 것 같지가 않다. 그것은 너무도 광물적이다. 인간은 거기에서 추방되어 있다. 그토록 그윽한 아름다움은 다른 세상에서 오는 듯하다.

이 사막이, 하늘만이 왕인 영혼 없는 곳으로 규정될 수 있다면, 그렇다면 오랑은 자신의 예언자들을 기다리고 있으리라. 그 도시의 주위와 위로는, 온통 아프리카의 가혹한 자연이 정말로 타오르는 매력들을 걸치고 있다. 오랑은 자신을 뒤덮고 있는 그 불운한 무대 장치를 무너뜨린다. 그것은 모든 집들 사이로 그리고 모든 지붕들 위로 날카로운 비명을 내지른다. 산타 크루즈산 위로 난 도로들 중의 하나를 올라가면, 맨 처음 볼 수 있는 것은 여기저기 흩어져 있는 오랑의 채색 입방체들이다. 그러나 조금 더 올라가면, 이미 그 고원 둘레에 있는 뾰족뾰족한 절벽들이 붉은 짐승들처럼 바닷속에 웅크리고 있다. 좀 더 높이 올라가면, 태양과 바람으로 이루어진 커다란 소용돌이가 휩쓸면서, 암석투성이의 풍경 전체 위로 무질서하게 흩어져 있는 그 단정치 못한 도시를 말리고 가려 흐릿하게 만드는 것이다. 여기서 엄청난 인간의 무질서와 변함없는 바다의 영속성 사이의 대립을 볼 수 있다. 그것만으로도 깜짝 놀랄 삶의 향기가 산허리의 도로를 향해 솟아오르게 하기에 충분하다.

사막에는 뭔가 가차없는 게 있다. 오랑의 광물적인 하늘, 먼지를 뒤집어쓴 거리들과 나무들—이 모두가, 가슴과 정신이 자기 자신으로부터도, 또한 인간이라는 자신의 유일한 대상으로부터도 결코 주의를 돌리지 않는 이 빽빽하여 뚫고 나갈 수 없는 우주를 창조하는 데에 기여한다. 나는 여기서, 은신하기 힘든 장소들에 대해 말하고 있는 것이다. 플로렌스나 아테네에 관해서는 많은 책들이 씌었다. 그러한 도시들이 수많은 유럽의 정신들을 형성해 왔으므로, 그 도시들은 어떤 의미를 갖고 있는 게 분명하다. 그러한 도시들은, 눈물이 나도록 감동시키거나 혹은 고양시키는 방법들을 갖고 있다. 그 도시들은 기억을 자신의 빵으로 삼아, 어떤 정신적인 배고픔을 가라앉힌다. 그러나 정신을 끌어당기는 것이 없고, 그 추함이 아무 의미가 없으며, 그 과거가 무의미한 것이 되어 버린 한 도시에 감동될 사람이 있을까? 공허함 · 권태 · 냉담한 하늘, 그러한 곳들의 매력이 무엇일까? 그것은 의심할 바 없이 고독이며, 아마도 인간 존재일 것이다. 어떤 종족의 인간들에게는, 인간 존재가 아름다운 곳이면 어디든지 하나의 괴로운 모국이다. 오랑은 그 천(千)의 수도들 중의 하나이다.

오랑의 스포츠

오랑의 퐁두크가에 있는 중앙 스포츠클럽은 권투의 밤을 개최하는데, 그것이 진짜 애호가들이 좋아할 만한 것임을 강조하고 있다. 풀어서 말하자면, 이것은 포스터에 나온 권투 선수들이 인기 선수들과는 거리가 멀고, 그들 중 몇몇은 처음으로 링 위에 올라오는 선수이며, 따라서 그 선수들의 기량은 몰라도 최소한 그 용기는 기대할 수는 있다는 뜻이 된다. 한 토박이가 '혈투가 될 것'이라는 호언장담으로 내 마음을 설레게 만들어 놓았으므로, 그날 저녁 나는 그 진짜 애호가들 사이에 끼어 있었다.

분명 이 진짜 애호가들은 결코 무난한 것을 요구하지 않았다. 과연, 석회 칠을 하고, 철판을 지붕으로 하고, 강렬한 불빛이 켜진 일종의 자동차 차고 뒤편에 링이 세워져 있었다. 링의 밧줄들 주위의 한쪽 구역에는 접는 의자들이 가지런히 준비되어 있었다. 그것들은 '명예석'이다. 기다란 홀의 대부분이 좌석들로 가득 차 있고, 그 뒤로는, 그 안에 있는 오백 명 중의 하나가 손수건 한 장이라도 꺼냈다가는 심각한 사건들을 일으킬 수 있다는 사실 때문에, 라운지라고 불리는 커다란 빈 공간이 트여 있었다. 그 직사각형의 칸막이 안에서 약 천 명의 남자들과 두세 명의 여자들—내 옆 사람 말에 의하면, 언제나 '관심을 끌기에' 급급한 종류의 여자들—이 살아 숨 쉬고 있다. 모두가 심하게 땀을 흘리고 있다. '젊은 유망주들'의 싸움을 기다리는 동안, 커다란 축음기는 티노 로시의 곡을 울려대고 있다. 이것은 살인을 하기 전의 감상적인 노래이다.

진정한 애호가의 인내심은 끝이 없다. 아홉 시로 예고된 시합은 아홉 시 반에도 시작되지 않았고, 그래도 아무도 항의하지 않았다. 봄 날씨는 덥고, 셔츠 바람의 사람들 냄새가 자극적이다. 간헐적으로 레몬 소다 뚜껑을 터뜨리는 소리와 그 코르시카 가수의 지칠 줄 모르는 슬픈 노래 사이로 격렬한 입씨름이 계속된다. 늦게 온 몇몇 사람들이 관중 속으로 끼어들 무렵 스포트라이트가 링 위에 눈이 멀 듯한 빛을 던진다. 젊은 유망주의 시합들이 시작되는 것이다.

젊은 유망주들 혹은 초심자들은 싸우는 재미로 싸우거니와, 기교는 무시한 채 언제나 기회만 왔다 하면 상대방을 콱 죽여 버림으로써 그것을 증명하려고 안달이다. 그 유망주들은 결코 3라운드 이상 계속하지 못했다. 이런 면에서 오늘 저녁의 주인공은 젊은 '청년 비행기'인데, 그는 평소에는 카페의 테라스를 이리저리 돌아다니며 복권을 판다. 그의 상대는, 정말로 2라운드가 시작될 때 프로펠러처럼 날아든 주먹에 맞아 꼴사납게 링 밖으로 나가떨어졌던 것이다.

군중들은 약간 흥분했지만, 이것은 아직은 요식적인 행위에 불과했다. 문질러 바른 약 냄새가 풍겨나는 신성화된 대기 속에서 관중들은 무겁게 숨을 쉰다. 관중들은 느리게 진행되는 일련의 의식(儀式)과 그 비공식의 산 제물들을 지켜보고, 그것들은 흰 벽 위에 비치는 선수들의 그림자들로 이루어지는 화해적인 구도들에 의해 한층 더 그럴듯하게 여겨지는 것이다. 그것은 어떤 야만적인 종교의 신중한 의식(儀式)의 서막이다. 무아의 경지는 그 뒤에야 올 것이다.

그때 마침 확성기가 '무장 해제를 당한 적이 없는 불굴의 오랑인 아마르' 대 '알제 출신의 직업 권투 선수 페레즈'라고 외쳤다. 잘 모르는 사람들은 권투 선수들이 링에 들어서는 것을 맞는 그 외침을 잘못 해석할 것이다. 그는 그 권투 선수들이 일반인들도 익히 알고 있는 어떤 개인적인 싸움을 결판낼 참인 뭔가 센세이셔널한 게임을 상상할 것이다. 사실, 그것은 두 사람 사이의 싸움이기도 하다. 하지만 그것은 지난 백 년 동안 알제인과 오랑인을 숙명적으로 분리시켜 온 싸움이기도 하다. 역사를 돌이켜보면, 이미 북아프리카의 이 두 도시는, 보다 행복했던 시절에 피사와 플로렌스가 그랬던 것처럼, 서로 죽도록 피를 흘렸던 것이다. 그들의 적대 관계가 한층 더 강렬한 것은, 바로 그 관계가 십중팔구는 아무런 근거도 없는 것이기 때문이다. 어느 모로 보나 서로 좋아할 이유를 갖고 있는 그만큼, 그들은 서로를 혐오하는 것이다. 오랑 사람들은 알제 시민들을 '사기꾼'이라고 비난한다. 알제 사람들은 오랑 사람들에게 '촌뜨기'라는 뜻을 넌지시 비친다. 그러한 것들은, 그것들이 형이상학적이기 때문에, 보기보다 더 살벌하다. 그리하여 서로 포위 공격할 수 없는 오랑인들과 알제인들은 스포츠와 통계와 공공 토목공사 분야에서 만나면 서로 투쟁하고 욕지거리를 하는 것이다.

따라서 역사의 한 페이지가 링에서 펼쳐지고 있는 것이다. 그리고 그 불굴의 오랑인은 천 명의 고함치는 함성의 지지를 받으면서, 페레즈에 대항하여 한 생활 방식과 한 지방의 자부심을 방어

하고 있는 것이다. 사실대로 하자면, 나는 아마르가 자신의 작전을 잘 이끌지 못하고 있다는 것을 인정할 수밖에 없다. 그의 작전에는 한 가지 흠이 있다. 그는 팔의 리치가 상대방보다 짧다. 반면에 알제 출신의 직업 권투 선수는 그의 작전에 필요한 팔 길이를 갖고 있다. 그것은 자기의 상대방의 두 눈 사이에 설득력 있게 닿는다. 오랑인은 사나운 관중의 열광 한가운데서 근사하게 피를 흘린다. 관중들과 내 옆 사람의 거듭되는 응원에도 불구하고, 또 "죽여라!" "때려눕혀라!"라는 겁 없는 외침들과 "허리 아래를" "아 심판이 저걸 놓치다니!" 하는 엉뚱한 외침들과 "상대는 녹초가 됐어" "더 견디지 못할 거야"라는 낙관적인 외침들에도 불구하고, 끝없는 야유 한가운데서 알제 사람에게 판정승이 선언되었다. 내 옆 사람은 스포츠맨십에 대해 즐겨 얘기하는 사람인지라 일부러 보란 듯이 박수를 치면서, 수많은 외침들 때문에 흐릿해진 목소리로 내게 슬쩍 말했다. "알제 선수가 자기 고장에 돌아가서 우리 오랑 사람들이 야만인이라고 말하지 못하도록 하기 위해서요."

그런데 관중석 전체에서, 프로그램에 포함되지 않은 싸움들이 벌써 터져 나왔다. 사람들은 의자를 휘두르고, 경찰은 통로를 치우는 등 흥분은 최고조에 달했다. 이 선량한 사람들을 진정시키고 정숙을 되찾는 데에 도움이 되도록, '주최자 측'은 지체 없이 확성기에서 〈상브르 에 뫼즈〉가 울려 퍼지도록 만든다. 몇 분 동안 관중들은 정말로 전쟁이라도 하는 것 같은 모양을 하고 있다. 뒤엉켜 싸우는 사람들의 무리와 자청해서 말리러 나선 사람들이 경찰관들에 붙잡혀 비틀거린다. 관중들은 환호하고, 군악대가 연주하는 도도한 음악의 물결에 눌린 거친 고함들과 '꼬끼오' 하는 소리와 야유하는 고양이 울음소리들로써 프로그램의 나머지 시합을 빨리 속행할 것을 요구한다.

그러나 큰 시합을 알리는 말은 평온을 되찾게 하기에 충분하다. 그것은 웅장한 나팔소리 없이 갑작스럽게 일어난다. 연극이 일단 끝나면 배우들이 무대 위를 떠나는 것과 마찬가지로, 굉장히 태연스럽게, 그들은 모자의 먼지를 털고, 의자들을 제자리에 갖다 놓고, 그리고는 곧바로 모든 얼굴들이 마치 어떤 가족 콘서트의 입장료를 지불한 고상한 관객들 중의 하나인 듯한 다정한 표정을 띠는 것이다.

마지막 시합에서는 프랑스 해군 챔피언과 오랑 선수가 맞붙었다. 이번에는 팔 길이의 차이가 오랑 선수에게 유리하다. 그러나 그가 우세한 것도 처음의 몇 라운드 동안은 관중들을 흥분시키지 못한다. 관중들은 앞 경기의 흥분을 털어 버리고 있는 중이다. 그들은 아직도 숨이 차다. 박수를 쳐도 거기에는 열렬함이 없다. '피이 피이' 야유를 해도 악의가 없다. 관중은 두 진영으로 나눠지는데, 그것이 공평함을 위해 합당한 일이다. 그러나 각 개인이 어느 편을 선택하느냐는 에너지를 크게 소비 한 후에 이어지는 저 무관심에 따른 것이다. 프랑스 선수가 상대의 공격에 굳게 버티면, 그리고 오랑 선수가 머리로 상대방을 치고 공세를 취해선 안 된다는 것을 잊어버리면, 그 선수는 일제히 터져 나오는 야유에 무릎을 꿇게 되지만, 금방 터져 나오는 박수에 다시 똑바로 서게 된다. 7회전에 이르러서야 비로소 스포츠가 다시 표면으로 부상하고, 그와 동시에 애호가들은 진짜 그들의 피곤한 상태로부터 빠져나오기 시작한다. 프랑스 선수가 사실은 링 매트에 닿았고, 그래서 그는 점수를 만회하려고 상대방에게 덤벼들었다. "내가 뭐라고 말했어요?" 내 옆 사람이 말했다. "끝내 주는 시합이 될 겁니다." 아닌 게 아니라, 그것은 끝내 주는 시합이었다. 사정없는 불빛 아래 땀으로 뒤덮인 채, 두 선수는 수비 자세를 풀고, 눈을 감고 치며, 어깨와 무릎으로 밀고, 자기들의 피를 서로 물물 교환하고, 사납게 코를 씨근거렸다. 관중들은 하나같이 일어서서 두 주인공의 안간힘에 힘을 준다. 관중들은 날아오는 주먹을 받고 그것을 되받아치는 동작을 하면서 헐떡이는 천 개의 목소리로 그것을 고스란히 흉내 내는 것이다. 처음엔 자기가 좋아하는 편을 무심코 선택했던 바로 그 사람들이 이제는 자신이 선택했던 편에 집요하게 매달리고, 그것을 열렬하게 지키는 것이다. 십 초마다 한 번씩 내 옆 사람에게서 터져 나오는 "힘내, 해병대 · 해군, 자, 어서!" 하는 고함 소리가 내 오른쪽 귀를 뚫고 들어오고, 한편 내 앞에 앉은 또 다른 사람은 오랑 선수에게 "안다(Anda)! 옹브르!"라고 외친다. 오랑 선수와 해병대는 힘을 내고, 그와 더불어 석회칠과 철판과 시멘트로 이루어진 이 사원 안에서, 관중들은 꽃양배추(권투 선수의 귀 모양이 찌그러진 것을 일컫는 말-역주)를 가진 이 신(神)들에게 완전히 빠진다. 둔한 소리를 내며 상대를 치는 타격 하나하나가, 선수들과 함께 마지막 안간힘을 쓰고 있는 관중의 육체 자체 속에서 거대한 진동으로 울리는 것이다.

이런 분위기에서는 무승부는 나쁘게 받아들여진다. 사실, 그것은 관중들이 갖고 있는 완전히 마니교적인 경향에 거슬리는 것이다(마니교는 일명 명암교(明暗敎)라고 하며, 빛과 어둠 · 선과 악 · 신과 악마 · 정신과 육체 간의 대립을 전도하는 이원교(二元敎)이다－역주). 선이 있고 악이 있고, 승자와 패자가 있다. 옳지 않으면 틀린 것이어야만 한다. 이 완전무결한 논리의 결론은, 2천 개의 정력적인 허파들이 심판관들이 팔렸다거나 매수당했다고 비난하는 것으로써 당장 내려진다. 그러나 해병대 선수는 링 위의 라이벌에게로 걸어가 그를 껴안고, 그 형제의 땀을 마신다. 이것만으로도 관중이 그 생각을 뒤바꾸어 갑자기 박수를 터뜨리게 하기에 충분하다. 내 옆 사람 말이 옳다. 그들은 야만인이 아닌 것이다.

정적과 별들로 가득 찬 하늘 아래로 쏟아져 나오는 관중은 이제 막 가장 지치는 싸움을 치르고 난 참이다. 뒷얘기를 벌일 아무런 힘도 남지 않은 그들은, 묵묵히 살그머니 사라져 버린다. 선이 있고 악이 있다. 그 종교는 가차 없다. 그 충실한 신도들의 무리는, 이제는 밤 속으로 사라져 가는 검은 그림자들과 흰 그림자들의 집단에 지나지 않는다. 힘과 폭력은 고독한 신(神)들인 것이다. 그 신들은 기억에는 아무것도 주지 않는다. 반대로, 그 신들은 그들의 기적들을 현재 속에서 한 움큼씩 나눠 준다. 그들은, 항상 권투 시합장의 링 주위에서 성찬식을 올리는 이 과거 없는 종족을 위해 만들어진 신들이다. 이러한 것들은 힘든 의식(儀式)들이지만, 그러나 모든 것들을 단순화시키는 의식들이다. 선과 악, 승자와 패자. 코린트(고대 그리스의 도시로, 상업 예술의 중심지－역주)에는 두 개의 사원이 나란히 서 있는데, 폭력의 사원과 필연의 사원이 그것이다.

오랑의 유적들

형이상학 못지않게 경제학에도 기인하는 여러 가지 이유에서, 만일 오랑의 양식이라는 게 있다면, 그것은 '대장의 집'으로 불리는 별난 건축물에 힘차게 그리고 분명하게 나타나 있다고 말할 수 있을 것이다. 오랑에는 기념 건축물들이 상당히 많이 있다. 그 도시는 자기 할당액만큼의 제국 원수(元帥)들과 대신들과 그 지방의 은인들의 석상(石像)을 갖고 있다. 그것들은 먼지 낀 작은 광장에 가면 있는데, 비와 태양에 내맡겨져, 그것들 역시 돌과 권태로 변해 있다. 그러나 어느 경우에나 그것들은 외부로부터의 기증품임을 나타낸다. 그 행복한 바바리(이집트 이외의 북아프리카의 회교 지역－역주)에서 그것들은 문명의 유감스러운 흔적들이다.

오랑은, 그 자체의 영광을 기리는 자신의 제단들과 공회소들을 세워 왔다. 그 나라를 살아 있게 하는 수많은 농업 조직들을 위한 어떤 공동의 집을 지어야만 했던 오랑 사람들은, 그 상업 도시의 바로 심장부에 그들의 장점들을 보여 주는 설득력 있는 이미지를 튼튼하게 세우자는 생각을 했는데, '농부의 집'이 그것이다. 그 건축물의 구조를 보고 판단하자면, 그 장점들은 세 가지, 즉 취향의 과감함 · 격렬한 것에 대한 사랑 · 역사적 종합에 대한 감각이다.

사발을 엎어 놓은 모양인 이 건축물들을 섬세하게 건축하는 데 있어서 이집트와 비잔틴과 뮌헨이 협조하였다. 효과에 있어서, 가장 힘차고 다채로운 빛깔의 돌들은 지붕의 윤곽을 나타내기 위해 수입된 것이었다. 그 모자이크들은 너무도 풍성한 설득력을 갖고 있어서, 처음 보면 아무런 특색 없는 광채밖에 보이지 않는다. 그러나 좀 더 가까이 다가가 주의력을 환기시켜서 보면, 거기에 어떤 의미가 있다는 것을 발견하게 된다. 즉 나비넥타이를 매고 흰 헬멧을 쓴 품위 있는 한 식민지 개척자가 고전적인 스타일의 옷을 걸친 한 노예 행렬로부터 충성의 서약을 받고 있는 것이다.[4] 그 건축물과 그것의 채색 그림들은, 두 개의 차량으로 된 작은 전차들—그 더러움이 그 도시의 매력들 중의 하나인—이 오락가락하는 광장 한가운데에 앉혀 있다.

오랑은 또한 연병장의 두 마리 사자도 대단히 소중히 여긴다. 1888년 이래로 그 사자들은 시청 계단 양편에 당당하게 앉아 있어 왔다. 그 사자들을 만든 사람은 이름이 카앵(Cain)이었다. 그 사자들은 위엄을 갖추고 있고, 짧고 억센 몸통을 갖고 있다. 밤에는 그것들이 받침대에서 차례로 기어 나와 어두운 광장을 조용히 돌아다니고, 때로는 먼지 앉은 무화과나무에 길게 오줌을 갈긴다는 이야기가 있다. 이것은 물론, 오랑인들이 솔깃하게 귀 기울이는 소문들이다. 그러나 그럴 것 같지는 않다.

얼마만큼 조사를 해 보았지만, 나는 카앵에게 흥미를 가질 수

---

4) 알제리 민족의 또 다른 특질은, 알다시피, 솔직함이다.

없었다. 나는 다만, 그가 솜씨 좋은 동물 조각가의 평판을 갖고 있었다는 사실을 알았을 뿐이다. 그럼에도 불구하고 나는 자주 그에 관해 생각한다. 이것은 오랑에서는 자연스럽게 나오는 한 지적(知的) 경향이다. 여기, 대단치 않은 작품을 남겨 놓은 당당한 이름의 한 예술가가 있다. 그가 외관만 번드르르한 시청 홀 앞에 앉혀 놓은 그 태평스러운 짐승들에 수십만 명의 사람들이 친숙해 있다. 이것도 예술에 성공하는 하나의 방법이다. 확실히, 똑같은 유형의 수천의 작품들과 마찬가지로, 이 사자들 역시 재능 이상의 다른 어떤 것에 대한 증거이다. 다른 사람들은 '야경(夜警)' '성흔(聖痕)을 받는 성 프란시스' '다윗', 혹은 '꽃의 찬미'라고 불리는 파르살리아의 양각(陽刻)을 창조했다. 카앵은, 반면에 바다 건너의 한 상업 도시의 광장에다 두 개의 즐거운 주둥아리를 세워 놓았다. 그러나 다윗은 언젠가는 플로렌스와 함께 무너지고, 사자들은 아마도 그 재난에서 구원될 것이다. 거듭 말하지만, 그것들은 뭔가 다른 것에 대한 증거인 것이다.

이 생각을 분명하게 밝힐 수 있을까? 이 작품에는 무가치와 견고함이 있다. 즉 정신은 아무런 가치가 없고, 물질은 대단한 가치를 갖고 있다. 평범한 것은, 청동을 포함하여, 무슨 방법으로든 영속되길 고집한다. 그것은 영원에 대한 권리를 거부당하지만, 그것은 매일 그 권리를 취한다. 그것이 영원 자체가 아니겠는가? 어찌되었든, 그러한 끈질김은 감동을 줄 수 있고, 거기에는, 그 작품의 교훈, 오랑의 모든 기념 건축물들의 교훈, 그리고 오랑 자체의 교훈이 들어 있는 것이다. 그것은 하루에 한 시간, 그러니까 아주 빈번히 하찮은 어떤 것에 관심을 주도록 강요한다. 정신은 그것의 반복으로부터 여러 가지 이익을 얻는다. 어떤 의미에서는 이것이 정신의 건강법이거니와, 정신에게는 절대적으로 스스로를 낮춰야 할 순간들이 필요한 까닭에, 내게는 어리석음에 실컷 빠질 수 있는 그런 기회야말로 다른 그 어느 것보다도 좋은 것처럼 보인다. 덧없는 모든 것은 영속되길 원한다. 아니, 모든 것은 영속되길 원한다고 말하자. 인간이 만들어 내는 것들은 그 밖에 다른 아무런 의도도 갖고 있지 않으며, 이러한 점에서 카앵의 사자들은 앙코르(캄보디아 서북부에 있는 고적. 고대 크메르 문명의 유적인 앙코르와트 사원이 있음－역주)의 폐허와 똑같은 가능성—결국은 폐허화될—을 갖고 있다. 이것이 인간으로 하여금 겸손해지고 싶은 마음을 갖게 만든다.

다른 오랑식 기념 건축물들이 있다. 그것들은 최소한 그런 이름을 들을 만한 자격이 있는데, 그것들 역시, 그것도 어쩌면 좀 더 중요한 의미에서 이 도시를 상징하고 있기 때문이다. 그것들은 현재 진행 중인 약 십 킬로미터에 걸쳐 그 해안을 덮고 있는 공공 토목공사이다. 겉으로 보기에 그것은 만(灣)들 중 가장 유망한 곳을 거대한 항구로 바꾸는 일이다. 그러나 사실상 그것은 인간이 돌과 맞붙을 수 있는 또 하나의 기회인 것이다.

어떤 플랑드르 대가들의 그림들 속에는 놀랄 만큼 일반적으로 사용되는 한 주제가 집요하게 되풀이된다. 그것은 바벨탑의 건축이다. 광막한 풍경들 · 하늘로 치솟은 암석들 · 수많은 노동자들 · 짐승들 · 사다리들 · 이상한 기계들 · 밧줄들 · 활차들이 뒤섞여 있는 가파른 비탈. 그러나 그곳에서 인간은, 다만 그 비인간적인 건축 규모를 가늠해 보는 측정 기준이 될 뿐이다. 오랑의 해안이 우리로 하여금 생각하게 만드는 것은, 그 도시의 서쪽에 펼쳐지고 있는 바로 이러한 광경이다.

거대한 비탈에 매달린 듯이 놓인 레일 · 덤프트럭 · 크레인 · 작은 기차들……끓어 오르는 태양 아래, 호각 소리와 먼지와 연기 한가운데서 거대한 암석 블록의 둘레를 도는 장난감 같은 기관차들, 밤이고 낮이고, 안개 낀 산의 사체(死體) 위에서 개미떼 같은 사람들이 부산하게 움직인다. 벼랑 모서리에 드리워진 단 한 개의 끈에 매달린 수십 명의 사람들이 자신의 배로 자동 착암기 핸들을 밀면서, 하루 종일 허공에서 흔들거리면서 암석 덩어리 전체를 깨내고, 그러면 먼지와 함께 우르릉 소리를 내면서 암석 덩어리가 훽 떨어져 내리는 것이다. 더 앞에서는 덤프트럭들이 거기에 실린 것을 비탈 위로 기울여 쏟고, 그러면 바위들이 갑자기 바다 쪽으로 쏟아져 물속을 향해 굴러 내리며, 각기 커다란 덩어리에 뒤이어 그보다 가벼운 돌들이 흩어져 내린다. 규칙적인 간격을 두고서, 한밤중이든 훤한 대낮이든 폭발음이 온 산을 뒤흔들고 바다 자체를 휘저어 놓는다.

이 거대한 건축 현장에서 인간은 돌에 대해 전면 공격을 가한다. 그리고 이 공사를 가능케 하는 가혹한 고역을 최소한 한순간만이라도 잊을 수 있다면, 경탄을 보낼 수밖에 없을 것이다. 산에서 떨어져 내리는 이 돌들은, 인간들의 계획에 봉사한다. 그 돌들은 맨 앞쪽 물결 속에 싸여 점차 모습을 드러내다가 마침내 방파제를 이

룰 만한 자리를 차지하게 되고, 그러면 곧 사람들과 기계들이 그 곳을 뒤덮고서 날마다 트인 바다를 향해 나아가는 것이다. 거대한 강철 아가리들은 쉼 없이 절벽의 배를 물어뜯고는 빙그르르 돌아 그 물어뜯은 자갈들을 바닷속에다 토해 놓는다. 해안의 절벽들이 낮아지는 그만큼 온 해안이 막무가내로 바다를 잠식해 들어간다.

물론, 돌을 죽여 없앤다는 것은 가능하지 않다. 돌은 한 곳에서 다른 곳으로 옮겨질 뿐이다. 어쨌거나 돌은 그것을 이용하는 사람들보다 더 오래 존속될 것이다. 우선 당장은, 돌은 인간의 행동 의지를 만족시켜 준다. 그것 자체도 아마 허무한 것인지 모른다. 그러나 사물들을 이리저리 옮기는 것은 인간의 작업이다. 인간은 그것을 하든가, 아니면 아무것도 하지 않든가 선택해야만 한다.[5] 분명, 오랑 사람들은 선택을 했다. 그 무심한 만(灣) 앞에서, 앞으로 더 많은 햇수 동안 그들은 해안을 따라 돌들을 쌓아 올릴 것이다. 백 년쯤 뒤엔, 아니면 바로 내일, 그들은 다시 시작해야만 할 것이다. 그러나 오늘 이 바위 무더기들은, 그것들 사이에서 먼지와 땀을 뒤집어쓴 채 움직이고 있는 이 사람들의 노고를 입증해 줄 것이다. 오랑의 진정한 기념물들은 역시 그 돌들인 것이다.

---

5) 이 글은 어떤 유혹을 다루고 있다. 중요한 것은 그 유혹을 체험했어야 한다는 것이다. 그다음에야 행동하거나 혹은 행동하지 않을 수 있다. —그러나 사실들을 완전히 알고 있으면서.

아리아드니의 돌

오랑 사람들은, 죽기 직전에 "창문을 닫아라. 너무도 아름답다"라고 외쳤던 플로베르의 그 친구와 비슷한 것 같다. 오랑 사람들은 창문을 닫고 스스로를 벽으로 둘러막고 풍경을 내쫓아 왔다. 그러나 플로베르의 친구 르 푸아트뱅은 죽었고, 그 이후로도 세월은 계속해서 흘러갔다. 마찬가지로, 오랑의 누런 벽들을 넘어서, 육지와 바다는 그들의 무심한 대화를 계속한다. 세계 속의 그러한 영원불변함은 인간에겐 언제나 서로 어긋나는 매력들을 갖고 있다. 그것은 인간을 절망으로 몰아가기도 하고 흥분시키기도 한다. 세계는 결코 단 한 가지만을 이야기하지는 않는다. 우선은 세계는 흥미를 갖게 하고, 그다음엔 지루하게 만든다. 그러나 결국에는 집요함의 힘으로 세계가 이긴다. 세계는 언제나 옳은 것이다.

오랑으로 바로 들어가는 성문들에서, 자연은 이미 그 어조를 높인다. 카나스텔 방향으로는 향기로운 덤불로 뒤덮인 거대한 황무지가 있다. 거기서 태양과 바람은 오직 고독에 대해서만 이야기한다. 오랑 위로는 산타 크루즈산과, 거기로 이르는 고원과, 수많은 골짜기들이 있다. 옛날에는 마차들이 다닐 수 있던 도로들이, 바다 위로 쑥 내밀어져 있는 비탈에 매달린 듯이 있다. 1월에는 몇몇 도로는 꽃들로 뒤덮인다. 데이지와 미나리아재비들이 그 도로들을 노랑과 흰색으로 수놓은 호사스러운 오솔길로 바꾸어 놓는 것이다. 산타 크루즈에 관해서는 할 얘기는 모두 얘기되어 왔다. 그러나 내가 산타 크루즈에 대해 이야기해야만 한다면, 나는, 여러 축일(祝日)에 울퉁불퉁한 언덕을 올라가는 그 종교적인 행렬들은 잊어버리고서 다른 순례들을 떠올려야만 한다. 외롭게, 그들은 붉은 돌 사이를 걸어서 움직임 없는 만(灣) 위로 올라가, 대낮의 한 시간을 벌거벗고 있는 데에 바치는 것이다.

오랑 또한 자신의 모래사막들을 갖고 있다. 백사장들 말이다. 성문들 근처에서 볼 수 있는 그 모래밭에는 겨울과 봄에만 사람이 없다. 그다음에는, 모래밭은 수선화류의 꽃들로 뒤덮이고, 그 꽃들 사이로 텅 빈 작은 오두막들이 모여 있는 고원이 된다. 저 아래서 바다가 조금씩 웅얼거린다. 그럼에도 불구하고, 벌써 태양과 가냘픈 미풍과 흰 수선화들과 선명한 푸른빛의 하늘, 그 모든 것이 여름을 생각하게 만든다. ―모래밭을 뒤덮고 있는 황금의 젊음과 모래 위에서의 긴 시간들과 저녁의 갑작스러운 부드러움을. 해마다 이 해변에는 새로 수확되는 꽃피는 처녀들이 있다. 분명, 그 처녀들에게는 한 철밖에 없다. 그다음 해에는 다른 정다운 꽃들이 그 자리를 차지하게 되는데, 지난해 여름에만 하더라도 그들은 봉오리처럼 딱딱한 몸을 가진 어린 소녀들에 불과했던 것이다. 오전 11시, 잡다한 옷감들로 만들어진 가벼운 옷을 걸친 그 모든 젊은 육체들은 그 고원으로부터 내려와, 다채로운 빛깔의 파도처럼 갑자기 모래밭 위에 나타난다.

한층 더 순결한 풍경을 발견하기 위해서는 더 멀리(그렇지만, 이십만 명의 남자들이 열심히 일하고 있는 장소에 아주 가까이) 가야만 한다. 그것은, 인간이 지나다닌 흔적이라고는 벌레 먹은 오두막집밖에 없는, 아무도 없는 기다란 모래 언덕들이다. 이따금씩 아랍인 양치기가 그 모래 언덕 위를 따라, 검은 반점과 베이지색 반점의 염소 떼를 몰고 간다. 오랑의 해변에서는, 여름 아침은 매일 세계의 첫 번째 아침처럼 보이고, 황혼은 매번 마지막 황혼인 것처럼 보이며, 해가 넘어갈 때엔 모든 색조를 어둡게 만드는 마지막 작열에 의해 엄숙한 고뇌가 나타난다. 바다는 감청색이고, 도로는 엉겨 붙은 핏발, 모래밭은 노란빛이다. 초록빛 태양과 함께 모든 것이 사라지고, 한 시간쯤 뒤엔 모래 언덕들은 달빛에 잠겨 버린다. 그다음엔 별들이 쏟아진 듯한, 비할 데 없는 밤들이 있다. 이따금씩 폭풍우가 그 밤들을 휩쓸고, 번갯불들이 사구(砂丘)들을 따라 흐르면서 하늘을 하얗게 만들고, 모래와 사람의 눈을 오렌지빛으로 번뜩이게 한다.

그러나 이것은 공유할 수 있는 것이 아니다. 그것은 몸소 살아야만 하는 것이다. 그토록 많은 고독과 고귀함이 이 장소들에게 어떤 잊을 수 없는 모습을 부여한다. 날이 새기 전의 거북한 순간에, 첫 번째의 씁쓰름한 검은 파도와 맞부딪친 뒤에, 어떤 새로운 존재가 밤의 무겁고 에워싸는 듯한 물결을 거슬러 나아간다. 그러한 기쁨에 대한 기억은 나로 하여 그것들을 아쉬워하게 만들지 않고, 그래서 나는 그 기쁨들이 좋은 것이었음을 깨닫는다. 오랜 세월 후에도 그 기쁨들은, 변하지 않는 성실함이란 너무도 힘든 것임을 아는 이 가슴속 어딘가에서 아직도 계속된다. 그리고 오늘 내가 아무도 없는 그 모래 언덕으로 간다면, 그대와 똑같은 하늘이 내게 하늘의 화물인 산들바람과 별들을 퍼부어 내릴 것임을 나는 안다. 그것들은 순진무구한 대지들이다.

그러나 순진무구함은 모래와 돌들을 필요로 한다. 그런데 인간은 모래와 돌 가운데서 사는 방법을 잊어버렸다. 최소한, 그렇게 보인다. 인간은 권태가 잠자고 있는 이 희한한 도시에서 은신처를 구해 왔기 때문이다. 그럼에도 불구하고, 바로 그 순진무구함과 권태의 맞부딪침이 오랑의 가치를 이룬다. 순진무구함과 아름다움에 에워싸여 있는 권태의 수도, 그것이 돌 하나하나가 한 명의 병사인 군대에 의해 에워싸여 있는 것이다. 그렇긴 하지만 도시 안에서는, 그리고 어떤 시간에는, 자신이 돌로 동화되고 싶고, 역사와 역사의 끓어오름에도 끄떡하지 않는 그 타오르면서도 무감각한 우주 속으로 녹아들고 싶은 것은 또 무슨 유혹인가! 그것은 분명 부질없는 것이다. 그러나 파괴의 본능도 창조의 본능도 아닌 어떤 깊은 본능이 모든 인간에게 있다. 그것은 다만, 아무것도 닮지 않은 어떤 것이다. 오랑의 뜨거운 벽들의 그늘 속에서, 먼지투성이의 아스팔트 위에서, 때로 그런 유혹의 소리가 들린다. 잠시 동안은, 정신이 그것에 굴해도 결코 실망하지 않을 것 같다. 그것은 유리디스의 암흑(오르페우스는 자기 아내인 유리디스를 음악의 힘으로 지하계로부터 구출해 내지만, 명령을 어기고 아래를 뒤돌아보았기 때문에 유리디스는 다시 지하의 암흑 속으로 떨어졌다–역주)이며, 이시스(이집트 신화의 풍요의 여신–역주)의 잠이다. 여기에는, 괴로운 가슴에 차가운 저녁의 손을 얹은 채 사고(思考)가 자신을 가다듬을 사막들이 있다. 이 감람산 위에서의 철야 기도는 부질없는 일이다. 정신은 잠자는 열두 사도(使徒)들을 생각해내고 그들이 옳다고 인정하는 것이다. 열두 사도들이 정말로 잘못한 것일까. 그럼에도 불구하고, 그들에겐 계시해 주는 바가 있었다.

사막의 석가모니를 생각해 보라. 그는, 사막에서 눈을 하늘에 둔 채 꼼짝 않고 책상다리를 하고 앉아, 몇 년 간을 똑바로 그대로 앉아 있었다. 신(神)들은 그의 지혜와 돌 같은 숙명을 질투했다. 내밀어진 그의 두 손에다 제비들이 보금자리를 만들었다. 그러나 어느 날, 먼 나라들의 부름에 답하여 제비들은 날아가 버렸다. 그리고 마음속으로 욕망과 의지와 명예와 고뇌를 눌러 왔던 그는 울기 시작했다. 그리하여 바위 위에서 꽃이 피는 일이 생기게 되었다. 그렇다, 돌이 필요하다면 우리는 돌을 받아들이기로 하자. 우리가 여러 얼굴들에게서 구하는 그 비밀스러움과 그 광희는 또한 돌에 의해서도 주어질 수 있는 것이다. 물론, 이것은 영속되지 못한다. 그렇다면 도대체 무엇이 영속될 수 있을 것인가? 여러 얼굴들의 비밀스러움은 시들어 사라지고, 우리는 다시 욕망의 사슬로 되돌아가 있다. 그리고 돌이 우리에게 인간의 가슴보다 더 많은 것을 해 줄 수 없다 하더라도, 최소한 인간의 가슴만큼은 해 줄 수가 있는 것이다.

"오, 무(無)로 돌아가리라!" 이 커다란 외침은 수천 년 동안 수백만 명의 사람들을 욕망과 고통에 반항하도록 일깨워 왔다. 그 죽어가는 메아리들이 수많은 세기들과 태양을 가로질러, 세계에서 가장 유구한 바다로, 이 멀리까지 이르렀다. 그 메아리들이 오랑의 빽빽한 절벽에 부딪쳐 아직도 둔하게 울리고 있다. 이 지방의 모든 사람들이 자신도 모르는 사이에 그러한 권유를 따른다.

물론 그것은 거의 부질없는 것이다. 무(無)는 절대(絶對)만큼이나 성취될 수 없는 것이다. 그러나 우리가 장미들 혹은 인간적인 고통이 우리에게 가져다주는 영원함의 표시들을 호의로 받아들이는 이상, 대지가 우리를 향해 말하는 그 드문 잠에의 유혹 또한 거부하지 말자. 양쪽 모두 상대편만큼의 진실을 갖고 있다.

이것이 아마도 이 광란적인 몽유병자의 도시가 갖고 있는 아리아드니의 실일 것이다. 여기서 인간은 어떤 종류의 권태가 갖고 있는—물론 일시적인 것이긴 하지만—미덕들을 배우게 된다. 살아남기 위해서는, 미노토르에게 "예"라고 말해야만 한다. 이것은 오래되고 다산적(多産的)인 지혜이다. 붉은 절벽들의 기슭에서 잠잠한 바다를 내려다보면서, 오른편과 왼편으로 맑은 물속으로 살짝 담그고 있는 육중한 두 개의 곶 사이의 중간쯤에서 미묘한 평정을 유지하기 위해서는 그것만으로 충분하다. 눈부신 빛에 잠긴 멀리 떨어진 물을 따라 기어가고 있는 해안 경비선의 헐떡임 속에서, 비인간적인 번뜩이는 힘들의 소리 죽인 외침이 분명하게 들린다. 그것은 미노토르의 작별 인사이다.

정오다. 바로 낮의 무게가 저울로 재어지고 있다. 그의 의식(儀式)이 완료되면, 나그네는 그의 해방의 보답을 받는다. 그것은 그가 절벽에서 주운 물기 없고 수선화처럼 부드러운 작은 돌이다. 비법을 전수받은 사람에게는, 세계도 그 돌보다 짊어지기에 결코 무겁지 않다. 아틀라스(신들을 배반한 벌로 하늘을 양 어깨에 메고 있도록 선고받은 신－역주)의 임무는 쉽다. 자신의 시간을 선택하는 것만으로 충분한 것이다. 그러면 인간은, 한 시간 · 한

달 · 한 해 동안에 이 해변들이 자유를 만끽할 수 있다는 것을 깨닫게 된다. 이 해변들은, 수도승과 관리들 혹은 정복자들을 쳐다보지도 않고 무턱대고 맞이한다. 내가 오랑의 여러 거리에서 데카르트나 체자레 보르지아 같은 사람들을 만나기를 기대했던 날들이 있다. 그런 일은 일어나지 않았다. 그러나 아마도, 다른 사람은 좀 더 운이 좋을 것이다. 위대한 행동 · 위대한 작품 · 위대한 사상은 모래벌판이나 수도원의 고독을 필요로 한다. 거기서는 무장한 영혼의 철야 기도가 행하여진다. 지금 비지성적인 아름다움 속에 세워진 대도시의 폐허보다 그러한 철야 기도를 더 잘할 수 있는 곳이 어디에 있겠는가?

여기 수선화처럼 반드러운 작은 돌이 있다. 그것은 모든 것의 시작에 있다. 꽃 · 눈물(당신이 고집한다면) · 떠남, 그리고 투쟁은 내일을 위한 것이다. 하늘이 그 거대하고 낭랑한 공간 속에 자신의 빛의 샘을 여는 낮의 한가운데 속에서는, 해안의 모든 꽃들이 마치 막 출범하려는 함대처럼 보인다. 바위와 빛으로 이루어진 그 무거운 갈레온선(15세기에서 17세기에 걸쳐 스페인에서 군함이나 상선으로 사용한 돛배－역주)들의 뱃머리가, 마치 햇빛 비치는 섬들을 향해 나아갈 준비를 하는 듯 떨고 있다. 오, 오랑의 아침들이여! 제비들은, 높은 고원으로부터 대기가 들끓고 있는 거대한 골짜기 속으로 뛰어든다. 온 해안이 떠날 채비가 되어 있다. 모험의 전율이 해안 전체에 잔물결을 일으킨다. 내일, 어쩌면 우리는 함께 떠날 것이다.

(1939)

3. 헬레네의 추방

지중해의 태양은, 안개의 비극과는 전혀 다른 비극적인 뭔가를 그 주변에 지니고 있다. 해안가의 산기슭에서 맞는 어떤 날 저녁에는, 어떤 작은 만의 완벽한 굴곡 위로 밤이 내리고, 그러면 말 없는 물결로부터 고뇌에 찬 어떤 충만감이 솟아오른다. 그러한 장소에서는, 그리스인들이 절망을 알았다면 그것은 언제나 아름다움과 그 아름다움의 숨막히는 특질을 통해서였을 것이라는 점을 이해할 수 있다. 황금빛으로 도금된 불행 속에서, 비극은 그 최고점에 달하는 것이다. 반면에, 우리 시대는 그 절망을 추함과 격동으로 길러 왔다. 때문에 유럽은 비천해질 것이다. 고통이라는 게 그럴 수 있다면 말이다.

우리는 아름다움을 추방해 왔지만, 그리스인들은 아름다움을 위해 무기를 들었다. 이것이 첫 번째 차이이나, 여기에는 어떤 내력이 있다. 그리스 사상은 언제나 한계의 개념 뒤에서 은신처를 구했다. 그리스 사상은, 신적인 것이든 이성적인 것이든 그 어떤 것도 극단으로 이끌고 가지 않았다. 그것은, 그리스 사상이 신적인 것도 이성적인 것도 부정하지 않았기 때문이다. 그리스 사상은, 그늘과 빛을 조화시켜 가면서 모든 것을 고려해 넣었다. 반면에 우리 유럽은 완전성을 추구하다가 탈이 난 불균형의 자식이다.

유럽은, 자신이 찬양하지 않는 것은 무엇이나 부정하듯, 아름다움을 부정한다. 그리고 온갖 다양한 방법들을 통해서, 유럽은 단 한 가지만을 찬양하는데, 그것은 미래의 이성(理性)의 지배이다. 유럽은 미쳐서 영원한 한계를 확장시키고, 그러면 바로 그 순간에 에리니에스(세 자매로 이루어진 복수의 여신들. 뱀인 머리카락을 곤두세우고서 악한 짓을 한 사람을 혼내 주었다－역주)가 유럽을 덮쳐 갈기갈기 찢어 놓는다. 복수가 아니라 응보(應報)의 여신인 네메시스도 지켜본다. 그 한계를 넘어서는 사람은 네메시스에 의해서 가차 없이 형벌을 받는다.

무엇이 정의로운 것인가에 대해 수 세기 동안 자기들끼리 논의했던 그리스인들은, 우리의 정의의 개념에 대해서는 아무것도 이해할 수 없을 것이다. 그들에게는 공정함이 어떤 한계를 의미했던 반면에, 우리의 유럽 대륙 전체는 완전해야만 하는 어떤 정의를 찾아 경련을 일으키고 있다. 그리스 사상의 여명기에, 헤라클레이토스는, 정의를 물리적 세계 자체를 위해 한계를 긋는 것이라고 생각하고 있었다. "태양은 자신의 한계를 넘어서지 않을 것이다. 만일 그런다면, 정의의 시녀들인 에리니에스가 진실을 밝힐 것이다." 우주와 영혼을 우리의 영역에서 내쫓아 버린 우리는 그러한 위협을 비웃는다. 술 취한 하늘에다 우리는 우리가 원하는 태양들을 밝혀 놓는다. 그럼에도 불구하고 그 한계는 존재하며, 우리는 그 사실을 알고 있다. 가장 광적인 궤도(軌道)이탈 속에서, 우리는 우리가 뒤에 두고 떠나온 어떤 평형을 꿈꾸면서, 우리의 시행착오 끝에 그것을 발견하리라고 순진하게 기대한다. 그것은, 어린

이 국가들이 우리의 어리석음을 이어받아, 이제 우리의 역사를 이끌어 가리라는 사실을 정당화하는 어린아이 같은 추정일 뿐이다.

똑같이 헤라클레이토스의 글이라고 하는 한 단편(斷片)은, 한마디로 '추정은 진보의 역행'이라고 말한다. 그리고 그 에베소 사람보다 한 세기 후에, 소크라테스는 죽음을 선고받는 위협에 직면했을 때, 자기 자신이 갖고 있는 이 단 한 가지 우월성만을 인정한다. 즉 자기가 알지 못하는 것을 자기는 안다고 주장하지 않았다는 것이다. 그 무렵의 여러 세기에 걸쳐 가장 모범적인 삶과 사상이 무지(無知)의 당당한 고백으로 막을 내린 것이다. 그것을 잊어버리면서, 우리는 우리의 사내다움을 잊어버렸다. 우리가 택해 온 것들은, 오히려 위대함을 흉내 내는 힘, 첫째로 알렉산더, 그다음에는 우리의 교과서 저자들이 더할 나위 없는 어떤 비속함으로 우리에게 찬미하도록 가르치는 로마의 정복자들이다. 우리 역시 정복하고, 국경들을 옮기고, 하늘과 땅을 지배해 왔다. 우리의 이성은 모든 것을 쫓아 버렸다. 마침내, 우리는 혼자서 한 사막을 지배하는 것으로 끝난다. 자연의 역사 · 아름다움 · 덕(德)을 균형 잡고, 피의 비극에까지 규칙적인 음악을 적용하는 보다 고차원적인 그 평형을 위해 우리가 무슨 상상력을 남겨 놓을 수 있었는가? 우리는 자연에 등을 돌리고, 아름다움을 부끄러워한다. 우리의 처참한 비극들은 거기에 달라붙어 있는 사무적인 냄새를 풍기고, 그 비극들에서 방울져 나오는 피는 인쇄 잉크의 빛깔이다.

바로 그 때문에, 오늘날 우리가 그리스인의 후예라고 내세우기가 떳떳치 못한 것이다. 아니면, 우리는 변절한 후예들이다. 역사를 신의 왕좌에 앉히면서, 우리는 그리스인들이 야만족이라고 불렀던, 그리고 그들이 살라미스 근해에서 죽도록 대항해 싸웠던 그 사람들처럼 신권(神權) 정치를 향해 나아가고 있다. 우리가 얼마나 다른가를 이해하기 위해서, 우리는 철학자들 중에서 플라톤의 진정한 적수인 그를 주목해야만 한다. 즉 헤겔은 "오직 현대 도시만이, 정신에게 제 스스로를 의식할 수 있게 하는 활동 무대를 제공한다"라고 감히 쓰는 것이다. 우리는 이렇게 대도시의 시대에 살고 있다. 우리는 세계로부터, 자연 · 바다 · 언덕 꼭대기 · 저녁의 명상 등과 같은, 세계의 영원불변함을 이루는 모든 것들을 의도적으로 절단해 왔다. 의식은 오직 거리에서만 찾을 수 있는데, 그것은 역사가 오직 거리에서만 발견되기 때문이다. —이것은 칙령이다. 그리고 그 결과, 우리의 가장 의미 있는 작품들은 똑같은 경향을 보여 준다. 도스토옙스키 이후의 위대한 유럽 문학에서는 풍경들을 찾아볼 수가 없다. 역사는, 자기 이전에 존재했던 자연세계도, 또한 자기를 초월하여 존재하는 아름다움도 설명해 주지 않는다. 따라서 역사는 그러한 것들을 모르기로 작정했던 것이다. 플라톤이 모든 것을 담고 있던 반면에,—난센스 · 이성(理性), 그리고 신화까지도—우리의 철학자들은 다른 모든 것엔 눈을 감아버린 까닭에, 난센스나 이성밖에 담고 있지 않다. 두더지가 명상을 하는 격이다.

영혼의 비극을 세계에 대한 관조로 대치시키기 시작했던 것은 기독교이다. 그러나 기독교는 최소한 어떤 영혼의 본질에 의지하였고, 그럼으로써 어떤 불변성을 간직하였다. 신(神)이 죽음으로써, 오직 역사와 권력만이 남게 되었다. 언제부턴가 우리의 철학자들의 전적인 노력은 오로지 인간 본질의 개념을 상황의 개념으로 대치시키고, 고대(古代)의 조화를 혼란스러운 우연의 전진 혹은 이성의 무자비한 진보로 대치시키는 것만을 목표로 해 왔다. 그리스인들은 의지를 이성의 경계로 삼으려 했던 반면에, 우리는 그 의지의 충동을 바로 이성의 중심에 놓게 되었고, 그 결과 이성은 반쯤 죽은 것으로 변했다. 그리스인에게는, 가치들이 모든 행동에 앞서 존재했으며, 따라서 그 가치들에 의해 그 모든 행동의 한계가 분명하게 정해지는 것이다. 그러나 현대 철학은 그 가치들을 행동의 끝에다 놓는다. 가치는 '존재하는' 게 아니라 '생성되어 가는' 것이며, 우리는 역사가 완성될 때에야 비로소 그 가치들을 완전하게 알게 될 것이다. 가치들과 함께 모든 한계들이 사라지고, 그 가치들이 어떠한 것이 될 것인가에 대한 생각들이 서로 다르기 때문이다. 그리고 바로 그 가치들의 제동 장치 없이는 모든 투쟁들이 무한정 번져가기 때문에, 오늘날의 메시아주의들은 서로 대결하고, 그들의 소란이 여러 제국들의 알력 속에 뒤섞이는 것이다. 헤라클레이토스에 따르면, 불균형은 하나의 큰 화재이다. 그 큰 화재가 번져가고 있는 것이다. 니체는 뒤쳐져 있다. 유럽은 이제 망치를 두들김으로써가 아니라 대포를 쏨으로써 철학을 하는 것이다.

그러나 자연은 여전히 존재하고 있다. 자연은 그 잔잔한 하늘과 자신의 이치들을 인간의 광기와 대조시킨다. —원자가 불이 붙고, 역사가 이성의 승리로 끝나고 인류의 고뇌로 끝날 때까지. 그러나 그리스인들은 그 한계를 넘어설 수 없는 것이라고는 결코 말하지 않았다. 그리스인들은, 한계가 존재하며, 그것을 감히 넘으려 하는 자는 가차 없이 파멸당한다고 말했다. 오늘날 역사의 그 어떤 것도 그리스인들은 반박할 수 없다.

역사의 정신과 예술가는 둘 다 세계를 새로 만들기를 원한다. 그러나 예술가는 자기 본연의 임무를 통해 자신의 한계들을 알고 있지만, 역사의 정신은 그것을 이해하지 못하는 것이다. 역사의 정신의 목표가 독재인 반면에 예술가의 열정이 자유인 것은 바로 그 때문이다. 오늘날 자유를 위해 투쟁하는 사람들은 모두가 궁극적으로는 아름다움을 위해 싸우는 것이다. 물론 그것은 아름다움 그 자체를 수호하는 문제가 아니다. 아름다움은 인간 없이는 지속될 수 없고, 우리는 우리 시대의 불행을 따라가지 않는 한 우리 시대에 그 고귀함과 평정함을 제공하지 못할 것이다. 우리는 결코 다시 은둔자가 되지 못할 것이다. 그러나 인간이 아름다움 없이는 살아갈 수 없다는 것 또한 그 못지않은 사실인데, 그것을 우리 시대는 무시하고자 하는 체한다. 우리 시대는 절대(絕對)와 권위를 얻기 위해 제 자신을 강철로 만든다. 우리 시대는 세계를 남김없이 연구해 보기 전에 세계를 변형시키고, 세계를 이해하기도 전에 세계를 바로잡으려 한다. 뭐라 말하든, 우리 시대는 이 세계를 버리고 있다. 오디세우스는 칼립소(트로이에서 돌아가는 오디세우스를 7년간 오지지아 섬에 잡아 두었던 바다의 정령－역주)의 분부대로 영생(永生)과 그의 조상들의 나라 중 하나를 선택할 수 있다. 그는, 조상들의 나라를, 그와 동시에 죽음을 선택한다. 그러한 순진한 고귀함은 오늘날의 우리에겐 낯선 것이다. 다른 사람들은 우리에게 겸손이 부족하기 때문이라고 말하겠지만, 아무리 생각해 보아도 그 말은 모호하다. 모든 것에 자만하고, 하늘까지 솟아오르고, 그리고 결국 공개된 어느 장소에서든 자신의 부끄러움을 드러내 보이는 도스토옙스키의 바보들처럼, 우리에겐 다만 자신의 한계들에 대한 인식 능력과 자신의 상태에 대한 명징한 사랑인 인간의 긍지가 모자랄 뿐이다.

"나는 나의 시대가 싫다"라고 생텍쥐페리는 죽기 바로 직전에 썼는데, 그 이유는 내가 지금껏 얘기해 온 것들과 그리 동떨어진 것이 아니다. 그러나 인간의 훌륭한 특질 때문에 인간을 사랑했던 사람에게서 나오는 그 외침이 아무리 역겨운 것이라 하더라도, 우리는 그것에 대한 책임을 받아들이지 않을 것이다. 그럼에도 불구하고 문득문득 이 황량하고 메마른 세계를 등지고 싶은 유혹을 받게 되는 것은 어인 일일까! 그러나 이 시대는 우리 시대이므로, 우리는 우리 자신을 혐오하며 살 수는 없다. 우리 시대가 너무도 타락한 것은, 그 악덕들의 팽배뿐만 아니라 그 미덕들의 과잉에 의해서이다. 우리는 역사를 갖고 있는 미덕을 위해 싸울 것이다. 무슨 미덕인가? 파트로클루스(아킬레스의 친구로 헥토르에게 죽임을 당했으나, 아킬레스가 그 원수를 갚았다 — 역주)의 말(馬)들은 그들의 주인이 싸움에서 살해된 것을 슬퍼했다. 모든 게 끝난 것이다. 그러나 그 싸움은 아킬레스와 함께 다시 시작되고, 그 결과는 승리인데, 그것은 우정이 이제 막 암살되었기 때문이다. 우정은 하나의 미덕인 것이다.

무지(無知)를 인정하는 것, 광적인 행위를 거부하는 것, 세계와 인간의 한계들, 그 사랑하는 얼굴, 그리고 마지막으로 아름다움—이러한 것들에 있어 우리는 그리스인의 편에 서야 할 것이다. 어떤 면에서는, 역사가 취하게 될 방향은 우리가 생각하고 있는 방향이 아니다. 그것은 창조와 탐색 간의 투쟁에 있다. 예술가들이 그들의 빈손을 위해 치르게 될 그 대가에도 불구하고, 우리는 그들의 승리를 기대할 수 있는 것이다. 다시금, 암흑의 철학은 부서져, 눈부신 바다 너머로 사라져 갈 것이다. 오, 한낮의 사상이여, 싸움터에서 멀리 떨어진 곳에서 트로이 전쟁이 벌어지고 있다. 다시 한 번 현대 도시의 그 무시무시한 벽들은 허물어져 '대양의 고요함처럼 밝은 영혼'—헬레네의 아름다움을 되돌려 줄 것이다.

(1948)

4. 티파사로 돌아오다

"그대는 분노한 영혼을 가지고 바다의 겹겹의 암초들을 지나 아버지의 집으로부터 멀리 항해해 왔고, 이제 낯선 땅에서 살고 있다."

– 메데 –

닷새 동안 알제에는 그침 없이 비가 내려, 마침내 바다까지 젖어 버렸다. 결코 지칠 줄 모르는 하늘로부터 지독스럽게 고약한 폭우가 끊임없이 퍼부어 만(灣)으로 흘러내렸다. 윤곽이 분명치 않은 만에서 거대한 스펀지처럼 부드러운 잿빛 바다는 서서히 솟아올랐다. 그러나, 그칠 새 없는 비를 맞으면서도 수면은 거의 움직임이 없는 것 같았다. 다만 이따금씩, 겨우 알아볼 수 있을 정도의 부풀어 오르는 움직임이 해변 위로 흐릿한 물안개를 일으키고, 그러면 물안개는 항구 안으로, 젖은 가로수길의 아케이드 아래로 들어온다. 도시 자체에서도, 물을 잔뜩 머금은 흰 벽들 전체가 또 다른 김을 뿜어내고, 그것이 흘러나가 바다에서 피어오르는 물안개와 만나는 것이었다. 어느 쪽을 향해도, 물을 호흡하고 공기를 벌컥벌컥 마시고 있는 것 같다.

흠씬 젖은 바다를 앞에 하고서, 나는 그 12월의 알제를 거닐면서 기다렸다. 그러나 12월의 알제는 내게는 여름의 도시였다. 나는 유럽의 밤과 추위로 찌푸린 얼굴들을 피해 왔던 셈이었다. 그러나 그 여름의 도시 자체도 그 웃음은 비워져 있었고, 내게 다만 굽고 번쩍거리는 등들만을 보였다. 저녁에는, 위안삼아 찾아든 희미한 불이 켜진 여러 카페에서, 이름을 댈 수는 없지만 알아볼 수는 있는 여러 얼굴들에서 나는 내 나이를 읽었다. 나는 다만, 그들도 한때 나와 함께 젊었었지만, 이젠 더 이상 젊지 않다는 것을 알 뿐이었다.

그럼에도 불구하고, 나는 내가 무엇을 기다리고 있는지 잘 알지도 못하면서, 어쩌면 티파사로 돌아가는 그 순간까지도 고집스럽게 기다렸다. 물론, 자신의 청춘의 유적지로 되돌아가, 자기가 스무 살 적에 사랑했던 혹은 열심히 즐겼던 것을 마흔 살에 다시 체험한다는 것은 순전히 미친 짓으로서, 거의 언제나 벌을 받게 되어 있는 일이었다. 그러나 나는 그런 미친 짓에 대해 미리 경고를 받았다. 이미 한 번 나는 티파사로 돌아왔던 적이 있었다. 그것은 내게는 내 청춘의 종말을 표시하는 그 전쟁 시절(제2차 세계 대전을 말한다-역주) 바로 후였다. 그때 나는, 나로서는 잊을 수 없는 어떤 자유를 거기서 되찾길 바랐던 것 같다. 그 장소에서, 실로 이십여 년 전에, 나는, 아침에는 꼬박 폐허 사이를 거닐고, 쓴 쑥 냄새를 들이키고, 돌에 기대어 몸을 따뜻하게 하고, 봄을 넘기고 살아남은 작은 장미꽃들을 찾아내 그 꽃잎들을 떼내면서 보냈다. 매미들도 지친 듯 잠잠해지는 시각인 정오가 되어서야 나는 모든 것을 삼켜 버릴 듯한 햇볕의 탐욕스러운 번뜩임을 피해 달아나곤

하였다. 밤에는 이따금씩 별이 쏟아질 듯한 하늘 아래서 나는 눈을 뜨고 자곤 했다. 그때 나는 살아 있었다. 그리고 15년 후에 나는 물가에서 몇 피트 떨어진 곳에서 나의 그 폐허를 발견했고, 나는 쓴 쑥들로 뒤덮인 들판을 지나서, 벽으로 둘러쳐진 그 도시의 거리를 따라갔고, 만(灣)이 내려다보이는 언덕 위에서 여전히 나는 빵 빛깔의 기둥들을 쓰다듬었다. 그러나 그 폐허는 이제는 가시 달린 철망으로 둘러싸여 있었고, 일정한 통로들을 통해서만 들어갈 수 있었다. 그 장소를 밤에 걷는 것도 역시 금지되어 있었는데, 그것은 도덕적으로 인정되는 이유들 때문인 것처럼 보인다. 낮에는 관(官)의 감시인과 마주쳤다. 그날 아침에는 때마침 그 폐허 전체에 걸쳐 비가 내리고 있었다.

그 젖은 외로운 시골 지방을 지나 정처 없이 걸어가면서, 나는, 최소한 여태까지 언제나 내 곁에 있던 그 힘, 일단 내가 달리 어쩔 수 없음을 인정했을 때 있는 그대로의 것을 받아들이도록 도와주는 그 힘을 되찾고자 했다. 그런데 나는 사실상 시간의 흐름을 뒤바꿔 놓을 수 없었고, 또한 내가 사랑했던, 그러나 오래전에 하루만에 사라져 버렸던 그 옛 모습을 세계에 되돌려 줄 수는 없었다. 1939년 9월 2일, 사실은 나는 그리스로 가기로 되어 있었지만, 가지 않았다. 반대로, 전쟁이 우리에게로 왔고, 이윽고 전쟁은 그리스 전체로 번져 나갔다. 그 따뜻한 폐허와 가시철망 사이에 가로놓인 그 거리, 그 세월은, 그날 내가 검은 물로 가득 찬 석관(石棺) 앞에 혹은 흠씬 젖은 타마리스크나무 아래 서 있을 적의 내 자신에게서도 찾아볼 수 있었다. 원래, 나의 유일한 재산인 아름다운 경치에 둘러싸여 자라났던 나는 풍요롭게 시작했었다. 그리고는 가시철망이 생겼다. 독재 · 전쟁 · 경찰력 · 반항의 시대 말이다. 사람들은 밤의 권위들과 사이좋게 지내야만 했다. 낮의 아름다움은 하나의 추억일 뿐이었다. 그런데 이 진흙탕의 티파사에서 추억 자체가 흐려져 가고 있었다. 그것은 실은 아름다움과 풍요로움 혹은 젊음의 문제였다! 전쟁의 포화에서 나온 불빛에, 세계는 갑자기 주름살과 묵은 상처와 새 상처를 드러내 보였다. 세계는 단번에 늙어 버렸고, 그와 함께 우리도 늙어 버렸다. 나는 어떤 정신적 '고향'을 얻기 위해 이곳에 온 것이었지만, 그것은 자신이 곧 전방으로 나서야 한다는 사실을 모르는 사람에게만 힘을 준다는 것을 깨달았다. 조금의 순진무구함도 없는 사랑은 없다. 순진무구함은 어디에 있었는가? 여러 제국들은 무너지고 있었고, 여러 민족들과 인간들은 서로 목을 찢고 있었고, 우리의 손은 더럽혀졌다. 원래는 그런 것을 알지 못하고 오로지 순진무구했던 우리가 이제는 그러고자 하지 않았음에도 불구하고 죄인이 되었던 것이다. 이 불가사의는 우리의 인식과 함께 커져 가고 있었다. 바로 그 때문에, 오, 가소로움이여, 우리는 도덕에 관심을 갖게 되었던 것이다. 약하고 무능력해진 내가 미덕을 꿈꾸고 있었던 것이다! 순진무구했던 시절에는, 나는 도덕이 존재한다는 것조차 알지 못했다. 이제야 나는 그것을 알았지만, 그것에 맞춰 살 수가 없는 것이다. 내가 사랑했던 곶(岬) 위에서, 폐허가 된 사원의 젖은 기둥들 사이에서, 나는 널찍한 돌과 모자이크 무늬를 밟던 그 발걸음 소리를 아직도 들을 수는 있으나, 결코 다시는 따라잡지 못할 어떤 사람의 뒤를 따라서 걷고 있는 기분이었다. 나는 파리로 돌아가 몇 년을 지내다가 이제야 나의 고향으로 되돌아온 것이다.

그러나 그 여러 해 동안 내내, 나는 분명치는 않으나 뭔가를 그리워했다. 열렬하게 사랑할 수 있는 행운을 한 번 가졌던 사람이라면, 그 열정과 빛남을 되찾는 데에 인생을 바치게 된다. 아름다움과 거기에 딸린 감각적 행복을 저버리는 것, 오로지 불행을 위해서만 일하는 것은, 내게는 없는 어떤 고귀함을 요구한다. 그러나, 결국 배타적이 되도록 강요하는 것 치고 진실한 것은 아무것도 없다. 고립된 아름다움은 억지웃음을 웃는 것으로 끝나고, 고독한 정의는 억압으로 끝난다. 다른 사람들을 배제하고 한 사람만을 위해 봉사하고자 하는 사람은, 아무에게도, 심지어는 자기 자신에게조차 봉사하지 못하고, 그리하여 결과적으로 불공평함을 두 번 저지르게 된다. 그런 사람은, 자신의 고집 때문에 아무것도 더 이상 의문을 일으키지 않는다. 모르는 것이 없고, 한 가지 일만을 거듭해서 다시 시작하는 것에 온 생애를 기울이게 된다. 그것은 추방의 날들이며, 메마른 삶, 죽은 영혼의 날들이다. 다시 살아나기 위해서는, 어떤 특별한 은총 · 자기 망각, 혹은 고향 땅이 필요하다. 어느 아침 한 모퉁이를 돌 때, 환희의 이슬방울이 가슴에 떨어졌다가는 이윽고 증발한다. 그러나 그 서늘함은 남게 되는데, 그것이 바로 가슴이 언제나 필요로 하는 것이다. 나는 다시 출발해야만 했다.

그리하여 알제에서 두 번째로, 내가 마지막이라 생각하며 떠났던 그 이래로 줄곧 그치지 않았던 듯싶은 바로 그 폭우 속에서, 비와 바다 냄새를 풍기는 똑같이 막막한 우울 속에서 여전히 걸으면서, 이 뿌연 하늘, 퍼붓는 빗속에서 급히 달려가는 이 등들, 유황 불빛으로 사람들의 얼굴이 일그러져 보이는 이 카페들에도 불구하고, 나는 고집스럽게 바라고 있었다. 더구나 알제의 비는 영영 그칠 생각이 없는 것처럼 보이면서도 어느 순간에 뚝 그쳐 버린다는 사실은—두 시간 안에 부풀어 올라 몇 에이커의 땅을 못쓰게 만들었다가 갑자기 말라붙는 내 고향의 그 냇물들처럼—나도 알고 있지 않은가. 어느 날 저녁, 정말로 비가 그쳤다. 나는 하룻밤을 더 기다렸다. 맑게 갠 바다 위로 투명한 아침이 눈부시게 솟아올랐다. 비에 씻기고 다시 씻기고 그렇게 거듭 씻기다가 마침내 가장 곱고 가장 투명한 결만이 남은 데이지꽃처럼 선명한 하늘로부터 힘찬 빛이 뿜어져 나와, 모든 집과 모든 나무에 어떤 선명한 윤곽과 놀라운 새로움을 주었다. 세상이 처음 열리던 날, 분명 대지는 그러한 빛 속에서 솟아올랐을 것이다. 나는 다시 티파사로 가는 길로 들어섰다.

그 69킬로미터 중에서 나의 추억들과 나의 감정들로 가득 차 있지 않은 곳은 단 1킬로미터도 없었다. 몹시 거칠었던 어린 시절, 버스 엔진의 단조로운 저음 속에서 꾸었던 사춘기의 백일몽들, 아침들, 몸을 버리지 않은 처녀들, 해변들, 언제나 힘의 절정에 있는 젊은 근육들, 열여섯 살 가슴에 찾아드는 저녁의 가벼운 불안, 삶, 명예에의 갈망, 강렬함과 빛이 변함없이 해마다 언제나 똑같은 하늘, 그리고 죽은 듯한 정오의 시각에 해변에 십자가 모양으로 누워 있는 희생자들을 몇 달에 걸쳐 하나씩 하나씩 삼켜 버리면서도 스스로 만족할 줄을 모르는 빛. 또한 언제나 똑같은 그 바다, 아침 햇빛에 거의 알아보기 힘든 그 바다를, 사헬(Sahel)과 그 청동빛 포도밭들을 뒤로하고 해안을 향해 내려가기 시작하자마자, 나는 다시 보게 되었다. 그러나, 나는 그것을 보기 위해 멈추지는 않았다. 나는 세누아를 다시 보고 싶었다. 세누아는 서쪽으로 티파사 만과 접해 있다. 갑자기 바닷속으로 뚝 떨어져 내리는, 단 한 개의 암반으로 만들어진 산이었다. 거기에 닿기 훨씬 전에 멀리서 보면, 그것은 마치 연청색의 아지랑이가 하늘과 뒤섞여 하나가 된 것 같다. 그러나 그것을 향해 나아감에 따라, 그것은 차츰 응축되어, 이윽고 그 주위의 물결의 빛깔을 띤다. 어떤 거대한 파도가 정지해 있다가 갑자기 위로 솟구쳐, 돌연 고요해진 바다 위로 거칠게 응고되어 솟아 있는 듯한 빛깔을 띠는 것이다. 한층 더 가까이 가, 티파사의 문에 거의 다다르면, 거기에 갈색과 초록색의 그 위압적인 덩치가 있고, 그 무엇도 결코 흔들지 못할 이끼투성이의 늙은 신상(神像), 그 자식들을—나도 그들 중 하나이다—위한 하나의 은신처이자 항구가 있다.

그것을 바라보면서 나는 마침내 가시 철망들을 통과하여 폐허 사이에 와 있었다. 그리하여 평생에 한두 번 밖에 나타나지 않는, 그리고 그 이후로 그 삶은 한껏 은혜 입고 있다고 생각할 수 있게 해 주는, 그러한 장엄한 12월의 햇빛 아래서, 나는 정확히, 내가 찾으러 왔던 것, 그 시대와 그 상황에도 불구하고 진정으로 나에게만 제공된 것, 그 버려진 자연 속에서 정말로 오직 내게만 제공된 것을 발견하였다. 올리브나무들로 가득 뒤덮인 공회소로부터 차츰 저 아랫마을을 볼 수 있었다. 마을로부터는 아무 소리도 들리지 않았고, 투명한 대기 속에서 몇 움큼의 연기가 솟아올랐다. 쉼 없이 쏟아지는 눈부신 차가운 햇빛 아래 숨이 막힌 듯, 바다 역시 고요했다. 세누아로부터 오는 먼 닭 울음소리만이 오래가지 못하는 낮의 영광을 축하하고 있었다. 폐허 쪽으로는 눈길이 미치는 데까지, 수정같이 투명한 대기 속에, 곰보 자국이 난 돌들 · 쓴 쑥들 · 나무들, 그리고 완벽한 기둥들밖에 아무것도 없었다. 마치 아침이 고착되어 버리고 확실치 않은 어느 순간 태양이 정지해 버린 것 같았다. 이 빛과 이 침묵 속에서, 분노의 세월과 밤은 천천히 녹아 버렸다. 마치 오래 멈춰 있던 내 심장이 침착하게 다시 고동치기 시작하고 있는 듯한, 내 내부에 있는 거의 잊힌 어떤 소리에 나는 귀를 기울였다. 그리고 이제 주의 깊게 나는 그 침묵을 구성하고 있는 알아듣기 힘든 소리들을 하나씩 차례로 분간해 낼 수 있었다. 새들의 화려한 저음부, 바위들 발치에 닿는 바다의 어렴풋한 짧은 한숨, 나무들의 떨림, 기둥들의 눈먼 노래, 쓴 쑥 식물들과 몰래 움직이는 도마뱀들의 버석거림, 그런 것들을 나는 들었고, 나는 또한 내 내부에서 행복한 격류가 솟구치는 것에 귀 기울였다. 내게는, 나 자신이 마침내 최소한 한순간 동안이라도 항구에 돌아온 것만 같았고, 앞으로 그 순간이 끝나지 않을 것만 같았다. 그러나 조금 뒤에 태양이 눈에 보일 정도로 하늘에 솟아올랐다. 까치 한 마리가 짧게 서곡을 연주하자, 단번에 사방에서 힘과 환희와 즐거운 불협화음과 무한한 황홀함을 실은 새들의 노래가 터져 나왔다. 낮이 다시 시작된 것이었다. 그 낮은 나를 저녁으로 실어 가리라.

지난 며칠간의 사나운 파도가 물러나면서 남겨 놓은 거품과도 같은 엷은 자줏빛 헬리오트로프꽃들로 뒤덮인, 절반은 모래인 언덕 위에서 맞는 정오에, 나는 그 시각에 기진맥진한 몸짓으로 간신히 부풀어 오르는 바다를 지켜보았고, 사람이 오래도록 소홀히 하면 말라붙고 마는 두 가지 목마름을 풀었다. —사랑하는 것과 찬미하는 것이 바로 그것이다. 사랑받지 못하는 것에는 단지 운 나쁨이 있을 뿐이지만, 사랑하지 않는 것에는 불행이 있는 것이다. 오늘날 우리 모두가 이 불행으로 죽어가고 있다. 폭력과 증오는 가슴 자체를 말라붙게 만드는 것이다. 정의를 위한 오랜 싸움은 사랑을 기진맥진하게 만들지만, 그럼에도 불구하고 사랑이 정의를 탄생시키는 것이다. 우리가 살고 있는 이 불화 속에서는, 사랑은 불가능하고, 정의로는 충분치 않다. 유럽이 대낮의 햇빛을 싫어하고, 불의에 대하여 오직 불의로 밖에 대항할 수 없는 것도 그 때문이다. 그러나 정의가 쓰고 말라붙은 과육(果肉)밖에 들어 있지 않은 아름다운 오렌지 열매처럼 말라죽지 않도록 막기 위해서는, 인간은 자기 내부에 어떤 신선함을, 시원한 기쁨의 샘을 고스란히 간직하고 있어야만 하며, 불의를 회피하는 낮을 사랑하고 그 빛을 얻어 전투로 되돌아가야만 한다는 사실을, 나는 티파사에서 다시 한 번 발견하였다. 여기서 나는 예전의 아름다움과 젊은 하늘을 되찾았고, 그리고 우리의 광기 어린 그 최악의 세월 속에서도 그 하늘의 기억이 결코 나를 떠난 적이 없다는 사실을 마침내 깨닫고서, 나는 나의 행운을 헤아려 보았다. 결국 내가 절망하지 않도록 막아 준 것은 바로 그것이었다. 티파사의 폐허가 우리의 새로운 건축물들이나 폭탄 피해물들보다 훨씬 더 젊다는 것을 나는 늘 알고 있었다. 거기서, 세계는 언제나 새로운 빛 속에서 날마다 다시 시작되었다. '오, 빛이여!' 이것은 고대 드라마 속의 모든 인물들이 자신들의 운명과 마주하여 외치는 외침이었다. 우리가 마지막으로 의지할 것 역시 그것이며, 나는 이제야 그것을 깨달았다. 겨울 한가운데서 나는 나의 내부에 없앨 수 없는 여름이 있다는 것을 마침내 발견했던 것이다.

*

나는 다시 티파사를 떠났다. 나는 유럽과 그 투쟁들로 되돌아갔다. 그러나 그날의 기억이 아직도 나를 북돋아 주고, 마음을 즐겁게 하는 것과 짓누르는 것을 똑같이 반기도록 도와준다. 우리가 살고 있는 어려운 시대에, 아무것도 배제시키지 않고서 흰 실과 검은 실로 단절점까지 뻗쳐진 단 한 가닥의 끈을 엮는 법을 배우는 것 외에 달리 우리가 무엇을 바랄 수 있겠는가? 내가 지금까지 행하거나 말한 모든 것에서, 나는 그 두 가지 힘들을 분간해 내는 것 같다. ―그것들이 서로 반대되는 목적에 관계된 것일 때에도, 나는 내가 그 속에서 태어났던 빛을 포기하지 못했으며, 그럼에도 불구하고 나는 이 시대의 고역을 거부하길 원치 않았다. 여기서 '티파사'라는 달콤한 이름을 보다 당당하고 무정한 다른 이름들과 대비시키는 것은 너무도 쉬운 일이리라. 오늘날의 인간들에게는 한 가지 내면적인 길이 있거니와, 나는 양쪽 방향에서 들어섰던 까닭에 그 길을 잘 알고 있다. 그것은 정신의 언덕 꼭대기로부터 범죄의 도시들로 이어지는 길이다. 그리고 물론 인간은 언제나 그 언덕 꼭대기에서 누워 잠들거나 아니면 범죄와 함께 기숙할 수도 있다. 그러나 있는 그대로의 것의 한 부분을 저버린다면, 자기 자신이기를 저버릴 수밖에 없다. 대리인에 의지하지 말고 달리 살거나 사랑하는 것을 저버릴 수밖에 없다. 그러므로 삶의 어느 것도 거부함 없이 살고자 하는 의지가 있는 것이며, 그것이야말로 내가 이 세상에서 가장 존경하는 미덕이다. 적어도 이따금씩은, 내가 그것을 실천했기를 바라는 게 사실이다. 최선의 것과 마찬가지로 최악의 것도 감당하기를 우리 시대처럼 많이 요구하는 시대도 별로 없는 만큼, 나는 정말로 아무것도 회피하지 않고 어떤 이중의 기억을 성실하게 간직하고 싶다. 그렇다, 아름다움이 있고 수치스러움이 있다. 그 일의 어려움들이 어떠한 것이든, 나는 결코 어느 한쪽이나 다른 쪽들에 대해 불성실하고 싶지 않다.

하지만 이것은 여전히 어떤 도덕률과 흡사한데, 그러나 우리는 도덕을 훨씬 넘어서는 어떤 것을 위해 살고 있다. 구태여 그것에 이름을 붙이려 한다면, '침묵'이 어떨까! 생트 살사(Sainte Salsa) 언덕에서 티파사 동쪽으로는 저녁이 깃들어 있다. 사실을 말하자면, 아직은 밝지만, 이 빛 속에서 거의 보이지 않게 빛바래져 가는 것이 그날의 끝을 알리고 있었다. 밤처럼 젊은 바람이 일어나고, 파도 없는 바다가 돌연 한쪽 방향을 택해 마치 커다란 황폐한 강처럼 수평선 한끝에서 다른 한끝으로 흘러간다. 하늘이 어두워진다. 이윽고, 그 신비 · 밤의 신(神)들 · 피안의 쾌락이 시작된다.

그러나 그것을 어떻게 설명할 수 있을까? 내가 여기서 갖고 가는 작은 동전 한쪽에는, 눈에 보이는 표면, 즉 아름다운 여자의 얼굴이 있어, 그것이 내게 오늘 내가 배웠던 것들을 거듭 말하고 있고, 다른 한쪽에는 닳아빠진 표면이 있어, 돌아가는 동안 나는 그것을 손가락으로 더듬는다. 그 입술 없는 입이 무엇을 말할 수 있을까, 나의 내부의 또 다른 신비한 목소리가 내게 얘기해 주는 것 이외에! 그 목소리가 날마다 내게 나의 무지와 나의 행복에 관하여 이렇게 일러 주고 있는 것이다.

"내가 찾고 있는 비밀은, 올리브나무들이 가득한 한 골짜기 안에, 풀과 차가운 바이올렛들 밑에, 나무 연기 냄새를 풍기는 낡은 집 주위에 숨겨져 있다. 이십여 년 동안 나는 그 골짜기와 그 골짜기를 닮은 다른 골짜기들을 헤맸고, 벙어리 염소지기들에게 질문을 했고, 아무도 없는 폐허의 문을 노크했다. 이따금씩, 아직 밝은 하늘에서 첫 별이 돋는 순간에 쏟아지는 어렴풋한 빛 아래서, 나는 내가 알고 있다고 생각했다. 실제로 나는 알고 있었다. 어쩌면, 지금도 알고 있을는지 모른다. 그러나 아무도 이 비밀은 조금도 원치 않고, 그리고 분명 나 자신도 조금도 원치 않거니와, 나는 나의 민족으로부터 떨어져 있을 수는 없다. 나는 돌과 안개로 지어진 풍요롭고 끔찍한 도시들을 스스로 지배하고 있다고 생각하는 나의 일족 가운데서 살고 있다. 낮이건 밤이건, 나의 일족은 목청 높여 말하고, 그러면 모든 것이 그 앞에서 고개 숙이지만, 나의 일족은 아무것 앞에서도 고개 숙이지 않는다. 나의 일족은 모든 비밀에 대해 귀머거리이다. 그럼에도 불구하고, 나를 실어 가는 그것의 힘이 나를 지겹게 하고, 때로는 그 외침들이 나를 지치게 만든다. 하지만 내 일족의 불행은 나의 것이며, 우리는 같은 피를 가진 것이다. 마찬가지로 불구자이며 소란스러운 공모자인 나는 돌들 가운데서 외치지 않았던가? 이제 나는 잊으려 애를 쓰고, 철과 불로 이루어진 우리의 도시 속을 걷고, 밤에게 용감하게 미소 짓고, 폭풍우를 환호하며 맞고, 그리고 나는 성실할 것이다. 실제로 나는 잊어버렸으므로, 이제부터는 행동적이고 귀머거리가 될 것이다. 그러나, 어쩌면 어느 날 우리가 극도의 피로와 무지로 죽게 될 때, 나는 지나치게 화려한 우리의 무덤들을 버리고 그 골짜기로 가, 똑같은 햇빛 아래 길게 누워, 내가 알고 있는 것을 마지막으로 배울 것이다."

(1952)

5. 예술가와 그의 시대

1. 한 예술가로서 당신은 증인의 역할을 선택하였는가?

그것은 상당한 주제넘음 혹은 내게는 없는 어떤 소질을 필요로 할 것이다. 개인적으로, 나는 아무런 역할도 청하지 않거니와 나는 단 한 가지의 실제적인 소질밖에 갖고 있지 않다. 한 인간으로서 나는 행복 쪽을 좋아하며, 한 예술가로서는, 내가 보기에는 전쟁의 혹은 법정의 도움 없이 살려 내야 할 인물들이 여전히 내게 있는 것 같다. 그러나 나는, 모든 개인이 탐색당해 왔던 것처럼 탐색당해 왔다. 과거의 예술가들은 압제 앞에서 최소한 침묵을 지킬 수 있었다. 그러나 오늘의 압제들은 향상되었다. 그래서 더 이상 침묵이나 중립을 인정치 않는 것이다. 인간은 태도를 정하고 찬성하든가 반대하든가 해야 한다. 글쎄, 그 경우엔 나는 반대이다.

그러나 이것이 결국 편안한 증인의 역할을 선택하게 되는 것은 아니다. 증인의 역할을 선택하는 것은, 다만 시대를 있는 그대로 받아들이는 것이며, 요컨대 자기 자신의 일을 걱정하는 것일 뿐이다. 더구나 오늘날엔 재판관과 피고인과 증인이 모범적인 만큼, 신속하게 서로 위치를 바꾼다는 사실을 당신은 잊고 있다. 내가 하나를 선택할 거라고 당신이 생각한다면, 나의 선택은 최소한 재판관의 의자에 앉거나 아니면 그 밑에 앉는 것은 결코 아닐 것이다. —수많은 우리의 철학자들과 마찬가지로. 그것은 별문제로 하고, 행동을 위한 기회들이, 상대적으로 결코 적지 않다. 그 기회들 중에서 오늘날 첫 번째이면서 가장 유리한 것이 노동조합주의이다.

2. 당신의 최초의 작품들 속에서 비판되어 온 돈키호테적 태도는 예술가의 역할에 대한 이상주의적이고 낭만적인 정의(定義)가 아닌가?

아무리 말들이 왜곡되고 있다 할지라도, 말들은 잠정적으로는 그 본래의 의미를 간직하고 있다. 그리고 내게 분명한 점은, 낭만적인 사람이란 역사의 영속적인 운동, 웅대한 서사시, 그리고 시대가 끝날 무렵의 어떤 기적적인 사건의 알림을 택하는 사람이라는 것이다. 내가 무언가를 규정하려 했다면, 그것은 반대로, 다만 역사와 인간의 공동의 현존, 가장 그럴듯한 조명을 가한 일상생활, 자기 자신의 타락과 다른 사람들의 타락에 대항하는 집요한 투쟁일 뿐이다.

여러 사건들에 사실상 포함되어 있지도 않은, 그리고 어쨌거나 어떤 신화적 목적을 함축하고 있는 역사의 의미에다 결국 모든 행동과 모든 사건을 걸어 두게 되는 것 역시 이상주의이며, 그것도 가장 나쁜 종류의 이상주의이다. 그렇다고 해서 미래를—다른 말로 하자면, 아직은 역사가 아닌 것, 그 본질에 관해 우리로선 아무것도 모르는 어떤 것—역사의 법칙으로 받아들이는 것이 리얼리즘일까?

내가 보기에는 반대로, 내가 비논리적이고 죽은 어떤 신화에 대항하여, 그리고 부르주아적인 것이든 아니면 소위 혁명적이라고 하는 것이든 낭만적 니힐리즘에 대항하여, 진정한 리얼리즘 편에서 논쟁하고 있는 것 같다. 솔직히 말해서, 나는 낭만적이기는커녕 어떤 규율과 질서의 필요성을 믿고 있다. 나는 다만, 그 규율이 어떤 것이든 그것에 대해 의문이 있을 수 없다고 말하고 있을 뿐이다. 그리고 우리에게 필요한 그 규율이 이 무질서한 사회에 의해서 주어진다면, 혹은 반대로 모든 규율들과 모든 가책들로부터 스스로 해방되었다고 공언하는 그 공론가들에 의해 주어진다면, 그것은 무서운 일일 것이라고 말하고 있을 뿐이다.

3. 마르크시스트들과 그 추종자들 역시 자신들이 휴머니스트라고 생각한다. 그러나 그들에게 있어 인간성은 미래의 계급 없는 사회 속에서 형성될 것이다.

우선, 그것은 그들이 현시점에서 있는 그대로의 우리 모두를 거부하고 있다는 사실을 증명해 준다. 그러므로, 그 휴머니스트들은 인간을 비난하는 사람들인 것이다. 그러한 주장이 법원 재판의 세계에서 문제가 된다고 해서 우리가 어떻게 놀랄 수 있겠는가? 그들은 미래의 인간이라는 이름으로 오늘의 인간을 거부한다. 그 주장은 본질상 종교적인 것이다. 어째서 그 주장을, 천국이 올 것이라고 말하는 주장보다 좀 더 옳다고 해야 하는가? 사실상 역사의 종국은, 우리의 조건의 한계들 내에서 이렇다 할 만한 아무런 의미를 가질 수 없다. 그것은 고작 한 신앙의 대상, 그리고 어떤 새로운 미혹의 대상이 될 수 있을 뿐이다. 오늘날의 미혹은, 이교도들의 영혼을 구원할 필요성을 식민지 압박의 근거로 만들었던 옛날의 그것 못지않게 대단한 미혹이다.

4. 그것은 당신을 사실상 좌파 지식인들로부터 분리시키는 것이 아닌가?

당신 말은, 그것이 그 지식인들을 좌파로부터 분리시키는 것이 아니냐는 것인가? 전통적으로 좌파는 언제나 불공평 · 반계몽주의 및 압제에 대항하여 싸워 왔다. 그러한 현상들은 언제나 상호의존적인 것으로 생각되어 왔다. 반계몽주의가 정의로, 국가적 이익이 자유로 이어질 수 있다는 생각은 아주 최근의 것이다. 사실 얼마간의(다행스럽게도 전부는 아니다) 좌파 지식인들은, 오늘날 전쟁 전에 그리고 전쟁 동안에 우리의 우파 지식인들이 그러했던 것처럼, 힘과 효용의 최면술에 걸려 있다. 그 두 입장은 서로 다르지만, 그 체념의 행위는 똑같다. 우파 지식인들은 현실적인 민족주의자들이 되고자 했고, 좌파 지식인들은 현실적인 사회주의자들이 되고자 한다. 결국 그들은, 이제는 알맹이 없는, 그리고 순수하고 환상적인 효용성의 기법으로 숭상되는 어떤 리얼리즘의 이름으로 민족주의와 사회주의를 똑같이 저버리는 것이다.

이것은 어쨌거나 이해될 수 있는 유혹이다. 하지만 그래도, 그 문제를 어떻게 보든 간에, 자신들을 좌파라고 부르는 혹은 생각하는 사람들의 새로운 입장은 이렇게 말하는 데에 있다. 즉 "어떤 억압들은, 역사의 맥락에서 보면 정당화될 수 없지만, 우리가 그 사상을 따르기 때문에 정당화될 수 있다." 그 때문에, 아마도 특권을 얻는, 그것도, 아무것도 아닌 것에 의해 특권을 얻는 실행자들이 있는 것이다. 이것은 조제프 드 매스트르가 다른 맥락에서 말했던 것과 관련이 있는데, 그는 결코 선동가로 오해받지 않았다. 하지만 이것은 내가 개인적으로 언제나 거부할 논제이다. 그것에 대항하여, 내가 지금까지 좌파라고 불려 왔던 것에 대한 전통적인 견해를 외치게 해 달라. "모든 실행자들은 같은 부류이다."

5. 오늘의 세계에서 예술가는 무엇을 할 수 있는가?

예술가는, 협동조합에 관해서 쓰거나, 아니면 거꾸로 역사 전체에 걸쳐 다른 사람들이 견디고 있는 고통들을 자기의 내부에서 어루만져 잠재우라고 요구받지는 않는다. 그리고 내게 개인적으로 말해 달라고 청했으므로, 할 수 있는 한 간단히 그렇게 해 보겠다. 예술가로 간주된다면, 우리는 세상 형편에 끼어들 필요가 없을지도 모른다. 그러나 인간으로서는 끼어들 필요가 있다. 착취당하는 혹은 사살당하는 광부, 캠프촌의 노예들, 식민지의 노예들, 세계 전체에 걸쳐 박해받는 다수들—그들은 그들의 침묵을 전달해 주고 그들과 접촉을 유지하기 위해 말할 수 있는 그 모든 사람들을 필요로 한다. 나는 날이면 날마다 전쟁의 기사들과 전쟁을 소재로 한 책을 쓰지 않았고, 나는 세계가 고대 그리스의 조상(彫像)들과 걸작품들로 뒤덮이길 갈망하고 있기 때문에, 공동의 투쟁에 참가하지 않았다. 그러한 갈망을 가진 인간이 나의 내부에 존재하고 있다. 다만, 그는 자신의 상상의 인물들에게 생명을 불어넣고자 할 적에 보다 나은 할 일을 갖고 있다. 그러나 나의 첫 번째 글들로부터 가장 최근의 책에 이르기까지, 나는 많이, 어쩌면 지나치게 많이 써 왔는데, 그것은, 다만 내가 나날의 생활에, 그리고 저 모든 굴욕당하고 비천해진 사람들에게 끌리지 않을 수 없기 때문이었다. 그들은 모두가 희망을 가져야만 한다. 그러나 모두가 침묵을 지킨다면, 혹은 그들에게 두 종류의 굴욕 중 어느 한쪽을 선택하라고 한다면, 그들은 영원히 희망을 박탈당할 것이며, 그들과 함께 우리도 그렇게 될 것이다. 그런 생각을 견뎌 낸다는 것은 내겐 불가능한 것처럼 보이거니와, 또한 그런 생각을 견딜 수 없는 사람이라면 자신의 탑 속에 누워 잠들 수 없다. 그것은, 고결함 때문이 아니라, 일종의 거의 생체적(生體的)인 견딜 수 없음 때문인데, 사람들은 그것을 느끼기도 하고 못 느끼기도 한다. 물론 나는 많은 사람들이 그것을 느끼지 못하는 것을 보지만, 그렇다고 나는 그들의 잠을 부러워할 수 없다.

하지만, 그렇다고 해서 우리가 우리 예술가의 본질을 어떤 사회적 설교나 다른 것에 바쳐야만 한다는 의미는 아니다. 나는 다른 어디에선가, 다른 어느 때보다도 더 예술가가 필요한 이유를 쓴 적이 있다. 그러나 우리가 인간으로서 끼어든다면, 그 체험은 우리의 언어에 어떤 영향을 미칠 것이다. 그런데 우리가 무엇보다도 우리의 언어를 이용하는 예술가가 아니라면, 우리가 어떤 류의 예술가이겠는가? 우리의 삶 속에서는 투사인 우리가 우리의 작품 속에서 사막과 이기적인 사랑에 대하여 말한다 할지라도, 우리의 삶이 투쟁적이라는 단순한 사실이 어떤 특이한 목소리로 호소하여, 그 사막과 그 사랑에 함께 모여 살게 만드는 것이다. 니힐리즘을 뒤로하고서, 어리석게도 인간의 가치를 위해 창조의 가치를 부인하거나, 혹은 창조의 가치를 위해 인간의 가치를 부인하기 시작하고 있는 그 순간을, 나는 결단코 선택하지 않을 것이다. 나의 정신 속에서는 어느 한쪽도 다른 한쪽과 결코 분리되어 있지 않으며, 나는 한 예술가(몰리에르 · 톨스토이 · 멜빌)의 위대함을, 그가 이 양자 사이에서 유지할 수 있는 균형으로 측정한다. 오늘날 여러 사건들에 짓눌려, 우리는 그 긴장을 어쩔 수 없이 우리의 삶 속으로까지 운반해 와야 한다. 바로 그 때문에 그렇게 많은 예술가들이 그 짐에 눌려 몸을 굽히고, 상아탑에서가 아니면 거꾸로 사회주의적 교회에서 안식처를 구하는 것이다. 그러나, 나의 경우에는 그 두 가지 선택에서 비슷한 체념 행위를 본다. 우리는 괴로움과 아름다움에 동시에 봉사해야 한다. 그러한 봉사가 요구하는 오랜 인내심 · 힘 · 숨은 교활함은 우리에게 필요한 바로 그 르네상스를 확립시켜 주는 미덕들이다.

한 마디 더 하면, 이 일은 위험과 쓰라림 없이는 이루어질 수 없다는 것을 나는 알고 있다. 우리는 그 위험들을 받아들여야 한다. 책상에 묶여 있는 예술가들의 시대는 끝났다. 그러나 우리는 쓰라림을 거부해야 한다. 예술가가 갖고 있는 유혹들 중의 하나는 자신이 고독하다고 믿으려는 것이고, 그리고 실제로 그는, 자기에게 그렇게 외치는 것을, 어떤 비열한 기쁨을 갖고 듣는다. 그러나 그것은 사실이 아니다. 그는, 모든 사람들 가운데에 있으며, 일하고 투쟁하는 그 모든 사람들보다 더 높지도 더 낮지도 않은, 똑같은 위치에 있는 것이다. 압제에 맞서는 예술가의 참된 사명은, 감옥 문을 열고 모든 사람들의 슬픔과 기쁨을 표현하는 것이다. 바로 거기에서 예술은, 자신의 적들에 맞서서, 분명히 자신은 아무의 적도 아니라는 것을 입증함으로써 자기 자신을 정당화하는 것이다. 예술 그 자체만 가지고는, 아마도 정의와 자유를 수반하는 르네상스를 만들어 내지 못할 것이다. 그러나 예술이 없다면, 그 르네상스는 형식들을 갖추지 못할 것이고, 따라서 아무것도 아닌 게 될 것이다. 문화 없이는, 그리고 그것에 수반되는 상대적인 자유 없이는, 사회는 그것이 완벽할 때조차도 하나의 정글에 지나지 않는다. 진정한 창조가 미래에 대한 하나의 선물인 것은 바로 이 때문인 것이다.

A. 카뮈 연보

1913년

• 11월 7일. 알제리의 콘스탄틴(Constantine) 몽도비(Mondovi)에서 태어남. 부친인 뤼시앵 카뮈(Lucien Camus)는 1871년에 알제리로 이주해 온 프랑스 알자스 지방 사람으로, 포도농장의 일하는 노동자였다. 모친 카트린 생테스(Cathrine Sintes)는 스페인의 마요르카 섬 출신으로, 알베르 카뮈는 9남매 중 둘째로 태어난다(위로 형 뤼시앵이 있음).

1914년(1세)

• 8월 2일. 제1차 세계대전 일어남. 부친 뤼시앵 카뮈는 보병연대에 징집되어, 마른 전투에서 부상당하고, 생 브리외 병원에서 운명한다. 모친이 카뮈 형제를 데리고 알제리의 수도인 알제(Algiers)로 이사하여, 리옹가 93번지의 벨쿠르(Bellecour) 서민 지역에 정착한다. 카뮈는 방 두 개짜리 아파트에서, 처음에는 화약 제조 공장에서 일하다가 후에 관청 일을 하는 말이 없는 어머니와, 권위적이고 희극적인 할머니, 불구의 삼촌 에티엔느, 형 뤼시앵과 함께 가난한 생활을 한다.

1918년(5세)

• 벨쿠르의 공립학교에 입학. 루이 제르맹(Louis Germain) 선

생으로부터 각별한 총애를 받는다. 그의 추천으로 장학생 선발 시험에 응시 합격함. (1957년에 노벨문학상을 받은 후에 《스웨덴 연설》을 제르맹 선생에게 헌정함.)

1923년 (10세)

• 알제에 있는 뷔조 중고등학교에 장학생으로 입학.

1930년 (17세)

• 대학 입학 자격고사 합격. 알제 대학에 입학. 대학 축구팀에서 골키퍼를 함.

• 앙드레 말로의 《왕도(王道)》를 읽음.

• 폐결핵 첫 발병. 이후 1년 남짓 병원 입원 생활 및 이곳저곳으로 옮겨가며 요양함.

1932년 (19세)

• 문과(文科) 고등반에서 학업 계속.

• 철학교수 장 그르니에(Jean Grenier)를 만나 두터운 친분을 쌓는다. (후에 《안과 겉》과 《반항인》을 그에게 헌정함.)

• 잡지 《남방(Sud)》에 4편의 글을 발표.

1933년 (20세)

• 1월 30일. 히틀러가 권좌에 오름.

• 앙리 바르뷔스와 로맹 롤랑이 주도하는 암스테르담 플레이엘 반파쇼 운동에 가입하고 투쟁함.

1934년 (21세)

• 6월. 시몬 이에(Simone Hié)와 결혼.

• 이해 말경 공산당에 가입. 회교 지역 선전 임무가 지워짐.

1935년 (22세)

• 공산당에서 탈퇴 .

•《안과 겉》 집필 시작.

• 알제 대학에서 철학 공부를 계속함. 생계가 어려워 여러 가지 아르바이트를 함.

1936년 (23세)

• 철학 전공의 졸업 논문으로 〈기독교적 형이상학과 신(新)플라톤 철학〉을 제출.

• 에픽테토스 · 파스칼 · 키에르케고르 · 말로 · 지드 등의 작품을 탐독.

• 5월. 프랑스에 인민전선 등장.

• 6월. 중앙 유럽 여행. 아내 시몬 이에와 이혼.

• 7월. 스페인에 프랑코 혁명 일어남.

• 라디오 극단과 더불어 알제리 전국을 순회공연하며 몇 편의 고전극의 주인공 역을 맡음.

1937년 (24세)

• 5월. 지병인 폐결핵을 이유로 철학교수 자격시험 응시를 거부당함.

• 5월 10일.《안과 겉》 샤를르 출판사에서 출간.

• 에키프 극단을 창설하고 몇 편의 연극을 공연함.

•《행복한 죽음》 집필.(未發表)

• 프랑스로 건너갈 것을 계획.

1938년 (25세)

• 프랑스 출신의 신문기자 파스칼 피아(Pascal Pia)—카뮈는 훗날 《시지프 신화》를 그에게 헌정한다—로부터 〈알제 레퓌블리캥(AIgiers Républicain)〉 신문을 함께 창간할 것을 제의받음. 카뮈는 기꺼이 수락하고 잡보 기사에서 사설에 이르기까지, 또 의회 기사와 문학란까지 두루 맡아 쓰면서 알제리의 정치 문제들을 낱낱이 파헤침.
• 《칼리굴라(Caligula)》를 집필.
• 부조리에 관한 시론(試論)을 구상하며, 《이방인》을 쓰기 위한 자료를 수집함.
• 니체의 작품들과 키에르케고르의 《죽음에 이르는 병》을 탐독함.
• 《카라마조프가의 형제들》을 연출하여 극단 에키프를 통하여 공연함.
• 9월 30일. 뮌헨 협정.

1939년 (26세)

• 3월. 나치 정부가 체코를 완전 합병함.
• 에피쿠로스와 스토아 철학자들의 책을 탐독.
• 앙드레 말로와 상봉함.
• 사르트르의 《벽》을 탐독.
• 5월. 《결혼(Noces)》을 샤를르 출판사에서 출간.
• 9월 3일. 제2차 세계 대전 발발. 그리스 여행 계획을 취소하고 군 입대를 지원하나, 건강을 이유로 거절당함.
• 알제리의 항구 도시인 오랑(Oran)을 여행함.

1940년 (27세)

• 파스칼 피아의 추천을 받아 프랑스의 〈파리 수아르(Paris Soir)〉 지(紙)의 편집담당 일을 맡음.

• 5월. 《이방인》을 탈고함.

• 독일군이 파리로 입성하자 〈파리 수아르〉 신문사를 따라 클레르몽으로 후퇴하나, 곧 퇴직하고 리옹으로 가서 몇 개월 동안 체류함.

• 9월. 《시지프 신화》 전반부를 완성.

• 12월 3일. 오랑 출신의 수학교사 프랑신 포르와 리옹에서 재혼함.

1941년 (28세)

• 2월. 《시지프 신화》 탈고.

• 허먼 멜빌 《모비 딕(Moby Dick)》의 영향을 받아 《페스트》를 준비.

• 톨스토이 · 마르쿠스 아우렐리우스 · 사드 등의 작품을 탐독.

1942년 (29세)

• 봄에 재발한 폐결핵으로 인한 각혈 때문에 프랑스로 건너가 샹봉 쉬르 리뇽(Chambon sur Lignon)에서 요양함.

• 7월. 《이방인》을 갈리마르 출판사에서 출간.

• 연합군 알제리 상륙.

• 멜빌 · 디포 · 세르반테스 · 발자크 · 키에르케고르 · 스피노자 등을 탐독.

1943년 (30세)

• 《시지프 신화(Le Mythe de Sisyphe)》를 갈리마르 출판사에서 출간. 비평계 일각에서 그를 절망의 철학자로 규정.
• 《오해(Le Malentendu)》 초고(草稿) 탈고.
• 《어떤 독일 친구에게 보내는 편지》 제1신(信) 발표.
• 지하신문 〈콩바(Combat)〉 발간.
• 앙드레 지드의 아파트에 기거하면서 갈리마르 출판사에서 고문으로 일함.

1944년 (31세)

• 장 폴 사르트르와 상봉. "사르트르와 나는 우리 둘의 이름이 나란히 붙어 다니는 것을 이상하게 여기고 있었다. 그래서 우리는 조그만 성명을 발표하여 우리 둘 사이에는 아무런 공통점도 없음을 밝히기로 했다. 나의 유일한 사상적인 책 《시지프 신화》는 소위 실존주의 철학자들의 반대 입장에서 쓴 것이다."
• 5월. 《오해》 상연.
• 《어떤 독일 친구에게 보내는 편지》 제2신 발표.
• 파리가 해방됨.
• 8월 21일. 〈콩바〉지가 공개 배포용으로는 창간호로 나옴. 파스칼 피아와 함께 동지(同紙)를 편집, 운영함.

1945년 (32세)

• 5월 8일. 제2차 세계 대전 종전. 앙드레 지드와 함께 종전 소식을 전해 들음.
• 8월 6일. 9일. 일본 히로시마와 나가사키에 원자탄 투하.
• 9월 5일. 쌍둥이 자녀 장과 카뜨린 태어남.

• 자신의 작품 《칼리굴라(Caligula)》 상연, 대성공을 거둠.

• 《반항인》의 출발점이 되는 〈반항론〉을 발표.

1946년 (33세)

• 연초(年初)에 미국을 방문하여, 대학생들의 열렬한 환영을 받음. 하버드 대학에서 '연극'에 관하여, 뉴욕 대학에서 '문명의 위기'에 관해 강연함.

• 《페스트》 탈고.

• 몇 달 동안 〈콩바〉지의 편집, 운영을 중단함.

• 모리악(Francois Mauriac)과의 논쟁 때문에 폭력 문제에 대하여 체계적으로 사색, 정리함.

• 10월. 사르트르 · 말로 · 아서 케스틀러 · 스페르버 등과 정치 문제를 토론함.

1947년 (34세)

• 마다가스카르의 반란이 일어남. 카뮈는 집단 탄압을 맹렬히 비난함.

• 재정 문제 및 정치 문제로 〈콩바〉지에서 손을 뗌.

• 6월. 《페스트》를 갈리마르 출판사에서 출간. 출간 즉시 대 선풍을 일으킴. 수많은 비평가들이 그를 '덕망 있는 무신론적 성자(聖者)'로 극찬함. 비평가 상을 받음.

1948년 (35세)

• 2월. 프라하에서 군사 혁명 일어남. 알제리 여행.

• 6월. 티토가 공산당 정보국(Kominform)에서 추방.

• 10월 27일. 장 루이 바로(Jean Louis Barrault)와 함께 쓴 《계

엄령》을 공연했으나 실패함.

1949년 (36세)

• 6월~8월. 남미를 여행함. 이 여행으로 인해 건강이 더욱 악화됨. 이로 인해 향후 2년간 《반항인》의 집필 이외에는 아무런 활동을 못함. 이 기간에 자신의 작품 세계 전반을 돌이켜봄.

• 12월. 《정의의 사람들》 공연.

1950년 (37세)

• 《시사평론》 제1권 출간.

• 《반항인》 집필.

1951년 (38세)

• 10월. 《반항인》을 갈리마르 출판사에서 출간. 이로 인해 극좌파의 신문 잡지와 1년여의 긴 논쟁이 계속됨. 그 후 사르트르와 절교함.

1952년 (39세)

• 알제리 여행.(〈티파사로 돌아오다〉 참조)

• 11월. 프랑코 총통 영도 하의 스페인이 국가로 인정받자 카뮈는 유네스코에서 탈퇴함.

• 소설 《최초의 인간》과 《유적(流謫)과 왕국(王國)》을 구성할 중편 및 희곡 《돈 후안》과 《악령》의 각색 등을 구상함.

1953년 (40세)

• 6월 7일. 동베를린 폭동 일어남. 폭동 주동자들을 지지 선언.

• 《시사평론》 제2권 출간.

• 6월. 《십자가에의 경배》와 《유령들》을 각색 연출함.

1954년 (41세)

• 1939년에서 1953년까지 썼던 글들을 모아 《여름(L'Eté)》을 출간.

• 알제리 전쟁 발발.

• 11월. 이탈리아로 여행.

1955년 (42세)

• 3월. 이탈리아의 소설가 디노 부차티(Dino Buzzati)의 작품 《어떤 재미있는 경우》를 각색하여 브뤼예르 극장에서 공연함.

• 5월. 그리스로 여행하면서 연극에 관한 강연을 함.

• 6월. 기자 활동을 재개하여 〈익스프레스(l'Expresse)〉지에 특히 알제리 문제를 중심으로 기고함.

1956년 (43세)

• 1월. 알제리 여행.

• 1월 22일. 휴전을 호소하나 거부당함.

• 2월. 체포된 많은 알제리의 민족주의자들과 자유주의자들을 위한 구명 운동.

• 5월. 《전락(La Chute)》 출간.

• 10월. 윌리엄 포크너 원작 《어떤 수녀를 위한 진혼곡》을 각색 상연함.

1957년 (44세)

• 3월. 《유적과 왕국》 출간.

• 5월. 아서 케스틀러 · 블로크 미셸과 공동 저술한 《사형 제도의 재고》에서 '사형 폐지론'을 주장.

• 10월 17일. 스웨덴의 왕립 아카데미로부터 노벨문학상 수상. 수상 이유—'오늘날의 인간의 의식에 제기되는 문제들에 빛을 던져 주는 그의 작품 전체에 대해 이 상을 줌.'

1958년 (45세)

• 2월. 《스웨덴 연설》 출간.

• 3월. 《안과 겉》 개정판 출간.

• 6월. 알제리 연대기 《시사평론》 제3권 출간.

• 6월 9일. 그리스 여행.

• 11월. 루르마랭에 주택을 구입함.

1959년 (46세)

• 1월 30일. 도스토옙스키의 《악령》을 각색, 연출, 상연함.

• 11월. 《최초의 인간》의 일부를 끝냄.

1960년 (47세)

• 1월 4일. 미셸 갈리마르(갈리마르 출판사 사장의 조카)의 승용차에 동승하고 가던 중 몽트르 근교 빌블르뱅에서 교통사고로 사망함.